TERRE À BOIS

TERRE À BOIS

Couverture : Jessica Papineau-Lapierre
Graphisme : Marjolaine Pageau
Révision, correction : Chantale Genet, Fleur Neesham et Élaine Parisien

www.editionsgoelette.com
www.facebook.com/EditionsGoelette

Dépôt légal : 2e trimestre 2013
Bibliothèque et Archives nationales du Québec
Bibliothèque et Archives Canada

Les Éditions Goélette bénéficient du soutien financier de la SODEC
pour son programme d'aide à l'édition et à la promotion.

Nous remercions le gouvernement du Québec de l'aide financière
accordée par l'entremise du Programme de crédit d'impôt pour
l'édition de livres, administré par la SODEC.

 Patrimoine   Canadian
canadien   Heritage

Nous reconnaissons l'aide financière du gouvernement du Canada par
l'entremise du Fonds du livre du Canada pour nos activités d'édition.

ASSOCIATION NATIONALE DES ÉDITEURS DE LIVRES Membre de l'Association nationale des éditeurs de livres

Imprimé au Canada

ISBN : 978-2-89690-179-1

Sylvain Hotte

Terre à Bois

Les Éditions Goélette

Papa,

T'as quitté ta prison depuis un moment.

J'ai vu tes traces dans la neige, hier.

Elles remontaient la montagne
pour se perdre dans les bois.

Je suis juste derrière.

-I-

— L'hiver, la plupart des routes sont déblayées par la Municipalité. Sauf les rangs du fond, bien entendu. Là-bas, ce sont les bûcheux de bois ou les propriétaires d'érablières qui ouvrent les chemins. Vous devriez passer à la prochaine réunion du conseil municipal pour plaider votre cause. Ils se décideront peut-être à faire passer la gratte dans le 6e Rang, maintenant qu'il y a de la vie par là.

— Merci, docteur.

— Ce n'est rien. Et vous-même n'avez rien.

— Comment ça ?

— Ça ne fait aucun doute. Depuis votre arrivée parmi nous, je vous observe. Vous êtes un garçon déterminé et vous avez de nobles ambitions pour cette terre que vous avez achetée. Mais le monde ne s'est pas fait en un jour. Vous aurez besoin de temps, de beaucoup de temps pour réaliser tout ce que vous avez en tête. Peut-être devriez-vous penser à prendre du repos ? Profitez de notre belle nature. Allez vous balader en forêt. La chasse commence bientôt, le chevreuil abonde dans la région. Oubliez un peu cette vieille maison. Elle a passé plus de cent hivers sans vous. Elle pourra attendre encore un peu, vous ne croyez pas ?

Le docteur Couture était un homme svelte et très grand, que son âge vénérable faisait courber, mais qui dépassait tout de même Alain de près d'une tête. Dans sa jeunesse, il avait dû mesurer dans les six pieds quatre pouces et devait être considéré comme un géant en son genre. Ses cheveux abondants étaient tout blancs, impeccables, comme la blouse tout aussi blanche qu'il portait boutonnée jusqu'au cou. Il avait des gestes lents et extrêmement précis. Ses mots étaient aussi clairs que cette pensée qu'il exprimait lentement, comme si, justement, chaque parole avait été soigneusement pesée avant d'être prononcée. On avait dit à Alain que l'homme avait plus de soixante-dix ans. Il fallait que ce soit une force de la nature hors du commun. D'ailleurs, dès son arrivée, Alain avait senti combien les villageois vénéraient le docteur et combien celui-ci avait de l'ascendant sur eux.

L'homme s'était retourné et se lavait les mains. La consultation était terminée. Alain reboutonna sa chemise sans trop comprendre où le vieil homme voulait en venir. Depuis sa chute du toit, cinq jours auparavant, il passait ses journées dans la confusion la plus complète. Les maux et les courbatures étaient rapidement disparus, mais il lui fallait de longues heures le matin pour remettre ses pensées en ordre et amorcer ce qui allait être le semblant d'une journée. S'extirper du lit, marcher jusqu'à la salle de bain, baisser son caleçon pour pisser : chaque geste, aussi banal fût-il, demandait un effort de coordination exceptionnel. Et lorsque, finalement, il arrivait à s'éclaircir les idées, c'était la migraine qui se manifestait brutalement et qui le tenaillait jusqu'au coucher.

Il était persuadé d'avoir tous les symptômes d'une commotion cérébrale et s'attendait à ce que le docteur l'envoie à l'hôpital pour des tests d'aptitude cognitive ou de résonance magnétique. Le vieil homme lui suggérait plutôt du repos pour évacuer les préoccupations. Pourtant, avant l'accident, il marchait plus d'une heure par jour et travaillait sur sa maison avec un réel sentiment de bien-être et d'abandon. De toute sa vie, il n'avait jamais eu l'impression d'être aussi bien portant. Mais maintenant...

– Par mesure préventive, poursuivit le médecin, mon infirmière vous fera quelques prises de sang. On n'est jamais à l'abri d'une légère anémie.

– Une anémie ?

– Oui. Je communiquerai avec vous dès que j'aurai les résultats du laboratoire. En attendant, du repos, et interdiction de travailler.

Une demi-heure plus tard, Alain descendait les marches de la petite clinique du village, avec le bras gauche replié sur la poitrine et une vilaine ecchymose au creux de celui-ci. L'infirmière avait dû s'y prendre à plusieurs reprises pour la piqûre. Elle lui avait si bien labouré le bras qu'il était incapable de le déplier sans ressentir un électrochoc douloureux qui se répandait dans tout son corps.

Mireille était une fille plutôt étrange. La mi-vingtaine, originaire de la Haute-Mauricie, elle se trimballait avec un sérieux problème d'embonpoint qui faisait enfler démesurément son derrière. Sur son visage rond, qui aurait pu être joli sous certaines conditions, elle appliquait des masses de fard à joues, de mascara et de rouge à lèvres, ce qui ajoutait encore plus à son intimidante stature. Ses cheveux teints d'un orangé agressif, jurant avec son costume d'infirmière vert pâle, et coupés au carré retombaient très court sur son front gras et descendaient en éventail sur ses épaules. Elle dégageait, d'une manière permanente, comme si on l'avait immergée dans une bassine, une odeur de pot-pourri ou d'encens de mauvaise qualité.

Le vieux docteur avait quitté son cabinet en laissant Alain seul avec l'infirmière qui s'était assise sur un tabouret, tout près, en lui faisant maints petits sourires qu'elle aurait voulu coquets ou timides, mais qui étaient si mal joués qu'on se doutait bien que Mireille était tout sauf une fille timide. Il suffisait qu'on lui ouvre légèrement une porte pour qu'elle s'installe et prenne toute la place avec sa personnalité expansive, à l'image de son derrière. Tout le monde en ville craignait ses interminables discussions à l'épicerie ou à la pharmacie. La solitude pesait à la pauvre Mireille qui s'était exilée, loin de chez elle, et qui avait trouvé ce poste dans la clinique du docteur Couture. Malheureusement, elle était un véritable épouvantail et faisait fuir tout ce qui s'approchait d'elle. Aucun doute, elle jouait la mauvaise carte en engageant des conversations à outrance, en harcelant littéralement ces gens aux caractères austères et taciturnes. Alain s'était toujours gardé de fraterniser avec la jeune fille au cours de ses déplacements en ville. À l'épicerie, il répondait toujours poliment à ses salutations puis se dépêchait de fuir vers la caisse.

Aucun doute, elle paraissait ravie d'avoir l'homme du 6e Rang sous son emprise avec nulle part où aller. Alain, perplexe, l'avait regardée prendre une éternité pour installer sa quincaillerie médicale. Elle en avait profité pour lui poser des questions sur sa vie : Qu'est-ce qui l'amenait dans ce coin de pays ? Quels étaient ses projets ? Avait-il des enfants ? Il avait répondu de manière laconique à chacune de ses questions, en sentant monter en lui l'exaspération.

Mais autre chose commença à l'inquiéter autrement plus que ces indiscrétions. Sans doute la grosse jeune femme était-elle de bonne foi, mais il n'y avait rien de rassurant dans cette manière qu'elle avait de préparer son matériel qu'elle étalait sur la petite table de chirurgie. Maladroite, elle échappa les fioles à trois reprises sur le plateau. L'aiguille qu'elle tentait de monter sur la seringue glissa de ses doigts pour tomber sur le sol. L'inquiétude d'Alain grandit encore lorsqu'il la vit se saisir de son avant-bras avec une force étonnante, sa main robuste aux doigts potelés plaquant solidement celui-ci sur l'appui-bras. Elle s'était glissée près de lui, en l'inondant des émanations de son parfum. Tout sourire, paupières battantes, elle lui dit de ne pas s'inquiéter.

Alain était un homme mûr, la mi-trentaine, plutôt mince et court sur pattes avec ses cinq pieds six pouces, mais il avait de bonnes épaules et d'excellentes mains, aux doigts courts, mais larges. S'il était avant tout un rédacteur publicitaire, il avait toujours été un excellent sportif et un bon joueur de hockey. Depuis la prise de possession de sa propriété, le printemps dernier, il travaillait dur à la réfection de sa maison. Malgré les dizaines de poches de cailloux transportées à bras, le coffrage de la maison, les douze cordes de bois fendues à la hache, les trois tonnes de gravier pelleté, il aurait voulu s'extirper de l'emprise de Mireille qu'il en aurait été incapable. Le plus troublant était sans doute l'aisance avec laquelle elle le tenait en place : du bout des doigts, comme s'il était une chose délicate, alors que son bras s'écrasait contre le coussinet sous la pression démesurée exercée par la jeune femme.

Il serra les dents tandis qu'elle enfonçait l'aiguille dans sa chair, en chuchotant du bout de ses grosses lèvres au rouge à lèvres gras :

– On inspire.

Il aurait juré qu'à ce moment, précisément, elle le cherchait du regard comme si elle lui faisait l'amour.

La première tentative de Mireille fut un échec. La seconde aussi, et autant la troisième. À chaque nouvel essai, la grosse main devenait de moins en moins assurée et de plus en plus erratique. La force et la détermination qu'elle mettait à accomplir cette tâche, qui aurait demandé tact et délicatesse, faisaient réellement peur. Alain se demanda ce qui poussait cette fille à faire ce métier, alors qu'elle aurait dû être occupée à creuser une mine ou à pelleter de l'asphalte. Finalement, une veine fut percée, le sang jaillit dans la seringue et Mireille soupira de soulagement : un long souffle exprimant une trop grande satisfaction.

*

La voirie effectuait des travaux qui duraient depuis le début de l'été. Alain, dans le stationnement de la clinique, retrouva sa voiture couverte de poussière. Il essuya son pare-brise d'une seule main en se demandant comment Mireille avait pu oser l'inviter à prendre un verre après lui avoir talladé le bras de la sorte, alors que son sang giclait dans la troisième fiole. Sous une telle emprise, avec sa substance vitale qui fuyait et sa pression sanguine qui s'effondrait, il fut pris d'un malaise, incapable du moindre mot. Il n'arriva qu'à esquisser un léger sourire qu'il voulait désolé. Mais la grosse fille interpréta cette mimique comme un acquiescement. Sa tâche terminée, elle quitta la salle en gambadant d'un pas incroyablement léger pour sa stature, en laissant son patient en complet désarroi. Il se leva pour l'interpeller, mais déplia son bras trop rapidement et la douleur lui fit serrer les dents, le gardant immobile et muet.

Samedi, seize heures, chez elle, voilà tout ce qu'il se rappelait. Il savait que Mireille habitait une maison située à l'est du village, tout en bas de la grande côte. Il passait devant chaque fois qu'il se rendait au moulin pour faire scier son bois. C'était une vieille maison qui appartenait à la famille Duchesne, propriétaire de l'épicerie. C'était une demeure bien entretenue, avec un revêtement de vinyle bleu qui jurait un peu, comme si l'on avait cherché à donner un cachet moderne à cette petite maison, dont les lignes, qui avaient perdu le niveau depuis longtemps et que tous les petits ajouts cosmétiques (chambranles de portes et de fenêtres, contrevents ou balcon neuf) n'arrivaient pas à camoufler, trahissaient l'âge. Le cadet de la famille Duchesne entreposait son tracteur et son souffleur dans un gros garage à l'arrière. Il faisait des contrats de déneigement, mais travaillait peu depuis que courait une rumeur voulant que les maisons ou chalets de certains étaient systématiquement volés après qu'il eut ouvert les chemins. Il se défendait en affirmant que si les routes étaient ouvertes, les voleurs avaient tout le loisir de se rendre sur place. C'était une des raisons pour lesquelles Alain n'avait pas approché qui que ce soit pour le déneigement du 6ᵉ Rang.

À seize heures, chez elle, cela signifiait l'apéro, la bouffe qui mijote, et la suite. Mireille avait sans doute quelques arrière-pensées. Et Alain n'était pas à court d'idées non plus. Il pourrait certainement se délecter de ce gros derrière. Cette fille à quatre pattes, ce devait être spectaculaire. Un amateur de grosses fesses y trouverait certainement son compte et peut-être même jusqu'à en faire une crise mystique. Cela dit, ce n'était pas tant le physique de Mireille qui effrayait Alain que ses comportements trop maniérés où elle avait tout faux. Il y avait quelque chose de maniaque chez cette fille, qui semblait aller au-delà du bon sens. Et maintenant, il ne cessait de penser à ce regard concupiscent qu'elle avait eu alors qu'elle regardait le sang s'accumuler dans la petite éprouvette. Ce n'était plus la grosse infirmière vert pâle aux cheveux orangés qu'il voyait, mais l'incarnation de ce souvenir, alors qu'il était tout jeune et qu'il jouait près d'une tourbière au nord de Québec : il avait vu, dans une petite mare, une grenouille très pâle, presque blanche, qui flottait sur le dos. La tête à l'envers, elle le regardait droit dans les yeux en ouvrant et en refermant sa gueule. Muni d'un bâton, Alain l'avait retournée pour découvrir avec horreur une immense sangsue «ventousée» à son dos. Cette dernière était toute gonflée, d'un rouge vif, tellement elle s'était gavée du sang de la grenouille, jusqu'à son agonie et bientôt sa mort. Ce souvenir, cette émotion l'avait poursuivi sa vie durant, jaillissant çà et là sans qu'il comprenne trop pourquoi. Et cette fois, il l'avait vu s'incarner parfaitement dans les amoncellements de chair qui constituaient Mireille.

Il en était à ces réflexions, son menton sur ses mains croisées sur le toit de la voiture, lorsque, d'un geste impulsif, il referma la portière pour s'en aller à pied le long de la rue Principale, vers le bas de la ville, observer les travaux.

*

On installait un aqueduc et des égouts, sonnant ainsi le glas des puits, puisards, fosses septiques et champs d'épuration pour les habitants du village. Depuis les années quatre-vingt, où les premiers signes de contamination des nappes phréatiques étaient apparus, les villageois avaient fait de nombreuses demandes, maintes fois répétées, auprès du ministère de l'Environnement, de la MRC et de tous ceux que ça pouvait concerner, pour l'installation des égouts et d'un aqueduc, mais sans succès. Les problèmes de cette région d'un arrière-pays quelconque n'arrivaient qu'à susciter de légers sourcillements chez les hauts fonctionnaires et autres sous-ministres à qui il fallait répéter indéfiniment le nom des différents patelins en les identifiant sur une carte. Bien évidemment, c'était le dernier de leurs soucis. Aucune élection ne se gagnait là-bas, et il fallut attendre plus de trente ans, et l'ascension du maire Fortier aux hautes sphères de la voirie dans l'est du pays. Certains affirmaient qu'ils ne verraient jamais le jour où l'eau courante arriverait dans leur maison. Et, comme de fait, plusieurs de ceux-là étaient morts bien avant les premiers coups de pelles.

Depuis le début du siècle, en fait dès le début de la colonisa-tion le long de la route de l'Espérance qui s'étirait sur tout le territoire depuis le fleuve, les habitants avaient pris l'habitude d'aller s'approvisionner en eau «sur le Maine», comme on disait. Une source y coulait en un torrent à travers les racines d'un cèdre immense juché sur des cailloux, lui donnant un aspect miraculeux, tout droit sorti d'un psaume. Une légende locale racontait qu'un défricheur du nom de Joseph Bernier, originaire de Cap-Saint-Ignace, aurait voulu s'y installer vers 1892. La source, disait-on, ne coulait pas alors. Mais l'arbre superbe, comme on en voyait rarement, même à cette époque, inspira le jeune Joseph qui croyait que si un tel arbre poussait là, c'était que le sol était d'une grande qualité. Cela ne pouvait être que de bon augure pour ses projets. Aussi, il décida que ce serait de ce bois qu'il ferait sa maison. Mais sitôt le premier coup de hache donné, il s'arrêta à cause d'un bruit sourd provenant de la terre. Il reçut en plein visage le jet de la source. Épouvanté, il prit ses jambes à son cou et s'enfuit pour raconter son histoire.

Tous ceux qui allaient chercher de l'eau «sur le Maine» ne pouvaient manquer la grande ouverture dans l'écorce, au pied de l'arbre, qu'on appelait la fente à Bernier, ce coup de hache servant à alimenter la légende de Joseph. Mais quiconque s'y connaissait un peu en abattage pouvait voir qu'une telle fente n'avait aucun sens. En plus d'être à la verticale, elle était d'une grosseur telle qu'il aurait fallu au jeune colon une hache à la tête surdimensionnée et au poids démesuré. En fait, ce qui faisait la singularité de cette source, c'était qu'elle était située directement sur la frontière du Canada et des États-Unis. D'usage commun autrefois, elle ne l'était plus depuis le 11 septembre 2001. Depuis les attentats, des milices armées américaines patrouillaient à la frontière et ne toléraient aucune incursion. Du coup, la source n'était plus fréquentée que par quelques irréductibles, les risques de rencontre avec des fanatiques armés jusqu'aux dents roulant dans de gros quatre-quatre étant trop élevés. Cet accès perdu à l'une des importantes sources d'eau potable fit le bonheur des embouteilleurs, mais c'est sans doute aussi ce qui précipita la mise en chantier des travaux d'aqueduc.

Depuis le printemps, depuis le dégel en fait, les travaux avançaient à pas de tortue. On en était tout au début de la rue Principale, dans le bas de la côte. Il était devenu évident que le chantier ne serait pas terminé avant l'hiver. Le village était construit sur le roc et les dynamitages étaient innombrables. Certains pensaient même qu'il aurait été plus économique de déménager tout le village dans une vallée à terre meuble plutôt que de se lancer dans ces travaux titanesques. Une des curiosités de ces régions éloignées de Bellechasse, de la Beauce ou des Bois-Francs était cette tendance qu'avaient eue les colons à construire leurs églises sur les points géographiques les plus élevés. Pour se rapprocher du ciel et du Créateur sans aucun doute, mais aussi une manière de signaler sa présence dans cette mer infinie d'arbres et de forêts qui semblait vouloir vous avaler à jamais. Mais ce qu'il faut savoir, c'est que plus le maire Fortier, propriétaire de la compagnie d'excavation, pouvait étirer les travaux, plus il pouvait charger des « extra » au ministère.

Un des signaleurs se nommait Jason. C'était un garçon du coin qui ne devait pas avoir vingt ans. En communication permanente avec son collègue, à l'autre bout du chantier, il faisait la circulation automobile nonchalamment. Il passait le plus clair de ses journées le dos appuyé sur la boîte de son gros pick-up rouge couvert de poussière. Il avait déposé une grande couverture sur son Dodge Ram, pour empêcher la poussière de ternir la peinture, certes, mais aussi pour que le soleil ne chauffe pas trop le véhicule dans lequel il prenait ses pauses. Le jeune Jason avait toutes les allures du grand adolescent n'ayant cure de ce qu'il faisait, donnant l'impression de «faire du temps» en attendant des projets plus valorisants, du moins plus en accord avec l'image qu'il avait de lui-même.

Alain le salua, mais le jeune homme, derrière ses épais verres fumés, n'eut aucune réaction. Quelqu'un de peu familier avec cette scène aurait pu croire qu'il dormait. Mais pas Alain, qui n'en était pas à ses premières confrontations avec ces comportements inappropriés, voire enfantins, surtout de la part des jeunes gens du village. Son intégration n'était pas facile dans son nouveau patelin. Si lors des premières semaines de son arrivée, à la quincaillerie, à l'épicerie ou à la station-service, tout le monde était avenant avec lui, les comportements avaient vite changé. Il avait l'habitude des sourires gênés, des discussions qu'on fuyait et des mines patibulaires qui l'accueillaient, mais c'était peut-être la première fois qu'on l'ignorait ainsi, sans même prendre la peine de lui répondre. Il fallait sans doute un grand adolescent attardé et prétentieux pour pousser l'impertinence à ce point. Bien sûr, Alain n'aurait pas dû s'en formaliser. Mais il y a certaines émotions qu'on peut difficilement contenir, surtout celles qui touchent à notre amour-propre et à notre dignité. Une profonde lassitude envahit Alain, alors que tout son corps se mettait à vibrer au son infernal des véhicules lourds.

Un énorme chargeur transportait au bout d'une chaîne un caniveau en ciment arborant des lettres noires peintes au gabarit: «Fortier». Un peu plus loin, un bulldozer poussait du gravier en faisant trembler le sol, tandis qu'une excavatrice creusait la terre devant. Alain sentit son mal de tête et ses étourdissements reprendre de plus belle. Il s'éloigna d'un pas pressé avec l'intention de retourner chez lui.

Sans doute le docteur Couture avait-il raison. À mesure qu'augmentait l'hostilité des villageois à son égard, il se réfugiait d'une manière plus intensive, voire obsessive, dans les rénovations. Il devait certainement faire une pause. D'ailleurs, une commande d'écriture était entrée la veille. Il avait lu le courrier en diagonale, assailli par la migraine qu'avait fait naître cette longue marche jusqu'en haut de la montagne derrière chez lui, seul endroit où il pouvait capter un signal avec son téléphone. De ce qu'il en avait retenu, c'était un texte de présentation pour un nouvel événement en ville chapeauté par la Commission des champs de bataille. Lui qui aimait s'imprégner physiquement de ce qu'allait être son sujet de rédaction aurait pris plaisir à aller en ville pour marcher sur les Plaines. Il aurait pu téléphoner à Laurent et à Bruno pour aller boire des bières. Ça l'aurait changé de son voisin et de toute cette communauté.

La solitude était son pire ennemi dans cet endroit isolé. Et c'est sans aucun doute pourquoi il continuait à tolérer Dean Morissette dans son entourage.

*

Depuis l'accident, Dean s'était évanoui dans la nature et n'avait donné aucune nouvelle. Alain avait repris connaissance dans son lit sans savoir combien de temps il était demeuré inconscient ou endormi. Il avait trouvé les portes verrouillées et tous les rideaux fermés. Selon ses estimations, il devait être resté plus de vingt-quatre heures au lit. Il frissonna à l'idée que s'il ne s'était pas réveillé, ce matin-là, il aurait bien fallu des mois avant qu'on ne découvre son cadavre dans la chambre. C'est en faisant le tour de la maison, le lendemain, qu'il avait trouvé le marteau sur le sol près des feuilles de tôle du recouvrement, entre la grosse génératrice au diesel et la bouilloire pour l'eau d'érable. Il eut des réminiscences de la chute, se voyant glisser sur la tôle galvanisée, ses doigts cherchant à s'agripper désespérément aux têtes de vis, entendant les cris de Dean et revoyant le tourbillon qui s'en était suivi.

Que Dean n'ait plus donné de nouvelles ne le surprenait pas vraiment. Son voisin était l'incarnation du parfait irresponsable en toute chose. Sous ses airs de dur se cachait un adolescent confus qui s'exprimait fort en affirmant tout et son contraire et en fuyant tout de la même façon. En ce moment, il ne devait même plus penser à Alain, ayant la capacité de strictement tout oublier ce qui ne faisait pas son affaire, comme si soudainement plus rien ne le concernait ou que cela n'avait même pas existé. Il devait en être à travailler sur une bagnole sur son terrain aux allures de décharge municipale ou à se traîner à plat ventre dans la boue en s'entraînant avec sa milice américaine.

S'il se décidait à aller chez lui, Alain imaginait très bien ce qui allait se passer. Dean l'accueillerait, l'air de rien, en souriant de toute sa dentition spectaculaire, s'essuyant avec une guenille pleine de graisse, le capot d'un moteur ouvert dans sa cour, un fusil chargé appuyé sur des vieux pneus. Jamais il ne serait question de l'accident.

— Salut, mon Al! Une petite bibine?

Et il lui passerait une canette de bière bon marché sans attendre sa réponse.

Si Alain amenait le sujet sur la table, Dean agiterait la tête de gauche à droite en regardant à ses pieds avec son sourire énigmatique. Puis il lancerait un sujet au hasard, n'ayant rien à voir avec la discussion amorcée. Non seulement ce sociopathe n'avait aucun remords, mais de plus il ne faisait rien pour se disculper de quoi que ce soit. Même s'il n'avait rien à voir avec les faits reprochés, il ne pouvait s'empêcher de laisser planer un doute.

Ce grand échancré à la coiffure banane et aux allures de rockabilly était un verbomoteur compulsif. Et quand il n'avait plus rien à dire, qu'il semblait avoir épluché un sujet en long et en large avec ses réflexions pas possibles, il se mettait à rire de son rire puissant et nasillard avec ses grandes dents qui semblaient s'étirer d'elles-mêmes vers l'avant, le faisant véritablement ressembler à un âne. Malheur à celui qui voudrait partager ce rire. Dean cesserait aussitôt en lui demandant sur un ton très sec ce qui n'allait pas. Qu'est-ce qui le faisait rire ainsi ? Il avait dit quelque chose de drôle ? Il le trouvait ridicule ? Niaiseux ? Il l'inviterait à s'asseoir pour en discuter. Et Dean, au plus grand désarroi de son interlocuteur, retomberait aussitôt dans un tourbillon d'idées et de paroles toutes plus confuses et insensées les unes que les autres.

Alain avait pris la mesure du personnage au début de l'été, alors qu'il commençait à le fréquenter.

Après ses journées de travail qui se déroulaient dans la solitude la plus complète – les jours passés à extraire les cailloux de la cave à la mi-juin avaient été particulièrement longs –, sur le chemin qui le menait à l'épicerie, il trouvait tout de même agréable d'avoir quelqu'un pour discuter. Mais chaque fois, ce qui devait être un court arrêt pour jaser de tout et de rien entre voisins finissait par une escapade impossible à imaginer : rouler à 160 kilomètres à l'heure dans un rang de terre, descendre une bouteille de bourbon et mettre le feu à un vieux camp abandonné, tirer du *gun* n'importe où la nuit en avançant dans des sentiers avec des lampes frontales. Il n'y avait rien de banal avec Dean. Chaque fois, Alain se retrouvait entraîné dans un dédale de délinquances malgré lui, dans un long crescendo qui se terminait au fond d'une bouteille de fort.

Ce type profondément seul vivait dans un monde qui n'appartenait qu'à lui, peuplé de fantasmes étranges issus de son imagination débridée, et était toujours à côté de la plaque. Il était originaire du Bas-Saint-Laurent, d'un village perdu au bord de la frontière du Nouveau-Brunswick et du Maine appelé Rivière-Bleue. Il était arrivé dans Bellechasse il y a une quinzaine d'années, après avoir travaillé dans le Grand Nord. Il avait payé sa propriété *cash*. Depuis, il ne faisait qu'accumuler les immondices et ne travaillait jamais, trempant toujours dans des combines bizarres. Le journal local était inondé des annonces de Dean : pièce de voiture, roue de tracteur, clôture de pruche, lit pour enfant, jerrycan en métal, broyeur à poulets, etc.

Un beau jour, Alain, qui avait besoin d'une bougie pour sa scie à chaîne, était passé chez Dean en s'imaginant que celui-ci aurait quelque chose dans son capharnaüm. Après avoir fouillé partout dans ses deux granges remplies à ras bord de tout ce qu'on pouvait imaginer, son voisin proposa de l'accompagner chez le concessionnaire à Montmagny. Ils roulaient à bord d'un vieux pick-up des années cinquante sur lequel Dean travaillait. Il ne manquait plus qu'un gros cylindré à installer pour en faire un véritable *hot rod* avec des *pipes* chromés qui monteraient à la verticale de chaque côté de la cabine arrière. Ensuite, Dean irait voir un copain dans le Maine qui faisait de la peinture au *airbrush* pour ajouter du feu sur les ailes et une pin-up sur le capot. Dans un virage serré, sur la route qui sillonnait la campagne, ils tombèrent à plus de cent à l'heure sur une jeune vache égarée. La lourde camionnette, avec les grosses barres d'acier en guise de pare-chocs, frappa l'animal violemment, directement sur le flanc gauche. La bête mourut sur le coup.

Tandis qu'Alain se remettait de ses émotions, Dean sortit précipitamment de la camionnette. Il s'alluma une cigarette en observant l'animal à ses pieds. Puis il se mit à sautiller autour de la vache un peu à la manière d'un sorcier apache faisant la danse de la pluie. Alain, qui n'en était pas à ses premières frasques avec son voisin, ne s'étonna même pas du comportement de ce dernier. Il sortit à son tour du pick-up. C'était une très jeune bête. Comment avait-elle pu sortir du bois comme ça ? Il fallait qu'une ferme soit tout près. Ils tirèrent la vache sur l'accotement et Alain demanda à Dean ce qu'il y avait à faire.

— La vache est un animal imbécile, dit celui-ci, un doigt en l'air, caricaturant un professeur. Une aberration totale dans le grand schème de la nature. Créée par croisement génétique par nos ancêtres ; une chose molle et sans cerveau, qui ne sert qu'à faire du lait ou de la viande. L'expression du génie humain dans ce qu'il a de plus pathétique.

Le grand échancré se retourna vers sa camionnette puis se mit à débiter à haute voix tous les jurons connus de la terre. Si le gros pare-chocs avait fait le travail en prévenant des dommages importants, le capot, par contre, avait été percuté par la tête de l'animal. La tôle était légèrement enfoncée à un endroit et la peinture avait subi des dommages légers. Le futur *hot rod* aurait été déclaré perte totale que Dean n'aurait pas réagi autrement. Mais encore là, Alain ne s'étonnait plus de rien chez son voisin, excessif en tout.

Il n'y avait que des arbres et de la forêt tout autour. Ils avaient croisé une ferme, plus en amont sur la route, et il y en aurait une autre avant le prochain village. Alain suggéra d'aller frapper à leurs portes pour retrouver le propriétaire de la bête. Il ne fallait pas s'énerver, le fermier allait sûrement payer pour la peinture.

– Ah, oui ? Le propriétaire va payer ? C'est sa faute si la vache s'est sauvée ? Erreur, mon Al. Ce n'est pas de ses affaires. C'est la vache qui va payer. C'est à elle de rendre ce qu'elle m'a enlevé. C'est dans l'ordre naturel des choses.

Alain recula de quelques pas, sur ses gardes. Quand Dean se mettait à parler de la sorte, avec du feu dans les yeux, en débitant ses conneries sur l'équilibre universel – ou de ce que lui comprenait et de ce qui l'arrangeait –, quelque chose allait se passer. Et, comme de fait, l'énergumène alla d'un pas pressé, les talons de ses bottes de cow-boy claquant sur l'asphalte, jusqu'à la boîte du pick-up pour y récupérer sa scie sauteuse à batterie avec une grosse lame de démolition.

– T'aimes pas ça, les jarrets de veau, toi ? dit-il en riant avant de couper les quatre pattes de l'animal sous le regard pétrifié d'Alain.

Le sang coula abondamment sur l'asphalte. Dean enveloppa les jarrets dans du papier journal, puis regarda le cadavre mutilé de l'animal avec le sentiment du devoir accompli. Ils partirent prestement sous l'insistance d'Alain qui ne voulait en aucun cas être vu après un événement aussi compromettant.

Le soir, ils avaient fait un feu à même un baril de quarante-cinq gallons. Ils y avaient fait rôtir les jarrets en buvant du bourbon et en tirant du .12 dans des carcasses de vieux chars empilées les unes sur les autres.

Comme chaque matin de ses lendemains avec Dean Morissette, Alain s'était réveillé en sueur, la tête et l'estomac à l'envers. Il s'était élancé précipitamment vers la fenêtre de sa chambre comme un désespéré, pour regarder le boisé magnifique avec ses arbres matures, les oiseaux dans les mangeoires, le lever du soleil sur la montagne et tout ce qui lui faisait aimer cet endroit retiré du monde. Et il se répétait, les deux mains appuyées sur le rebord de la fenêtre :

– Ne plus fréquenter Dean. Surtout, ne plus fréquenter Dean.

Mais Dean était entré dans sa vie. Comment sortir de la sienne ? Cette question, Alain n'avait pas fini de se la poser.

*

Il devait retourner à sa petite maison, mais il n'en avait plus le cœur. Il marchait d'un pas lent sur la rue Principale, bordée de ces petites maisons rangées étroitement les unes sur les autres. Il s'imaginait les vieillards l'observant discrètement derrière les rideaux de leur fenêtre. S'il s'était écouté, il aurait filé directement jusqu'à Québec pour se réfugier chez un ami. Mais si à vingt ans il pouvait débarquer chez n'importe qui pour squatter le salon un jour un deux, à la mi-trentaine, ça ne semblait plus possible. Les amis étaient tous en couple, avaient des enfants et des vies bien à eux. Ce communautarisme bon enfant propre à la jeunesse était déjà loin derrière. En fait, se demandait-il, est-ce qu'il lui restait des amis ? Un seul qu'il pût considérer comme tel ? Certes, oui, il pensa à Laurent et à Bruno. Mais les choses n'étaient plus les mêmes. Il eut de grands frissons en pensant que, dorénavant, il n'y avait plus que cette maison au fond du 6e Rang qui pouvait l'accueillir, et il se demanda comment il en était arrivé là.

Le son d'une voiture capta son attention. Sur la route, descendant à toute vitesse, il vit s'approcher dans un nuage de poussière le gros Chrysler 300 argenté de la grande Sonia.

Il pouvait la voir nettement à travers le pare-brise, cigarette au bec, touchant presque le toit avec ses six pieds deux pouces. Elle passa en trombe à ses côtés en l'ignorant totalement, ne croisant jamais son regard.

Elle roulait, comme toujours, le gaz au fond, en se foutant des trous laissés par le passage des bulldozers et des chocs subis par sa voiture neuve qui en prenait plein la caisse. Elle tourna rue Sainte-Anne pour s'arrêter à la boutique de chasse et pêche de monsieur Blais.

Bien qu'elle fût dans la communauté depuis quelques années, Sonia demeurait un phénomène peu banal au village. Cette grande fille maigre, décharnée, à la minijupe de jeans et aux bottes western, exposant ses jambes démesurément longues et croches avec ses gros genoux sales, et sa gueule pas possible avec son nez immense et ses dents pourries, ne pouvait laisser personne indifférent. Elle semblait toujours dans les vapeurs, carburant au cannabis, et peut-être même à l'héroïne ou autre psychotrope. D'ailleurs, Alain s'était toujours demandé comment ce mariage peu commun avec le maire Fortier pouvait susciter si peu de réactions. Il faut dire que la grande Sonia, cette passionnée des armes à feu, inspirait la peur plus qu'autre chose. Peut-être que sous le couvert, dans les chaumières derrière les portes closes, certains se laissaient aller à exprimer leur mécontentement face aux extravagances de leur maire. Mais en public, rien du tout. Et devant Alain, nouvellement arrivé dans ce hameau, encore moins.

La chasse commençait bientôt et on le sentait dans tout le village. Les vendeurs de pommes à chevreuil, de blocs de sel et autres appâts miracles vendus en liquide ou en moulée pour attirer les bêtes étalaient leurs produits devant leur commerce, qu'ils fussent épiciers ou garagistes. Tout le monde, ou presque, chassait dans cette région où il ne se passait pas une semaine sans qu'on entendît parler d'un chevreuil ou d'un orignal frappé sur la route.

Alain ne se croyait pas capable de chasser le *buck* qui courait sur ses terres ou même les chevreuils du ravage de l'autre côté de la montagne, près de la rivière. Jamais il n'aurait le cœur à tuer de telles bêtes. Alain le citadin entretenait une relation particulière avec la forêt, presque spirituelle. Chaque fois qu'il marchait sur sa terre et qu'il déambulait entre les arbres, une magie singulière s'opérait. Les bêtes, si nobles, qu'il croisait devenaient des sortes de mentors dans sa nouvelle vie recluse, loin de chez lui. À l'image de l'orignal qui tapait inlassablement le sentier, solitaire, Alain continuait à taper avec son marteau, et chaque nouvelle journée le menait un peu plus vers la concrétisation des objectifs qu'il s'était fixés. Et si un beau matin, sur la montagne, alors qu'il arpentait son terrain, il venait à croiser les pistes fraîches de l'orignal, il savait qu'il avait devant lui un bon jour.

Il n'entretenait pas la même relation avec le petit gibier, abondant lui aussi. La plupart du temps, lorsqu'il surprenait un lièvre ou une perdrix, il se demandait quel parfum ils auraient à mijoter dans la gibelotte. Qu'il sache ou non s'il avait une commotion cérébrale importait peu puisqu'on ne pourrait jamais la soigner. S'il se mettait à la chasse, il remettrait peut-être un peu d'ordre dans ses idées. Il fallait lutter contre la dépression post-traumatique, car c'est bien ce que faisait subir le cerveau endommagé à son hôte. Ainsi, il se décida à entrer dans la boutique pour regarder les fusils... et pour avoir, peut-être, un signe quelconque de la grande Sonia.

Lorsqu'il franchit la porte du commerce, le propriétaire, monsieur Blais, qui classait un vrac de cuillers à pêche, le salua discrètement. Alain jeta un coup d'œil à la boutique, puis se dirigea vers le comptoir des armes à feu, à l'arrière.

Déjà, en s'approchant, il put observer la tête aux cheveux bruns et courts de Sonia qui dépassait au-dessus du rayon des vêtements de chasse. Elle tenait dans ses mains un .12 Winchester SX3. Elle l'accueillit d'un clin d'œil et d'un sourire en coin, exposant légèrement ses dents brunes, lui rappelant ce goût âcre de cigarette. Elle embrassait comme elle souriait, discrètement, comme si elle cherchait à cacher cette malheureuse dentition. Il observa ses longues pattes qui semblaient avoir été équarries à la hache par un mauvais charpentier. Sonia avait sur le dos une chemise à carreaux rouge, dans les mêmes tons que celle que portait Alain, et un foulard de fourrure autour du cou.

Alain resta figé un long moment devant l'étrange spectacle hypnotique qu'offrait cette fille en mouvement dans ce magasin de chasse et pêche, s'amusant à pointer le fusil à pompe dans toutes les directions. Puis il s'avança au-devant du commis qui lui avait fait signe. Derrière lui, il entendit nettement Sonia qui dit de sa voix rauque :

— Ça marche, le gros, je le prends.

Sa tête n'était qu'à quelques pieds du canon lorsque le coup partit. La décharge lui défonça le tympan, le souffle lui arrachant presque l'oreille. Il tomba sur le sol en hurlant, la main sur l'oreille, tandis que du sang lui coulait entre les doigts. Le commis qui avait vu les plombs se planter à deux pieds de sa tête était figé, blanc comme un drap. La grande Sonia se lança à genoux aux côtés d'Alain. Elle le retourna et plaqua son visage à quelques pouces du sien.

À contre-jour, sous les néons blafards de la boutique, il voyait les deux grands yeux noirs qui s'enfonçaient dans les siens. Le visage de Sonia était affreux. Elle hurlait en postillonnant :

— Je m'excuse ! Je m'excuse !

Alain n'aurait su dire de ce visage s'il était préoccupé ou souriant. Si elle était sincère ou si elle se moquait carrément de lui dans son délire violent trop fucké. Il sentit sa tête tourner et son esprit vaciller. À ce moment, il se persuada qu'il devait quitter ce coin de débiles pour ne plus jamais y revenir. Il perdit connaissance dans les bras de Sonia.

Il reprit ses esprits planqué dans une des granges de Dean, au fenil, parmi quantité d'objets entassés pêle-mêle autour de lui et qui formaient un mur le coupant du monde. Le rockabilly était assis sur une vieille balle de foin poussiéreuse et fumait une de ses Mark Ten *king size*. Quand il vit qu'Alain s'était réveillé, il le pointa du doigt.

— Al, *man,* tout ça est arrangé. La grande salope le savait, qu'il y avait une charge dans son *gun*. Il va falloir que tu restes caché. Je m'occupe de tout.

-II-

Alain était heureux de quitter la ville. Malgré tout le travail qui stagnait et les heures à rattraper, il était parti tôt le matin, sans même se donner la peine de faire son café. Après avoir quitté le centre-ville, sur le pont qui traversait le fleuve, il eut la nette impression de mieux respirer. C'était sans doute l'espace qui s'ouvrait devant lui et à son regard qui pouvait porter au loin. Même s'il ressentait toujours un certain malaise, sa migraine semblait vouloir se calmer.

En cette période de l'année, les maux de tête se faisaient de plus en plus insistants, et ce, au fur et à mesure qu'approchaient les échéanciers. Les dates n'étaient toujours pas tombées que ses clients, déjà inquiets, le harcelaient, voulant s'assurer que leurs commandes seraient prêtes à temps. Il devait pondre des textes pour des boîtes de communication : campagne de pub, nouvel emballage de la compagnie machin ou slogan pour tel ministère de l'Inutilité. Chaque fois, il devait les rassurer en leur disant que oui, ce serait prêt à temps, que le travail allait bon train et qu'il était très satisfait de ce qu'il allait leur remettre. Tout ça, alors qu'il n'avait aucune idée de ce qu'il allait faire.

En cette saison, les boîtes de communication semblaient s'être toutes donné le mot et débarquaient en même temps avec leurs demandes impossibles, comme si leurs clients s'éveillaient tous au printemps avec une folle envie de renouveler

leur image et de dépenser ce qu'il restait de deniers publics
– entendre ici : des centaines de milliers de dollars – avant la
révision des budgets. Et après deux mois d'hiver (janvier et
février), où il n'avait fait que se ronger les ongles en hésitant
entre aller porter les clefs du condo à la banque ou se pendre
au milieu du salon avec les comptes éparpillés à ses pieds, le
téléphone se mettait à sonner en rafale.

Dans des réunions interminables avec des idéateurs de
toutes sortes, il prenait des notes sur sa tablette électronique en
écoutant quantité de niaiseries. Sa plume, son talent devaient
rendre ce qu'eux avaient dans la tête et qu'ils ne savaient
formuler. À leurs concepts qu'ils empilaient les uns sur les
autres en se trouvant toujours plus géniaux et en se congra-
tulant mutuellement, il devait donner du sens, quitte parfois
à tout jeter et reprendre à zéro. Mais ça, ils ne s'en rendraient
jamais compte. Et puis ça comptait pour très peu dans tout ce
jeu débile. Parce qu'à ce jeu des idées, c'est la conviction qui
l'emporte. Le ton de la voix, l'enthousiasme et l'emphase avec
lesquels tout est assumé. Voilà tout. Les plus belles conneries
peuvent prendre forme et se retrouver en production si on a su
convaincre. Le tout, c'est la foi. Et Alain, l'athée mal assumé
jusqu'au plus profond de son âme, en questionnement perpétuel, ne serait-ce que pour trouver quoi mettre sur ses toasts le
matin, évaluant le pour et le contre entre le fromage, le beurre
d'arachide ou la confiture, replaçant tout dans un nouveau
contexte, et ce, maintes et maintes fois, n'avait strictement
rien à faire au royaume des convaincus et de leurs prétentions.

*

Ainsi, il avait roulé toute la journée sans trop savoir où il
allait, enfilant les petits chemins de campagne en tournant

indifféremment aux intersections en se disant qu'il finirait bien par arriver quelque part. Les villages qu'il croisait ne lui disaient strictement rien dans cette région qu'il visitait pour la première fois. Pourtant, il avait la nette impression de tous les connaître par cœur. Ils se succédaient, les uns à la suite des autres, toujours sensiblement les mêmes, juchés au sommet d'un monticule, dominés par une église et son clocher. Les vues à 360 degrés qu'ils offraient sur le paysage tout autour étaient identiques à peu de choses près. Dans la cour des presbytères où il s'arrêtait pour chercher quelque chose du regard, c'était toujours pareil. On y voyait des terres cultivées qui s'étendaient à perte de vue, avec quelques petits îlots boisés ici et là, comme flottant à la dérive sur les immenses vagues des collines. Ces îlots étaient des érablières qui, en cette fin du mois de mars, laissaient monter dans la calme atmosphère de longues et minces colonnes de fumée blanche, les bouilloires marchant à plein régime.

Après être descendu de sa voiture, Alain prit une grande inspiration et s'étira pour délier ses membres ankylosés. Le soleil plombait, mais on pouvait toujours sentir le fond de l'air bien frais dû entre autres à cette neige qui, malgré la fonte, demeurait omniprésente tout autour. Derrière l'église, il y avait un gros tas qu'avait poussé la gratte pendant l'hiver. Il était tout noir à cause de la fonte excessive, et exposait d'une manière peu ragoûtante une épaisse couche de sable et de gravier ayant servi à l'épandage sur les routes.

Le soleil printanier, sur cette terre humide, créait un phénomène d'évaporation très intense. Il plongeait le décor dans une brume fantomatique qui filtrait la lumière, en en diffusant les rayons. Il en résultait une lumière vive qui faisait plisser les yeux et créait un halo diaphane, peu importe où l'on posait les yeux.

Alain secouait la tête sans ressentir la moindre douleur au fond de sa boîte crânienne. Sans aucun doute parce qu'il avait quitté son condo du centre-ville qui lui coûtait la peau du cul et dont l'ambiance l'oppressait de façon morbide avec ce calendrier des choses à faire trônant au beau milieu du salon. Ce calendrier, tracé sur un tableau, tel un totem, le jugeait sans cesse, lui rappelant qui il était, ce qu'il avait été et ce qu'il devait être. Alain utilisait les téléphones intelligents, tablettes et autres patentes pour gérer sa vie professionnelle, mais il avait trop peur de leur échapper en appuyant simplement sur un bouton et c'est pourquoi il tenait tellement à ce tableau immense qui occupait tout l'espace visuel.

Un certain sens de l'organisation, aussi boiteux fût-il, aura été la chose qui lui aura sauvé la vie, pensait-il alors. Lorsque Audrey l'avait quitté pour aller vivre avec le gars des arts et spectacles de Radio-Canada, il avait pensé tout abandonner.

— Je suis enceinte, avait-elle annoncé.
— C'est vrai ? avait-il fait, étonné.

À voir l'air affligé d'Audrey, il aurait dû deviner. Mais comme un imbécile, il voulait croire. Pourtant il avait fait tous les tests. Il savait très bien qu'il ne pouvait pas avoir d'enfants. Une des images qui resteraient gravées dans sa mémoire à jamais était certainement celle de ses propres spermatozoïdes difformes bougeant à peine sur le moniteur du microscope. Chaque fois qu'il était las et au bout du rouleau, il revoyait sa semence à l'agonie, image parfaite de tout ce qu'il ne saurait jamais engendrer, de tout ce qu'il était, pensait-il. Le médecin avait été formel : il n'y avait rien à faire avec des gamètes pareils.

Ainsi, Audrey, au bord des larmes, lui annonçait qu'elle était enceinte de son amant. Elle ajouta qu'elle voulait garder le bébé, avant de s'effondrer en pleurs et de lui faire mille reproches sur son manque d'implication, sur les longues soirées qu'il passait à travailler ses textes ou à fumer des joints et à jouer aux jeux vidéo. Et puis elle était jeune, elle avait des besoins sexuels à combler, et elle avait toujours désiré un enfant. Alain l'écoutait en se convainquant qu'il était un véritable salaud, un bon à rien. Il se retrouva sur le divan à la serrer dans ses bras et à la réconforter en lui disant qu'elle avait tout pour être heureuse, maintenant. Il lui affirma que tout se passerait bien, qu'il allait faire en sorte que tout se passe bien.

– Tu ne m'en veux pas ? qu'elle lui dit en séchant ses larmes.
– Bien sûr que non.

Une semaine plus tard, après maintes discussions, elle faisait sa valise pour s'installer avec Yann Saint-Pierre. Alain, qui ne pouvait blairer ce chroniqueur des arts et spectacles, avec sa belle gueule, sa garde-robe Philippe Dubuc et cette diction parfaite, inspirée de l'intelligence artificielle, avec laquelle il racontait quel bouquin il avait aimé, quel spectacle il allait voir ou de quelle vedette il avait serré la main, n'allumait plus la télé pour ne pas risquer de le voir. Il reçut une invitation pour le baptême de la petite Rosalie, mais décida de ne pas s'y présenter. Après quelques mois à digérer tout ça, il s'estimait plutôt heureux de voir Audrey réaliser son rêve d'avoir un enfant. Mais il ne se voyait pas au beau milieu de leurs anciens amis et de son ex-belle-famille à serrer des mains et à supporter leurs regards.

Bon garçon, il avait racheté la part du condo d'Audrey. Du coup, il devait mettre les bouchées doubles pour clore les fins de mois. En ce jour de baptême, il avait deux projets à remettre au propre et un pitch de vente à rédiger pour un concepteur d'animation dans les musées. Mais il décida de ne rien faire. Après s'être rasé et avoir jeté aux poubelles l'invitation à fêter la venue au monde de Rosalie, il prit sa voiture et quitta la ville.

*

Stationné sur le terrain d'un presbytère à regarder s'installer la fin du jour, Alain fut pris d'une étonnante envie de fumer une cigarette, lui qui avait cessé depuis huit ans déjà et qui ne s'était jamais vraiment senti titillé par l'envie de recommencer, même au plus fort de son marasme avec Audrey. Il jeta un coup d'œil du côté du dépanneur du village en se demandant ce que pouvait bien révéler ce désir de recommencer la cigarette. Peut-être cette envie d'aventure qu'il ressentait en lui? Un désir de liberté qui le poussait plus loin, un peu comme la délinquance. C'était peut-être ça. Il oublia la cigarette et décida de poursuivre son expédition un peu plus loin.

Il roula une bonne vingtaine de kilomètres, et observa un net changement dans la géographie environnante. Les terres cultivées se faisaient plus rares et la forêt, plus dense. Le soleil avait rapidement disparu derrière d'épais nuages qui s'installaient, portés par un vent qui montait doucement en intensité en assombrissant le tableau. La nature qui présentait jusque-là un visage serein, presque débonnaire, prenait soudainement une tournure hostile, alors que les cimes des grands conifères noirs découpaient le ciel gris opaque. Tandis qu'il roulait sur une route cahoteuse, et qu'une petite pancarte annonçait le prochain village à dix-neuf kilomètres, quelques flocons de neige commencèrent à heurter son pare-brise. Une fois au sommet d'un coteau, la neige et le vent le frappèrent tel un mur. C'était sans s'y attendre qu'il se retrouva dans un terrible blizzard, une dépression remontant la côte est des États-Unis, chargée d'humidité, et qui se déversait en une neige lourde et abondante sur ces terres élevées du massif des Appalaches.

Les tempêtes printanières sont souvent redoutables et peuvent donner lieu à des précipitations importantes. Alain put en goûter toute la puissance alors qu'il cherchait désespérément un endroit pour s'arrêter et faire demi-tour. Il s'était engagé dans ce rang, après avoir passé un village, quelques minutes auparavant. Il avait roulé en espérant rejoindre une autre route devant le ramener plus près de la civilisation, du moins c'était ce qu'indiquait le GPS. Mais il était passé tout droit depuis un bon moment. Ce rang dans lequel il roulait était tout autre. Dans le blizzard, il ne vit pas l'affiche indiquant le cul-de-sac. Lorsqu'il se rendit compte de son erreur, il avait cheminé péniblement sur plus de deux kilomètres en pleine forêt, et il ne lui restait plus qu'à retourner avant que l'accumulation de neige devienne trop importante.

Tout en haut d'une butte, il aperçut un arbre immense. Il remarqua de justesse l'ouverture sur sa gauche, et fit une manœuvre pour y engager le nez de sa voiture avec l'intention de faire demi-tour. Un ruisseau passait là et un petit pont de bois, tenant à peine, servait de passage. Une planche pourrie s'écrasa et la roue avant droite de la voiture s'y trouva coincée.

Il n'y avait aucun service de téléphonie sans fil dans ce trou perdu. Alain pesta contre sa malchance en frappant à deux mains sur le volant, pour sortir ensuite de la voiture et se retrouver à quatre pattes dans la neige molle à tenter de dégager la roue. La mission était impossible pour un homme seul, à moins de trouver un levier important. En relevant la tête et en secouant ses mains glacées, Alain eut la surprise de voir les phares de sa voiture se refléter à l'orée du bois. Intrigué, il demeura de longues secondes à observer le curieux phénomène avant de deviner que, plus haut sur le terrain, il y avait une demeure. L'absence de lumière à cette heure laissait présager qu'il n'y avait personne.

Lampe de poche en main, il marcha dans la neige pour découvrir une petite maison coincée entre les arbres. À voir son état (fenêtres à carreaux placardées, planches de galerie défoncées, revêtement de bardeau entamé par la pourriture), on aurait pu croire qu'elle était abandonnée depuis long-temps. Mais en plaquant sa lampe contre l'une des fenêtres sur le côté, Alain vit un peu de mobilier et quelques signes de vie récente.

La tempête se calmait. Et comme il arrive souvent avec la venue du front froid, la température chuta rapidement. La grosse neige molle fit place à des flocons nettement plus fins qui tourbillonnaient dans le vent. En tournant la poignée de la porte de côté, Alain eut la satisfaction de découvrir qu'elle n'était pas verrouillée.

Il balaya l'intérieur avec le faisceau de sa lampe et décou-vrit une petite maison en bois, à un seul étage, qui semblait hors d'âge. Elle aurait pu sortir tout droit d'un récit de Davy Crockett, à quelques détails près. Il y avait en son centre un énorme foyer en pierre des champs. La pièce principale occupait la majorité de la surface et faisait office de salon et de cuisine, avec une table et un divan recouvert d'une couver-ture. Il n'y avait qu'un vieux poêle à bois en guise de cuisinière, et pas de réfrigérateur. Alain eut beau inspecter chaque mur, il ne trouva aucun interrupteur. Il chercha une salle de bain, mais n'en trouva pas non plus. Il découvrit seulement deux chambres à l'arrière du foyer, avec chacune un lit simple. L'une d'elles n'était meublée que d'un vieux matelas, et l'autre d'un lit recouvert de draps et d'une commode. Quelqu'un avait dormi là, récemment.

C'est en revenant de pisser dans le banc de neige qu'il eut l'idée d'aller jeter un coup d'œil dans le poêle. Alain brassa la cendre et vit apparaître quelques braises incandescentes. Quelqu'un était ici, dans la journée. Il y avait quelques conserves et de la vaisselle dans les armoires au-dessus d'un vieil évier en fonte. Alain activa une pompe à main et vit couler une eau abondante et glacée au son des grincements de la manivelle. Il enleva ses bottes et son manteau, puis à l'aide de quelques rondins, il ranima la braise jusqu'à ce que crépite un petit feu.

Satisfait de sa petite trouvaille au fond des bois, il déplaça le divan qu'il glissa sur le plancher de vieilles planches en le retournant face à la grande fenêtre du salon. Il s'y assit et regarda la neige tomber à l'extérieur.

Il ne se souvenait plus de la dernière fois qu'il était allé à la campagne. C'était, pensa-t-il, lors des vacances d'été, il y avait deux ou trois ans, avec son ex. Ils avaient campé dans le parc du Saguenay. Cela avait été une expérience plus ou moins heureuse, à cause de la pluie, du froid et des moustiques, mais aussi parce que ça n'allait déjà plus très bien avec Audrey. Malgré les frictions incessantes avec sa conjointe, il gardait un souvenir positif de ces journées en forêt sur le bord du fjord. Et comme chaque fois, il s'était demandé comment il se faisait qu'il ne s'évadait pas ainsi plus souvent en nature. Ça ne pouvait qu'être salutaire pour son esprit. Mais aussitôt de retour en ville, le travail, les obligations, les petites mondanités hebdomadaires entre amis le scotchaient à l'asphalte et il semblait n'y avoir plus rien d'autre à faire. Et ce, jusqu'au prochain éveil de sa conscience poisseuse, comme ce soir-là, perdu au fond d'un rang dans un petit camp, soudainement heureux. Sans mal de tête et rien d'autre que le bon air à respirer.

Épuisé par sa journée, apaisé par le silence dont il croyait avoir perdu jusqu'à la notion, il s'endormit sur ces pensées, son esprit bercé par le sifflement du vent dans la grande cheminée de pierre.

*

Le claquement d'une porte l'éveilla en sursaut, en même temps qu'un courant d'air glacé envahissait la pièce. Il fut sur ses pieds en un rien de temps, lampe de poche en main, parcourant la maison en éclairant nerveusement dans toutes les directions. D'un coup d'œil par la fenêtre, il vit la neige qui avait cessé. Le vent continuait à souffler et agitait la cime des arbres qui se découpaient maintenant sur un ciel étoilé, clair comme par une nuit très froide. Il remarqua de la neige sur le tapis de l'entrée et s'avança d'un pas incertain, avec la désagréable impression qu'il n'était plus seul.

Alain n'était pas particulièrement un homme peureux. Si sa non-croyance pouvait le plonger dans des abîmes d'angoisses existentielles qui pouvaient durer des semaines, il reste qu'elle le préservait de certaines peurs irrationnelles qui auraient pu l'assaillir, comme en ce moment. Il ne croyait pas aux fantômes, mais comme chacun de nous, il ne pouvait faire autrement que ressentir une certaine anxiété dans une situation hors du commun. Cette cabane perdue au fond des bois, sans électricité, aurait fait naître de l'inconfort chez n'importe qui. Il y avait des signes évidents de vie : la braise dans le poêle, les fonds de casseroles graisseux, le lit défait dans la chambre de gauche. En fait, si ce n'avait été de ces quelques détails, on aurait pu penser que ça faisait plus de cent ans que quelqu'un n'avait pas mis les pieds dans cet endroit, tant tout était poussiéreux – personne à part un revenant. On imaginait mal que quelqu'un puisse vivre dans des conditions pareilles. Et si tel était le cas, jamais on n'aurait voulu surprendre son propriétaire, la nuit, dans sa propre maison.

La porte s'ouvrit subitement vers l'intérieur, poussée par le vent. Le cœur d'Alain s'emballa et il recula de plusieurs pas en sentant de grands frissons lui parcourir l'échine. La surprise passée, il imagina, non sans soulagement, que c'était ce même vent qui avait ouvert et fait claquer la porte alors qu'il dormait. Il se détendit un peu et sortit sur le perron.

Quelques nuages défilaient dans le ciel tandis qu'une lune tardive éclairait la neige fraîchement tombée. À sa montre, il était minuit trente. Sa voiture était visible plus bas, embourbée sous le grand arbre fantomatique. Ses traces de pas, qui menaient jusqu'à la maison, cheminaient de manière sinueuse, à peine visibles, recouvertes par une dizaine de centimètres de neige. Son regard qui balayait le paysage fut attiré par un gros bâtiment d'un autre âge à une cinquantaine de mètres un peu sur la droite, derrière la maison. C'était une vieille grange qui semblait chercher désespérément à échapper à une forêt dense dont les arbres étaient en train de l'avaler patiemment avec les années. Alors qu'il contemplait le curieux spectacle dans cette nuit hivernale, il aperçut quelque chose qui lui glaça le sang : des traces de pas sur le sol qui n'étaient pas les siennes et qui menaient depuis la forêt jusqu'aux marches de l'escalier à ses pieds.

Il fut pétrifié par cette vision et ce froid qui maintenant le mordait jusqu'au plus profond de ses entrailles, une main sur la poignée de porte et l'autre en un poing serré le long de sa jambe. Cette impression qui l'habitait depuis son réveil se vérifiait alors d'une manière limpide, comme ces traces fraîchement imprégnées dans la neige : quelqu'un était bel et bien là, avec lui.

Il y eut un craquement sur sa gauche. Alain sentit vibrer les planches sous ses pieds. Il tourna la tête en suivant du regard les traces de pas qui se prolongeaient sur le balcon, jusqu'à l'avant de la maison. Alors qu'un nuage s'écartait pour faire place à la lune, une ombre se profila en s'allongeant depuis la galerie jusque sur le banc de neige, plus bas. Il y eut un bruit sourd comme un pied qui frappe le sol. Puis une forme sombre se rua sur lui. D'un geste vif, Alain se précipita à l'intérieur de la maison et referma la porte. Il tint la poignée à deux mains tandis que quelqu'un s'y agrippait de l'autre côté. Il réussit à faire glisser le loquet, puis recula de quelques pas en cherchant désespérément une issue.

Une voix rauque se mit à crier des mots incompréhensibles. Son assaillant frappa à grands coups contre la porte de bois massif. Il y eut un court silence. Puis retentit un coup de feu qui fit éclater la poignée. En total désarroi, alors que la pièce était envahie par une fumée blanche et sulfureuse, Alain eut à peine le temps de reprendre ses esprits que son assaillant se ruait sur lui. C'est avec effroi qu'il se retrouva plaqué sur le divan, avec sur la joue gauche le canon d'un fusil encore brûlant et l'odeur de la poudre dans les narines.

Sa tête écrasée contre les coussins, il serrait les dents et fermait les yeux en attendant ce qui s'annonçait être sa fin. De longues et interminables secondes s'écoulèrent. On n'entendait dans la vieille cabane que le son du vent dans la cheminée accompagné du bruit de la respiration haletante de celui qui le tenait en joue. Au bout d'un moment, Alain ouvrit un œil. À ces sentiments horribles s'ajouta la vision du visage de son agresseur, un doigt sur la détente, se découpant dans le rayon de la lune qui traversait la pièce. C'était le visage cadavéreux d'un affreux vieillard. Cette figure était parcourue de profondes rides grisâtres ressemblant à des fosses et s'accrochant à une longue barbe grise en broussaille. L'homme avait de petits yeux noirs ressemblant à deux trous vides, sur lesquels reposaient d'épaisses paupières à demi fermées qui s'agitaient comme s'il devait lutter pour les garder ouvertes.

Incapable de prononcer un seul mot, la gorge nouée et asséchée par la peur, Alain bougeait les yeux de gauche à droite en implorant silencieusement le vieil homme de ne pas tirer. Le faciès haineux de ce dernier s'adoucit quelque peu. Et son regard prit une tournure plus humaine. Ses pupilles émergèrent de la nuit noire, apparaissant subitement comme deux étoiles dans un ciel opaque.

L'homme se racla la gorge et parla d'une voix brisée, comme celle de quelqu'un qui n'aurait pas prononcé un mot depuis longtemps.

Son canon exerça une pression moindre sur le visage d'Alain.

— Tu travailles pour Fortier ?

Alain qui ignorait tout de ce Fortier agita prestement la tête de gauche à droite en signe de négation.

— Ça fait longtemps que je vous attends, poursuivit le vieillard. J'en ai passé des jours et des nuits à attendre, à imaginer comment je vous criblerais de mes balles.

Le vieux laissa aller un long soupir, ses yeux s'étaient détournés et sa bouche s'agitait en silence, comme s'il cherchait ses mots. Il était devenu hagard, son visage se décrispa et le canon de la carabine quitta la joue d'Alain pour se déposer mollement sur son épaule.

– Trop longtemps, ajouta-t-il, se parlant à lui-même, les yeux perdus par la fenêtre devant. Tellement que j'ai compris que vous me laissiez mourir à petit feu.

Le vieux allait ajouter autre chose, mais son visage se tordit en une affreuse grimace de douleur. Il se retourna pour s'appuyer sur la table de la cuisine. Après les longues minutes que dura cette crise, il se redressa un peu pour allumer quelques chandelles, d'une main tremblante, avec une boîte d'allumettes dénichée dans le capharnaüm. Puis il s'assit sur une chaise de bois, ferma les yeux et releva le menton, le visage crispé, le front dégarni couvert de sueur. Alain s'était redressé sur le divan.

L'homme était habillé d'un vieux pantalon de laine rapiécé et d'une chemise à carreaux verte qui donnait l'impression de ne pas avoir quitté ses épaules depuis très longtemps. Alain remarqua seulement alors l'odeur fétide qui l'accompagnait et qui avait maintenant envahi le chalet. Une odeur de vieille crasse, infecte.

Le vieux avait cessé de grimacer, mais demeurait immobile sur sa chaise, éclairé par la lueur des deux chandelles devant lui, les yeux fermés, le fusil pointant le sol à ses pieds. Alain observait la porte au loquet éclaté qui ballottait, à demi ouverte, le vent la faisant danser au même rythme que les flammes des chandelles. C'était la seule issue possible. Une fuite cavalière pouvait entraîner des conséquences funestes et, la prudence faisant foi de tout dans son esprit, il demeura assis, attendant la suite des choses. Maintenant que le canon de la carabine ne le tenait plus en joue, il respirait un peu mieux. À mesure que sa gorge se dénouait, son esprit recommençait à fonctionner normalement, lui permettant de porter un regard plus analytique qu'émotif sur sa situation.

Le froid avait complètement envahi la maison. Alain se réchauffa les mains en les frottant et en soufflant dessus. Dans la pénombre, il pouvait deviner que le vieux était plutôt costaud, avec de larges épaules et des hanches très fortes. Le son du vent dans la cheminée était toujours perceptible, le sifflement prenant de temps à autre un ton plus bas, le faisant ressembler au hululement d'une chouette ou au cri du coyote.

— Je m'appelle Joseph Manseau, dit le vieux en ouvrant ses petits yeux noirs.

— Alain Demers. Je suis désolé. Je me suis perdu dans la tempête...

— Il n'y a que des gens perdus par ici. Ou alors des cueilleurs de bleuets qui passent au mois d'août.

Alain devait apprendre plus tard que Joseph Manseau, l'ermite du fond du rang, arpentait ses terres jour et nuit avec son chapeau de feutre noir et son grand bâton, sa carabine en bandoulière sur le dos. Tous les cueilleurs et randonneurs qui passaient par le 6e Rang et qui le rencontraient n'y remettaient plus les pieds, effrayés par la stature de l'homme qui apparaissait subitement sur une colline ou au bout d'un sentier. Il ne disait jamais rien ni ne posait de geste violent. Mais avec son fusil mis en évidence et son visage camouflé à l'ombre de son grand chapeau, il laissait une impression sans équivoque. Les gens de la région connaissaient tous le vieux Manseau, et ils ne mettaient jamais les pieds sur les terres du 6e Rang. Sa réputation de vieux fou dépassait largement les limites du comté. Il apparaissait seulement de temps à autre, sortant du bois et marchant à travers les champs pour se rendre jusqu'à l'épicerie Duchesne, où il achetait quelques denrées : des conserves de toutes sortes, de la farine, du sucre, des patates et parfois du thé.

Dès qu'il mettait un pied dans le commerce, on sentait se répandre le malaise chez les clients, tout comme se propageait cette odeur qui l'accompagnait. Il se déplaçait dans les allées, ses grosses bottes sales traînant sur le plancher. Les gens détournaient systématiquement le regard en le voyant s'approcher, s'éloignaient, ou encore quittaient tout bonnement l'épicerie. Martin Duchesne, le propriétaire, avait l'habitude de partir lui aussi lorsque Manseau se présentait. C'était son père, Albert, soixante-dix-neuf ans, qui quittait sa chaise berçante dans la maison annexée à la boutique pour servir personnellement l'ermite. Martin s'était opposé à plusieurs reprises à ce qu'on serve Joseph Manseau : parce qu'il était sale, malpoli et qu'il ne payait jamais. Mais chaque fois, son vieux père le ramenait à l'ordre, prétextant la charité. Et que s'il voulait que son commerce continue à fonctionner, il avait intérêt à servir Joseph.

— Pour le salut de notre âme à tous, ajoutait-il d'un même souffle.

Albert avait acheté l'épicerie en 1952 à son fondateur, Armand Bélanger. Il avait connu Joseph alors que celui-ci n'était qu'un tout jeune agriculteur, avant les malheurs qui le menèrent inexorablement à cette vie recluse, à cette aliénation qui le tenait hors du monde. Il l'appelait toujours par son petit nom.

— Salut, Joseph, qu'il disait en s'installant à ce comptoir qu'il ne visitait plus que pour servir l'ermite.

L'autre répondait à l'accueil en marmonnant, en se traînant lourdement dans l'épicerie et en faisant cogner son grand bâton sur le sol. Il remplissait le sac qu'il portait de ce dont il avait besoin, puis insistait pour que chaque item soit marqué dans un livre de crédit. Un livre qui ne servait qu'à lui, puisqu'on ne faisait plus crédit depuis très longtemps dans ce commerce. Patiemment, Albert marquait les conserves de poisson et de viande, les patates et la farine.

— Les bons comptes font les bons amis, disait l'ermite en se passant la main dans la barbe.

— Oui, Joseph.

L'ermite n'avait pas d'argent. La Municipalité avait renoncé depuis longtemps à lui percevoir des taxes. Du moins, les rares qui s'y étaient essayés au conseil étaient toujours ramenés à l'ordre par le maire en personne. De temps à autre, monsieur Duchesne père trouvait derrière sa maison, appuyés sur le garage, un cuissot de chevreuil ou quelques lièvres. Il savait alors que son client était venu payer ses dettes.

*

— Du thé ? demanda le vieux.

Joseph Manseau fit du feu dans le poêle à bois et fouilla dans le lavabo de fonte pour en extirper une bouilloire et deux tasses. De son avant-bras, il déplaça tout ce que la table pouvait compter d'outils, de vaisselle, et de bouts de bois. Un amoncellement de fils de fer roula au sol. Alain avait remarqué, sur la table et sur le bord des fenêtres, des petits bonshommes faits avec des chicots et des fils métalliques, barbouillés avec de la cendre.

L'ermite avait allumé d'autres chandelles. Outre la quantité de saletés et de poussière qui parsemaient la grande pièce, toute l'attention d'Alain fut avalée par cet immense foyer qui la dominait. C'était une construction fascinante qui occupait tout l'espace central. Les grosses pierres qui la constituaient donnaient l'impression d'être en vie et de danser avec la lueur vacillante des chandelles.

À son lavabo de fonte, pompant de l'eau et lavant grossiè-rement sa bouilloire, Joseph Manseau parla sans se retourner, comme s'il avait des yeux derrière la tête ou qu'il pouvait deviner les pensées d'Alain.

    – Elle date d'avant la colonisation.
    – Ah... La maison date d'avant la colonisation ?
    – Non, fit le vieux. Mais la cheminée, oui. C'est mon arrière-grand-père qui a acheté la terre et le camp était déjà là. Il paraît qu'on l'a reconstruit à deux reprises à cause du feu. Mais la cheminée a toujours été conservée.

Joseph Manseau s'avança avec le balai du poêle à bois en main. Il dépoussiéra une grosse pierre au-dessus de l'âtre puis approcha une chandelle. On vit apparaître le nombre 1751.

    – La cheminée était ici même, avant que vienne s'installer le premier colon, dit-il avec un sourire énigmatique sur ses lèvres fines déployant de profondes rides sur son visage. Mon père a toujours pensé que c'était un camp de chasse de la seigneurie de la Rivière-du-Sud.

Alain s'était avancé pour observer à son tour la pierre qui marquait l'érection du curieux monument. Joseph Manseau le cherchait frénétiquement du regard. Mis mal à l'aise par l'attention soutenue dont il faisait l'objet, Alain s'éloigna en parcourant d'une main les pierres de cette construction magistrale.

La cheminée, pièce centrale de la maison, s'exposait sur 360 degrés. Son flanc arrière en pierre des champs servait de mur pour les deux chambres et les séparait de la pièce principale. De sorte, on imagine, que lorsqu'ils étaient chauffés à bloc, les gros cailloux pouvaient réchauffer la cabane pendant une longue période de temps, même après que le dernier tison fut éteint, un peu à la manière d'un poêle de faïence. Mais l'énergie nécessaire pour chauffer la cheminée exigeait des quantités de bois inimaginables. Les pertes de chaleur étaient trop grandes, et ce type de construction était rapidement tombé en désuétude avec l'avènement des poêles à bois.

Alain se glissa dans la chambre noire. Le vieux en fit autant en le suivant de très près, caressant la pierre tout comme lui.

— J'ai toujours su que seul un trappeur marié à une sauvagesse pouvait venir s'installer par ici, dit le vieux.
— Ah..., murmura Alain, mal à l'aise.

Il était pris en souricière dans l'obscurité, coincé entre la tête du petit lit à ressorts et les pierres froides de la cheminée. La silhouette inquiétante de Joseph Manseau était découpée par la lueur de la pièce principale. Il lui semblait voir que ces petits yeux noirs brillant dans la nuit.

— C'est un ouvrage d'exception, poursuivit le vieux. Il faut un bagage de connaissances hors du commun, venu des vieux pays. Anglais, Français ou Néerlandais, il faut que mon trappeur soit maçon et qu'il sache faire le ciment pour son mortier. Et pour ça, il doit être en mesure de reconnaître la nature du sol, de la terre, du territoire.

Joseph Manseau se tut. Puis d'un filet de voix torturée, parvenu du fin fond de sa gorge, il dit :

— Vous les entendez ?

Il quitta la pièce.

Alain, demeuré en retrait, l'entendit marcher de long en large. En sortant de la chambre, il le vit qui tenait fermement son fusil, plaqué contre un mur, jetant des regards furtifs par la grande fenêtre du salon.

Il sentit l'anxiété monter en lui de plus belle. S'il avait été à même de constater que le vieux était capable d'une certaine lucidité, d'un peu de calme du moins, il avait compris que Joseph Manseau était un psychotique vivant dans un monde parallèle en lutte contre ce démon intérieur qu'il nommait Fortier.

Le bonhomme éclata d'un rire mauvais. Il marmonnait des mots confus qui n'avaient aucun sens. Puis il invita Alain à le rejoindre sur le bord de la fenêtre.

– Tu les vois ? dit-il. Tu les vois ?!

Alain tendit le cou et ne vit rien de ce que racontait le vieux, excepté la route, le grand arbre et sa voiture, et partout la neige illuminée par le clair de lune. De part et d'autre, il y avait cette forêt. Avec un peu d'imagination, ou de folie, on pouvait certainement voir des milliers de choses étranges qui vous épiaient depuis les bois sombres.

– Là-bas, poursuivit Manseau. Ils sont au bout du champ. Les enfants de cochons à Fortier !

Il avait prononcé ces derniers mots avec rage, son faciès crispé par la haine. Ses mains tremblaient en serrant le fusil. Et si jusqu'alors Alain avait été effrayé par Joseph Manseau, le voir cette fois se mettre dans des états pareils pour ce qui lui apparaissait être des chimères lui inspira une grande pitié.

Cet homme vivait seul, loin de tout, avec cette folie. Il vociféra encore un moment en enfilant les jurons, en postillonnant avec fureur. Puis il s'étouffa et fut pris d'une crise, comme celle qui l'avait saisi précédemment. Encore une fois, il porta une main à son ventre en grimaçant et se pencha légèrement vers l'avant. Il faillit s'effondrer par terre, et se serait certainement étendu de tout son long si Alain n'avait pas été là pour le soutenir. Il s'éloigna jusqu'à la grande cheminée sur laquelle il s'appuya.

Son esprit était rongé par un grand mal, et son corps tout autant, aux prises avec les affres d'une affection qui le faisait grandement souffrir. Une douleur telle qu'elle le coupait du monde, l'envoyant au plus profond de lui-même, à la recherche d'une force quelconque, d'une vitalité oubliée, lui permettant de remonter à la surface pour continuer cet étrange voyage qu'était sa vie.

Le corps de l'ermite avait adopté une curieuse position : le dos contre les pierres en épousait parfaitement les formes. Les traits de son visage donnaient tout lieu de croire qu'il était apaisé. Mais, à la lueur de la lumière vacillante des chandelles, on pouvait constater son teint pâle presque gris, avec de grosses gouttes de sueur qui perlaient sur son front.

Manseau ouvrit les yeux, les fixant directement dans ceux d'Alain.

– Sans le savoir, mon trappeur avait épousé une sorcière indienne. Elle était séduisante, mais mauvaise. Elle ne lui donna jamais d'enfant. Après s'être aperçu de sa méchanceté et de sa fainéantise, il voulut l'abandonner. Folle de rage, elle se transforma en un crapaud immense et l'avala. Elle vécut seule, ici, pendant quelque temps. Jusqu'à ce qu'un jour se présentent chez elle des Abénaquis venus faire du commerce avec le trappeur. Ils la questionnèrent. Celle-ci raconta que son mari était parti faire un grand voyage. Les Abénaquis connaissaient la sorcière et surent qu'il était arrivé malheur au trappeur. Ils enfermèrent la femme dans la maison qu'ils incendièrent. Elle trouva refuge dans la cheminée où elle mourut consumée.

Alain, qui ne s'attendait nullement à entendre une histoire pareille, demeura stoïque, complètement interdit, sans pouvoir réprimer de grands frissons.

— Tu ne me crois pas ? Par une nuit comme celle-là, quand le vent siffle dans la cheminée, on l'entend, la sauvageonne, nous raconter son histoire. Tu l'as entendue, toi aussi, ne mens pas.

Alain se demanda s'il aurait assez de nerf pour passer à travers cette nuit incroyable. Non plus parce qu'il craignait la violence physique de Joseph Manseau, mais plutôt ce tourbillon de folie dans lequel son esprit cartésien refusait de se laisser entraîner, mais qui, porté par les agissements du vieux, commençait à prendre le dessus sur son bon sens. Il y voyait de moins en moins clair.

Joseph s'était maintenant agenouillé devant l'âtre et chiffonnait de vieux journaux qu'il empilait dans le foyer.

— Vous allez faire un feu ?
— Oh oui ! Ce soir, sa fumée montera dans le ciel. Et Marianne pourra embrasser et parcourir la montagne. Mon père a voulu cent fois démolir la cheminée, disant qu'elle prenait trop de place, qu'elle était parfaitement inutile. Mais moi, je le savais et je refusais. Papa m'a donné le camp alors que j'étais tout jeune, pour me remercier d'un travail de coupe que j'avais effectué tout seul, tandis qu'il était parti en

ville. J'avais douze ans. Il était revenu le lendemain avec ses raquettes aux pieds. En voyant tous les arbres débités, il me dit : «Joseph, dorénavant, le camp est à toi. Tu en fais ce que tu veux, mais prends-en bien soin. Ton grand-père y tenait beaucoup.» Ce n'était pas tombé dans l'oreille d'un sourd. Moi, j'avais tout tenu pour acquis. La cabane était à moi. Et chaque fois que papa faisait ses plans pour la saison suivante, parlant de démolir la vieille cheminée du camp, je lui rappelais que la maison était à moi et qu'il était hors de question qu'on la détruise, ce qui chaque fois faisait bien rire ma mère.

Joseph relatait ses souvenirs. Et peu à peu sa mine tourmentée et ses gestes inquiets firent place à un peu de douceur, d'apaisement. La folie le quitta pour en faire, un court moment, l'homme entier qu'il avait dû être. Le souvenir de son père et de sa mère, de cette vie d'avant, agissait sur lui comme un baume, seul soulagement possible dans cette vie de misère.

Car Alain n'en doutait pas : l'homme avait certainement connu un semblant de bonheur, une vie comme tout le monde qui, par un hasard funeste, un terrible revers de fortune, lui avait échappé sans qu'il pût la retenir. Lui qui habitait le centre-ville depuis plus de quinze ans avait été amené à côtoyer de nombreux sans-abri de tout acabit. Il avait remarqué que toujours ils surgissaient de nulle part, apparaissant un beau matin sur les trottoirs, quêtant leur pitance. On les voyait ainsi pendant une saison, parfois même quelques années, avant qu'ils s'évanouissent comme ils étaient apparus. À une certaine époque, il travaillait à temps plein pour une boîte de communication et se faisait un devoir, chaque matin, de donner quelques dollars aux malheureux, peut-être pour s'attirer les bienfaits d'une quelconque fortune, du moins pour être en paix avec lui-même. Très vite, certains d'entre eux apprirent à le reconnaître, et aimaient l'arrêter pour faire un brin de causette. Même si ça semblait une chose acquise, ce qui le marquait le plus au cours de ces discussions décousues, c'était de réaliser que ces miséreux avaient eu «une vie» avant, tout comme lui. Et que ce n'était rien d'autre qu'un concours de circonstances qui les avait menés là où ils étaient : perte d'un travail, échec amoureux ou maladie mentale. Des malheurs qui s'abattaient fatalement, un à un, en les coupant chaque fois et de plus en plus d'avec le monde, les enfermant dans une solitude intenable, leur enlevant le goût de tout, et même la peur de la mort. Certains trouvaient la force de continuer leur chemin, portés par une insatiable soif d'alcool ou de drogue. D'autres cheminaient grâce à des manies malsaines où se réfugiait leur esprit troublé. Ils ressassaient avec obsession, tels des possédés, les mêmes idées qui tournaient sans cesse dans leur tête. Il apparaissait à Alain que ces derniers étaient souvent plus inquiétants que ceux qui se réfugiaient dans la consommation abusive de substances, vivant dans un monde où leurs âmes imbibées de mauvais sentiments déferlaient dans un flot de paroles incohérentes.

Joseph Manseau ressemblait à ces gars-là. Et, ce qui le tenait encore en vie aujourd'hui, n'était-ce pas cet ennemi extérieur qu'il voyait partout ? Ces hommes ligués contre lui, qui n'attendaient que le bon moment pour l'abattre et lui enlever le peu qu'il possédait, cette maison et cette terre. N'était-ce pas la manifestation de son trop grand mal de vivre ? Alain n'avait aucune difficulté à imaginer Joseph travaillant vaillamment sur la terre en compagnie de son père. Qu'était-il arrivé ? Jamais il n'aurait osé le lui demander, alors que la douceur des souvenirs d'antan empêchait le vieux de sombrer à nouveau dans cette folie obsessionnelle.

Le feu commença à crépiter dans le foyer. Et les yeux de Joseph brillaient comme ceux d'un enfant.

Alain s'était avancé vers la grande fenêtre pour observer sa voiture embourbée. Il vit des gouttes d'eau qui coulaient abondamment depuis le toit. Le front froid était passé aussi vivement qu'était apparue la tempête. La température printanière reprenait peu à peu.

— Tu es d'où ? demanda Manseau.
— De Québec, monsieur.

L'homme haussa les sourcils sans quitter son feu des yeux. Il avait approché une chaise et dégustait son thé qui le faisait grimacer à chaque gorgée. En entendant le nom de la Vieille capitale, il avait mimé un faux étonnement, puis secoué doucement la tête en un curieux signe d'approbation. Les petites flammes dansantes mettaient en évidence les profondes rides sur son visage. Il avait maintenant l'air tout à fait inoffensif d'un jeune gamin, alors qu'il passait sa main sur son crâne dégarni. Ses joues étaient creuses et son gros ventre, gonflé anormalement, s'appuyait sur ses cuisses.

— Vous êtes né dans la région ?

Joseph demeura un moment silencieux, paraissant réfléchir, puis il parla en agitant quelques braises avec le tisonnier.

— Oui, je suis né à la ferme, de l'autre côté de la montagne. Mais elle ne m'appartient plus. Il ne me reste plus que cette cabane. Tu veux l'acheter ?
— La cabane ?
— Oui. Il ne me reste plus grand temps à vivre, mon garçon. Je suis vieux et malade. Ils auront eu ma peau, de toute façon. Mais ce n'est pas terminé. Ils vont le savoir. C'est à toi de prendre la relève. En aucun cas, sous aucun prétexte, tu ne devras vendre, compris ? Je le ferai inscrire au contrat. Ce sera notre pacte. Marianne aura un œil sur toi. Et gare au crapaud si tu ne le respectes pas.

Les flammes brûlaient ardemment dans l'âtre. Le flot des paroles incohérentes de Joseph Manseau étourdissait Alain, à un point tel qu'il lui fut impossible de répondre quoi que ce soit. Il demeurait silencieux devant le foyer, ne sachant quoi penser, se sentant avalé, hypnotisé par les flammes qui ressemblaient chacune à de petits diables dansant sur les bûches de bois.

*

Son premier réflexe en s'éveillant fut de jeter un coup d'œil à son téléphone portable. Toujours pas de service. Il était passé neuf heures. Réalisant qu'il était étendu sur le lit de la petite chambre, il devint extrêmement confus, n'en revenant pas de s'être endormi dans des conditions pareilles, avec ce vieux fou en guise de compagnon. D'autant plus qu'il ne se rappelait pas s'être rendu dans la chambre. Son seul souvenir était ce feu qui brûlait.

Aucun bruit n'était perceptible dans le camp, excepté le chant des oiseaux qui lui parvenait de l'extérieur. Il passa sa tête par la porte de la chambre. Aucun signe de Joseph Manseau. La porte d'entrée sur laquelle s'étalaient les stigmates du coup de fusil de la nuit dernière était entrouverte. Il s'y précipita, bien décidé à fuir l'endroit.

Des traces sur la neige fondante remontaient un sentier pour disparaître dans la montagne. Alain trouva derrière la maison un bout de madrier qu'il coinça contre le pneu embouti de sa voiture. En un coup d'accélérateur, la Honda s'extirpa du trou.

Avant de s'en aller, Alain jeta un coup d'œil à la cabane qui tombait en décrépitude avec son toit de tôle rouillée. Un grand balcon, dans un état pitoyable, en faisait le tour. Les lignes particulières de cette habitation d'un autre âge, avec cette grosse cheminée de pierre émergeant tel un pilier en son centre, en faisaient véritablement une chose exceptionnelle.

Tout au long du chemin de retour, il questionna son geste, incapable de se l'expliquer : sa main déposant sa carte professionnelle sur le manteau de la cheminée.

*

Alain avait quitté la ville un peu plus de vingt-quatre heures et il avait la nette impression d'avoir ramené avec lui un peu de cette ambiance surréaliste de la cabane de l'ermite des Appalaches. Il était à peu près midi trente lorsqu'il mit le pied dans son condo du centre-ville. Sur le téléphone, on lui annonçait plusieurs messages non écoutés. Il imaginait très bien de quoi il s'agissait, mais préféra aller prendre une douche avant d'écouter ce que ses clients avaient à raconter.

Au sortir de la douche, il fut pris d'une soif intense. Il se dirigea vers la cuisine pour ouvrir l'avant-dernière bouteille de vin de son cellier. Un rouge assez ordinaire, mais qui lui procura exactement ce dont il avait besoin. Enfoncé dans son divan, il voulut mijoter quelques idées qui devaient servir à écrire ses textes commerciaux. Mais avec ce vide parfait qui s'obstinait dans sa tête, il comprenait combien il n'en avait pas envie. La seule chose qui lui venait à l'esprit était le crépitement du feu dans la grande cheminée et cet arbre sous lequel sa voiture avait passé la nuit. Et ce soleil qui éclairait la montagne au matin, et la neige fondante, et la douceur de l'air qu'on respirait sur ce massif montagneux. L'air sec et surchauffé du condo lui montait à la tête – ou était-ce le vin rouge ingurgité en ce début d'après-midi d'un banal lundi du mois de mars?

Sur le répondeur, il écouta les voix de Rémy et de Marie-France qui avaient laissé chacun deux messages où ils faisaient part de leurs préoccupations. Rémy s'inquiétait au point d'affirmer qu'il passerait vers l'heure du lunch pour voir si tout se passait bien. C'était donc pour ça qu'Alain avait trouvé la carte de visite de son client coincée dans la porte en arrivant. Sur son ordinateur portable, encore les deux chargés de projets qui attendaient « impérativement » une réponse et qui disaient un peu la même chose: « Je rencontre mon client demain, mardi, j'attends ton texte. »

La bouteille à moitié entamée, Alain se fit la remarque qu'il était assez drôle de voir ces gens, qui le prenaient de si haut une fois ses textes remis, et qui se permettaient de critiquer tout et rien au gré de leur humeur, ramper presque devant lui, autant mielleux que maladroitement autoritaires. Et ce, maintenant qu'ils se retrouvaient complètement dépendants de lui. Car s'ils n'avaient pas de texte à présenter à leur client, ils devaient reporter le dépôt du projet, remettre maintes réunions, et rendre des comptes à leurs supérieurs.

Son téléphone cellulaire s'activa en vibrant sur la table du salon. Affalé dans le divan, la bouteille de vin au trois quarts achevée, une main dans son caleçon, Alain regarda le i-Bidule qui s'énervait avec sur l'afficheur les noms « Marie-France Labrèque, Osez Communication ».

– Oui, allo.
– Enfin, c'est toi. Qu'est-ce que tu fais?
– Hein? Ah, bof...

– Bof? Alain, mon texte! Je rencontre mon client demain matin.

– Oui, oui... Ça s'en vient.

– Est-ce que t'es soûl?

– Soûl? Mais non. Donne-moi une heure et je t'envoie ça.

– OK, je l'attends. Ça fait longtemps qu'on travaille ensemble, Alain. J'ai tout à fait confiance en toi et c'est pourquoi je ne fais pas de suivi. Je t'ai toujours laissé carte blanche. Ne me laisse pas tomber. Compris?

Il recopia le texte d'une pub d'un vieux *Paris Match* de 1964. C'était trop verbeux. Une de ces publicités de situation, avec dialogues axés sur la famille, propre à ces années, et sans trop de rapport avec le produit dont il devait faire la promotion. Mais le vin aidant, il le trouva tout à fait à propos et l'envoya à Marie-France. La deuxième bouteille de vin à peine entamée, il reçut un nouvel appel de la chargée de projet de Osez Communication.

– C'est quoi ça?!

– C'est nouveau.

– C'est nouveau?! Osti, Alain, c'est de la marde!

– Bah... de la marde... *Come on.* C'est une proposition valable. Une façon peut-être différente de présenter un produit? C'est rétro, c'est moderne. Fais-moi pas croire que t'es pas capable de défendre ça, toi, Marie-France Labrèque, ça fait assez longtemps que je te connais.

Il éloigna le téléphone de son oreille alors que Marie-France vociférait un tas de bêtises. Avant qu'elle ne raccroche, il l'entendit distinctement crier:

– Le tabarnac!

D'ordinaire, le dépôt d'un de ses textes était suivi d'une panoplie de lignes directrices et impératives avec toutes les corrections à faire. Suivaient encore de longues discussions où s'étalait une dialectique pas possible, propre au milieu de la publicité, où des arguments dits «fondamentaux», mais absolument dénués de sens, s'empilaient les uns sur les autres jusqu'à former un genre de consensus, une sorte d'idée cohérente – pour ceux qui partageait cette sémantique, bien sûr –, un tout, une grosse pilule que l'on pouvait faire avaler à son client. De mémoire, c'était bien la première fois qu'on rejetait ainsi une de ses propositions. Il n'eut pas le loisir de pousser sa réflexion plus loin puisque apparut alors un «nouveau message» de Rémy Gauthier dans sa boîte courriel : «Alain, t'as pas idée dans quelle merde tu me mets. Je vais m'en souvenir. Rémy.»

Décidément, la merde était à l'honneur. Il alla sur AccèsD contempler sa marge de crédit qui frisait les 8 000 dollars. Sa carte Visa dépassait les 3 000 dollars. Au total, 1 000 dollars de dettes avec des paiements de 900 dollars par mois pour le condo, plus 350 pour la voiture, et ses deux meilleurs clients qu'il venait de flusher en un seul après-midi : ça lui semblait peu ordinaire.

Son cellier vide, il se versa un grand verre de ce mauvais scotch acheté à fort prix et qui goûtait démesurément la fumée, comme si quelqu'un avait échappé dans le tonneau, par mégarde, le flacon de saveur artificielle.

Il quitta son portable Mac pour aller sur son PC de *gamer* voir Maïkan, son chaman tauren, sur le jeu de rôle multi-joueur en ligne *World of Warcraft*. Il était près de dix-neuf heures, et une invitation de sa guilde, Lords of Azeroth, clignotait à gauche de l'écran pour aller terrasser Ragnaros, le vassal du méchant Deathwing, l'aspect de la mort, une sorte de gros dragon nihiliste bardé de plaques de métal enfoncées à coup de pioches par des gobelins de l'enfer. Mais se jugeant trop soûl, Alain savait qu'il ne serait pas en mesure de soigner convenablement ses compagnons. Après ses altercations avec Marie-France Labrèque et Rémy Gauthier, il ne se sentait pas la force d'endurer sur TS3 les insultes que lui enverraient ses compagnons de guilde morts au combat par sa faute : *« WTF ! Go L2P, noob ! »*

Il s'endormit sur son divan non sans constater avec plaisir que, pas une seule fois, ses migraines n'étaient venues le tourmenter pendant cette journée. Il murmura : *« Good game,* Audrey. T'as bien fait de t'en aller, je suis un raté.» Puis il leva un dernier verre à la santé de Joseph Manseau, sans oublier Marianne, la sorcière de la cheminée.

*

Les bureaux de la caisse populaire avaient toujours fasciné Alain. Ces petits cubicules, tassés les uns sur les autres, on s'y déplaçait avec la sensation d'être sur un bateau ou même un sous-marin. Avec ces petits corridors rapprochés, on avait l'impression d'avancer comme dans un rêve. Alain éprouvait presque du vertige à y déambuler. Sans doute à cause de ce design fonctionnel de mauvais goût. Mais sans doute aussi que cette rencontre à laquelle il était convié allait peser lourd sur son orgueil. Et c'est sûrement cette sensation qui lui donnait ce pas mal assuré et ce déséquilibre évident. D'où vient cette impression, chaque fois que l'on va à la banque négocier une hypothèque, un emprunt ou une marge de crédit, d'être tout petit, comme un enfant quémandant une permission ? Alain détestait nécessairement les banques. Depuis sa séparation, soit depuis moins d'un an, c'était la deuxième fois qu'on le questionnait sur ses défauts de paiements. La première fois, tout se régla par téléphone. L'agent de la caisse fut tout à fait compréhensif en entendant ses explications. Il faut dire que le condo gagnait en valeur, et qu'il n'y avait certainement pas raison de s'inquiéter pour quiconque sachant compter un tant soit peu. En général, la banque est très bonne dans ces choses-là. Seulement, cette fois-ci, on lui demanda de se déplacer. L'agent au bout du fil avait été beaucoup moins compréhensif et avait demandé des preuves de ses comptes à recevoir.

Ce fut un jeune homme qui accueillit Alain, un dénommé Jonathan qui devait avoir vingt-cinq ans, peut-être moins. Il portait un complet-cravate qui tombait très mal sur ses hanches et qui lui donnait bel et bien la forme d'une poire. Alain se demanda si ce complet n'était pas porté pour la première fois tant les plis sur le pantalon frôlaient la perfec-tion, exagérément même. À moins, et il n'avait aucune difficulté à le croire, que ce jeune homme habitât toujours chez ses parents et qu'une mère consciencieuse et soucieuse du succès professionnel de son garçon s'occupât avec soin de ses vêtements. Encore qu'il fût possible que ce garçon mît, de lui-même, un soin maniaque à ses tenues, mais cela, Alain en était moins sûr.

Ils se serrèrent la main et échangèrent les banalités de convenance. Après avoir invité Alain à s'asseoir, le jeune Jonathan prit place devant lui, tout sourire, paraissant très détendu. Il allait sortir les documents de l'unique chemise posée devant lui sur le bureau, mais, comme pour ajouter au supplice d'Alain, le garçon entreprit plutôt de faire une recherche dans le «système de la caisse», comme il le dit lui-même.

– Je dois vérifier votre dossier pour les mises à jour.

Nul doute qu'il connaissait par cœur le dossier de son client. Mais il imposait ainsi une autorité qu'il voulait sans doute nécessaire à la discussion qui allait suivre. Il parcourait l'écran de l'ordinateur de haut en bas, acquiesçant pour lui-même en serrant les lèvres, ses mimiques le faisant paraître tantôt soucieux, tantôt surpris. C'était du mauvais théâtre, ce qui exaspéra Alain, mais il savait mieux que quiconque qu'il ne fallait pas réagir à ce manque de tact évident, de civilité, même. En aucun cas, il ne pouvait se permettre d'être cinglant ou agressif. Il devait se contenter d'attendre avec le sourire et de jouer son petit théâtre à lui : une pièce où, l'air d'assurer, il devait faire comprendre à son interlocuteur qu'en aucun cas il ne fallait s'inquiéter, ses affaires allaient bien, et ses défauts de paiements étaient sans importance.

Il se rappelait, il y avait de cela trois ans, qu'il était venu renégocier l'hypothèque du condo après deux ans de vie commune avec Audrey. C'était l'époque où la jeune femme était plutôt dépendante de lui. À trente et un ans, il était au sommet de sa carrière de rédacteur, toujours très demandé, il pouvait refuser comme bon lui semblait les projets qui ne lui plaisaient pas. Cette façon désinvolte de rejeter du travail par intérêt purement esthétique pouvait choquer, mais n'était pas dénuée d'effet chez ses clients. Cette attitude où il se plaçait nettement au-dessus de ses affaires faisait incontestablement monter sa valeur, et lui permettait de facturer des sommes considérables pour le métier qu'il exerçait.

Il avait un peu cette même attitude avec Audrey. Elle était une grande fille, avec un corps athlétique, mais elle souffrait d'un grave problème de confiance en elle. Lui, parfaitement indépendant, pouvait être très vache et la faire sentir, d'un seul regard, comme une moins que rien. Il avait vite remarqué que plus il la tenait sur la corde raide, plus elle se comportait comme une véritable salope au lit, ne lui refusant strictement rien : contraintes de toutes sortes qui la laissaient au bord de l'évanouissement et exploration obsessive de tous ses orifices, elle en redemandait constamment à force d'orgasmes démentiels. Cela plaisait énormément à Alain, dont l'imaginaire sexuel avait été nourri par la pornographie dès son plus jeune âge. Et bien qu'il n'aimât pas vraiment Audrey, il trouvait agréable d'avoir ainsi ce qu'on pourrait appeler une esclave sexuelle. Même si ce rapport évoluait dans le non-dit, Audrey ne dédaignait pas se comporter de la sorte, allant jusqu'à demander d'un regard concupiscent « sa punition » lorsque Alain se mettait en colère à propos de tout et de rien. Le train-train quotidien aidant, tout comme leurs passions communes pour le cinéma, la lecture et la bonne nourriture, ils tenaient l'un à l'autre dans un petit bonheur confortable entaché par les sautes d'humeur d'Alain et une sexualité parfois exigeante pour Audrey.

Ce rapport dominant/dominé, comme c'est souvent le cas, suivit un cycle bien défini. Le vent tourna brusquement, et ce, dès qu'il fut question d'avoir des enfants. Alain n'était pas très chaud à l'idée de procréer avec Audrey. Il redoutait secrètement cette étrange progéniture qui naîtrait nécessairement de ce couple dysfonctionnel – à son avis, bien entendu. Mais il prenait plaisir à cette idée de « faire un bébé » en testant sa virilité, en éjaculant *free* au fond du vagin de sa conjointe. Il imaginait la course de ses spermatozoïdes se battant les uns contre les autres, mus par un même et inéluctable désir de féconder l'ovule. Après quelques mois d'essai, observant que ça ne collait pas, Audrey avait exigé qu'il passe un test de fertilité, pour ne pas perdre de temps inutilement, pour savoir à quoi s'en tenir. Les résultats des tests étaient sans équivoque. Alors qu'elle insistait pour explorer des avenues alternatives, tels les donneurs ou l'adoption, Alain, qui avait des idées bien arrêtées sur le sujet, se désintéressa de la chose en affirmant que «sincèrement» il préférait cela ainsi, qu'il ne voulait pas d'enfants et qu'il préférait se concentrer sur sa carrière.

Audrey, dont le souhait le plus cher était d'avoir des enfants, porta un regard nouveau sur sa relation et son avenir avec Alain. Soudainement, tout lui paraissait moins important, les bonheurs comme les malheurs. Et si, auparavant, elle s'était mise dans des états épouvantables en voyant Alain se fâcher contre elle, allant jusqu'à mettre un pied dans la porte et menacer de s'en aller, dorénavant, elle y prêtait plus ou moins attention. Alors qu'avant, au terme de ces disputes, elle se précipitait sur lui pour faire baisser les tensions grâce à une consommation abusive de sa propre chair, comme une offrande pour apaiser un dieu en colère, désormais, elle préférait sortir prendre un verre avec ses amies. Et c'est ainsi qu'avec le temps les rôles se renversèrent peu à peu.

Audrey travaillait au Musée national des beaux-arts du Québec. Elle occupait, jusqu'à tout récemment, un poste mineur à l'accueil des groupes. Peu après avoir appris qu'elle ne pourrait avoir d'enfants avec Alain, contre toute attente, elle obtint un poste important aux communications – c'est un peu autour de cette date que Alain estima le début de la relation clandestine d'Audrey avec Yann Saint-Pierre. Si, jusqu'alors, Alain jouait un rôle plutôt contrôlant, il faut bien avouer que c'était en apparence seulement. C'est sa conjointe qui s'occupait de gérer les paiements de toutes sortes : hypothèque, voiture, taxe foncière. C'était elle qui gérait toute l'organisation quotidienne : épicerie, lavage et divertissement. Si bien qu'à mesure qu'Alain s'effondrait sur lui-même en s'écrasant sur le divan devant la grosse télé ACL, jouant à ses jeux vidéo ou lisant ses romans d'aventures sexo-gore de mauvais goût, Audrey développait une indépendance renouvelée, s'investissant corps et âme dans son travail. Elle pouvait rentrer très tard le soir, prétextant une sortie entre amis ou une réunion au boulot, sans qu'Alain ne trouve à y redire ou s'aperçoive même qu'elle n'était pas là, accaparé qu'il était à tuer des pixels avec son chaman à coups de décharges électriques surpuissantes ou à fantasmer tout seul en fumant des joints. Alors, son côté taciturne exacerbé à la puissance mille, il ne pouvait se mentir à lui-même : il aimait réellement être seul, bouffer des sardines et des nouilles et ne plus être obligé de se taper tout ce flafla quotidien qu'imposait la vie à deux. Audrey n'était plus du tout avec lui et il ne s'en aperçut à peu près pas. Lui, il dépérissait à vue d'œil, n'ayant gardé de sa superbe que son mauvais caractère et cet air désintéressé qui charmait tant, et qui maintenant rendait ce garçon vieillissant plus repoussant qu'autre chose. Il s'enfermait toujours plus, ne fréquentant ses amis que pour une rare partie de hockey à la taverne, ou un poker très peu senti où il se faisait laver en un rien de temps.

Audrey était devenue très dure avec lui. Avec le temps qui passait et son indépendance retrouvée, ce n'était plus du tout de l'amour qu'elle ressentait pour lui, mais du mépris, se demandant chaque jour où elle trouverait le courage de refaire sa vie et de l'abandonner à son triste sort. Il semblait en aller de même avec ses clients qui, pareils à des loups, sentant la bête blessée, commençaient à négocier serrer et à trouver sa plume de plus en plus ordinaire. Et sans nul doute que cette plume affirmée s'effaçait peu à peu elle aussi, devenant moins assurée, tout comme sa personnalité qui perdait de son panache.

Le jeune homme de la caisse avait terminé de déshabiller de long en large son passé, présent et futur financiers. Il s'était retourné sur sa chaise, avait croisé une jambe sur l'autre et se balançait légèrement vers l'arrière, les mains posées sur sa cuisse droite.

– Monsieur Demers, vous n'ignorez pas pourquoi nous vous avons convoqué à cette réunion, je pense. Il y a un *beacon* à votre dossier, et...

– Un quoi ?

– Euh... un *beacon*, c'est une alarme, un signal. C'est un jargon que nous utilisons ici, excusez-moi. Comme je disais, il y a des irrégularités à votre dossier et nous craignons que vous ne tombiez très vite en défaut de paiement.

– Et c'est pourquoi je suis ici, poursuivit Alain. Pour rétablir la situation.

– Très bien, fit le garçon, qui s'avança en saisissant le dossier qu'il ouvrit bien à plat devant lui sur son bureau.

Déjà, le jeune Jonathan semblait satisfait. Qu'on ne s'y trompe pas. Ce n'est pas un travail agréable que d'annoncer à quelqu'un que sa vie financière est un désastre et que la banque devra prendre les moyens pour recouvrer ses avoirs. C'est pourquoi Jonathan était heureux de voir tomber le climat austère qu'il avait installé d'entrée de jeu, soulagé de constater que son client semblait avoir la maîtrise de la situation. Peu importait d'ailleurs, puisqu'on faisait très peu appel à son bon jugement. Il n'était là que pour suivre des lignes directrices très strictes. Sa seule véritable tâche était de les appliquer à la lettre et ainsi espérer un transfert vers un poste plus élevé, gravissant un à un les longs et complexes échelons qui devaient le mener au sommet, vers une rémunération toujours plus satisfaisante et un accès toujours plus grand aux plaisirs monnayables que cette vie moderne avait à offrir.

Depuis qu'il fréquentait les banques et les caisses, Alain ne se rappelait pas, une seule fois, avoir rencontré la même personne pour ses affaires personnelles. Lorsqu'il questionnait son interlocuteur sur ce qu'il était advenu de Geneviève, de Marc-André, de Souvansaï ou de Jennifer, on lui servait toujours sensiblement la même réponse :

— Madame Patry? Monsieur Lamy? Monsieur Keovongkod? Madame Lyles? Elle a eu, il a eu une promotion, une mutation, un transfert, une réorientation au sein de l'entreprise.

Ce côté impersonnel, volatil et insaisissable est le propre de ce type de grande institution. Tout y est en mouvement constant, pour que personne, ni le client ni l'employé, ne trouve une zone de confort au sein de l'entreprise. Seules choses qui comptent : le règlement, la directive, la ligne de pensée ; une déshumanisation complète, sans aucune perspective, qui mène aux dérives les plus inacceptables. Service de plus en plus inexistant, presque invisible, difficilement accessible. Système robotique confondu dans un dédale de fonctionnalités qui ont toutes moins de sens les unes que les autres. Le tout de plus en plus cher, et nourri par une publicité malhonnête. Une pyramide sans âme, une machine à pomper, depuis les bas-fonds bouseux, de l'argent vers le ciel, ramassant chaque sou, chaque penny et chaque centime au passage de chaque instance pour en arroser ceux qui les dirigent et qui se «nomment» les uns les autres selon les règles précises d'un système oligarchique.

Alain savait pertinemment que ce garçon devant lui, ce Jonathan, ne serait probablement plus là dans six mois ou même deux semaines. Il n'était pas là pour l'aider à trouver des solutions.

Alain sortit de son sac quelques contrats. Entre autres, ceux qui le liaient à Osez Communication et à Rémy Gauthier inc. Il y en avait pour plusieurs milliers de dollars à recevoir. Il ajouta à cela une offre d'achat pour son condo qu'il avait reçue il y avait de cela quelques mois. Jonathan les considéra d'un air satisfait, puis termina cette réunion telle qu'elle avait commencé, par une poignée de main et un sourire.

– Nous attendons votre paiement.

– Certainement, ajouta Alain, qui insista de nouveau sur la singularité de son métier dit «à la pige», qui pouvait le laisser plusieurs mois sans salaire avant de voir les montants s'accumuler du jour au lendemain.

– Je peux faire une photocopie, pour nos dossiers?

Cette demande qui sortait de nulle part, alors qu'il était dans l'entrebâillement de la porte qui devait le mener à l'extérieur et lui donner quelques semaines de sursis, avait laissé Alain interdit, un très court instant. Impossible de refuser. Il espérait seulement que l'agent de la caisse n'avait pas dans l'idée de s'informer auprès de ses clients du bon déroulement de ses affaires.

– Je peux vous en envoyer des copies par courriel.

– Ça ne sera pas la peine. La photocopieuse est dans le local à côté, ça ne prendra qu'une toute petite minute.

La troisième journée qui suivit cette rencontre devait changer sa vie pour toujours. Du moins fut-elle le croisement de diverses conjonctures qui allaient le plonger dans un avenir tout à fait différent de celui qu'il envisageait – au fait, envisageait-il un avenir pour lui-même? Ainsi, en ce matin de début d'avril, vers dix heures trente, alors qu'il planchait sur un petit contrat en s'étant mis dans la tête de replacer les choses autour de lui et de retrouver un peu de son glorieux passé – genre de promesse qu'il se faisait tous les huit jours environ depuis le départ d'Audrey –, il reçut un coup de téléphone de la caisse populaire. Ce n'était pas le jeune Jonathan en forme de poire, mais une supérieure, une certaine madame Dolbec dont il n'avait jamais entendu parler. Elle lui annonçait qu'elle avait son dossier entre les mains et lui suggérait – entre les lignes – de mettre son condo en vente le plus rapidement possible parce que l'institution n'allait pas tarder à réclamer son dû et à poser les actions nécessaires. Évidemment, il allait être perdant. Il jugea que, s'il savait bien lire entre les lignes, il ne lui restait que quelques semaines pour conclure une affaire.

Après une courte discussion avec un agent d'immeubles, il raccrocha et s'écrasa lourdement dans son divan. Il était midi passé et il n'avait pas faim. Nul doute que le condo serait vendu en un rien de temps. Il entendait presque l'agent d'immeubles se frotter les mains à l'autre bout du fil. Ce dernier avait annoncé qu'il passerait en fin de journée faire quelques photos à mettre sur sa page Web.

— Et votre prix, monsieur Demers?
— On en discutera quand vous serez ici, avait répondu Alain, désintéressé.

Affalé dans son divan, torse nu, son ventre rebondi qui s'exposait inélégamment, Alain leva les deux bras dans les airs et sentit sa tête qui recommençait à lui faire mal en un point bien précis de l'hémisphère gauche, en haut de l'oreille. Il soupira en pensant à ce qui s'en venait, à cette douleur qui allait se répandre pendant la journée, jusqu'à ce qu'il ne soit plus qu'une loque dans son lit, incapable du moindre mouvement, de supporter la moindre lumière. Il s'étendit un moment et contempla le grand salon du condo, alors que sa tête se mettait à tourner au fur et à mesure que tous ses souvenirs refaisaient surface en volant comme des milliers de papillons, fuyant une nuit noire et cherchant un peu de lumière. Ils étaient, pour la plupart, des images du bonheur de sa vie passée avec Audrey.

Sa séparation, Alain la nourrissait, depuis bientôt un an, avec des représentations négatives de son ex-conjointe, comme on le fait dans la plupart des cas quand il faut se détacher de quelqu'un qu'on a aimé: fumeuse compulsive, trop calquée sur une mode sans imagination, problème d'insé-curité affective qui en faisait une véritable tache en société, toujours à rire pour tout et n'importe quoi seulement pour plaire et obtenir l'approbation des autres. Et, bien sûr, comble de la trahison, cet enfant qu'elle avait fait avec un autre. Ces éléments l'aidaient à se convaincre que tout était mieux ainsi. Et paradoxalement, le bonheur d'Audrey y participait aussi : de la voir ainsi, légère, comme il ne l'avait jamais connue, le renforçait dans sa conviction. Même si ça lui fendait le cœur. Depuis la séparation, il était demeuré de marbre, n'exprimant que des émotions confuses dont lui seul avait le secret, ce qui avait le don de mettre Audrey en colère, auparavant. Il ne voulait rien dire, rien penser. En sachant très bien que ce bonheur qu'il feignait exaspérait son ex plus que tout au monde.

Alors qu'elle faisait ses dernières boîtes, il avait insisté pour l'aider, en chantonnant en plus. Elle lui avait demandé de s'en aller.

— Pourquoi tu ne veux pas que je t'aide? avait-il dit. T'aurais pu demander à Yann de venir, aussi, ça ne m'aurait pas dérangé.

— Yann n'est pas disposé à te rencontrer pour l'instant. Il est...

— Pourquoi?

— Arrête, Alain! Arrête, je sais que tu comprends. Va-t'en. Va faire un tour. Tu reviendras dans une heure.

Il était sorti de la chambre avec un petit sourire en coin, heureux de constater qu'il savait toujours la faire sortir de ses gonds.

Mais là, c'en était trop. Avec sa vie financière et profes-sionnelle à l'agonie et maintenant l'obligation de vendre le condominium, il n'arrivait plus à rien retenir enfoui et c'était comme un bouchon qui venait de sauter. Il regardait ces étranges bestioles qui volaient au-dessus de sa tête en s'en allant dans tous les sens, complètement hors de contrôle, s'écrasant contre les murs, tombant un instant morts sur le tapis et reprenant leur vol de plus belle.

Il y avait des images de baises intenses, complètement délurées, des moments très tendres aussi, enfouis sous les couvertures, des fous rires qui n'en finissaient plus devant un plat raté, des caresses, des dents brossées à cinq heures le matin complètement bourrés, un bijou offert en tête-à-tête la veille de Noël. De l'amour, que de l'amour partout, qui tournoyait furieusement dans tous les sens. Alain, tout blême, commença à se tirer les cheveux en croyant véritablement devenir fou. Il serra les dents, retint quelques larmes et se trouva complètement stupide. Il se versa un autre verre de mauvais scotch et ouvrit tout grand la porte-fenêtre du salon en laissant les papillons s'envoler dans l'air frais de cette journée de la fin de mars. Dans la grisaille de ce matin pluvieux et humide, les lépidoptères volèrent un moment au-dessus du boulevard Charest tout en bas, mais furent vite saisis et abattus par le froid et l'air chargé de monoxyde de carbone que dégageaient les voitures. Alain les regarda agoniser, puis mourir un à un, tandis que la liqueur de malt lui réchauffait le gosier.

Ragaillardi, il se rappela à l'ordre avec les paroles que son père prononçait lorsque, tout jeune enfant, il s'effondrait en larmes pour un oui ou pour un non : « Tiens-toi, mon homme. Tiens-toi. »

Les seules paroles, d'ailleurs, dont il se souvenait de ce mécanicien qui avait passé sa vie dans son garage, dans un silence contrit, à réparer des voitures sur la Côte-de-Beaupré, à picoler en silence jusqu'à ce que des complications à la suite d'un AVC le gardent hospitalisé pendant quelques mois avant qu'il ne rende l'âme. Alain avait dix-neuf ans, il en était à sa deuxième année de cégep en communication graphique.

Sa mère, Michèle, avait quitté son père, Marc, alors qu'il avait neuf ans. Fleuriste de profession, elle s'était amourachée d'un physiothérapeute, antiquaire amateur, un grand type prétentieux qui portait la barbe et toujours un grand chapeau avec une plume. Ce dernier, adepte du yoga et du végétarisme, avait rebuté Alain dès leur première rencontre. La cohabitation fut un enfer pour eux deux, laissant toujours ce grand pseudo-hippie qui se déplaçait en BMW toujours pantois et faussement désolé face à ce jeune homme qui nourrissait une haine intarissable envers lui. Après un deuxième secondaire particulièrement turbulent où il se fit renvoyer de l'école pour son comportement crasse envers ses professeurs, Alain demanda à aller rester chez son père. Une demande que sa mère accepta tout de suite avec un enthousiasme à peine voilé. Comme si elle retrouvait un peu trop dans son fils unique cet homme qu'elle avait aimé et qu'elle détestait aujourd'hui, et que c'était en quelque sorte une manière de tirer définitivement un trait sur sa vie passée. Une conscience de mère noyée dans la confusion et le poison insipide, baigné de culture nouvel âge, que déversait dans son esprit ce nouveau conjoint auquel elle était totalement soumise, dans leur maison au décor champêtre toute meublée d'antiquités à Saint-Raymond-de-Portneuf.

Alain vécut sur la Côte-de-Beaupré avec son père mécanicien alcoolique tel un sauvageon. La maison était sale. Il y régnait un désordre incroyable. Mais son attitude et ses notes à l'école s'étaient tant améliorées que le travailleur social ne trouva rien à redire. Marc rentrait de la taverne tous les soirs vers vingt heures. Il s'ouvrait une dernière bière devant la télévision et passait la nuit ainsi, affalé sur le divan. Alain n'était jamais là, parti la plupart du temps courir les jeunes filles avec ses copains d'alors. Il retrouvait son père dans cette position dégradante, et lorsqu'il se levait le lendemain pour aller à l'école, Marc était au garage depuis plusieurs heures déjà.

Tout le temps que dura l'hospitalisation de son père à l'Hôtel-Dieu, Alain alla le visiter deux fois par semaine, le mercredi soir et le dimanche après-midi. Il habitait alors en colocation dans un appartement de Sainte-Foy. Un soir, alors qu'il revenait d'une soirée particulièrement arrosée après un match de hockey, il écouta sur le répondeur le message d'une préposée aux bénéficiaires lui annonçant qu'il ne restait plus grand temps à vivre à son père, que c'était une question d'heures. Il sauta dans un taxi qui dévala le chemin Sainte-Foy, puis la rue Saint-Jean, à toute allure, à quatre heures du matin, sur la chaussée noire et mouillée où se reflétaient les lampadaires. À peine fut-il dans la chambre de Marc que celui-ci rendit son dernier souffle, comme si, même s'il n'avait jamais su parler à son fils, il l'avait attendu avant de quitter ce monde. Il avait eu deux attaques dans la journée. Et Alain demeura à jamais marqué par le souvenir de cette main qui se glaça aussitôt que s'en saisit la mort, alors que disparaissait cette âme malheureuse qui était un peu la sienne : son papa.

Alain ne pleura pas, mais fut incapable de dormir ou de manger pendant près d'une semaine, comme s'il ne devait jamais s'arracher à ce tourbillon qui le tenait saisi dans une angoissante stupeur. Puis il y eut des filles, du travail, de l'alcool et de la drogue, de la pornographie, des jeux vidéo, et encore des filles, et du travail, toujours du travail. Peu à peu, le passé devint comme une espèce de mirage, un rêve étrange qui revenait le hanter de temps à autre en surgissant de nulle part au cours de ses nuits d'insomnie.

Fouetté par un coup de vent accompagné d'une bruine glacée, Alain referma la porte-fenêtre. Il se versa un autre verre de scotch en s'imaginant, après avoir vendu le condo, voyager en Écosse pour faire de longues randonnées dans les Highlands.

– Je n'ai pas encore trouvé. Mais je trouverai sûrement, répétait-il sans cesse au fur et à mesure que l'embrouillaient les vapeurs de l'alcool. Ce n'est qu'une question de temps.

Il faisait référence à tout et à n'importe quoi en s'exprimant de la sorte : à sa vie amoureuse, qu'il avait toujours connue insatisfaisante, autant qu'à sa vie professionnelle, qu'il savait tout à fait périmée et qu'il lui fallait relancer.

C'est alors que sonna le téléphone. Il hésita un instant en se demandant quelle mauvaise nouvelle ça pouvait être. Mais jugeant que tout, ou à peu près, lui était tombé sur la tête, il espéra que ce fût un ami l'invitant à prendre un verre – il était onze heures trente le matin –, et il décrocha. Une petite voix éraillée, celle d'un homme d'un certain âge en apparence, se fit entendre au bout du fil après un long moment d'hésitation.

– Bonjour... puis-je parler à monsieur Alain Demers, s'il vous plaît ?
– Lui-même.

Il y eut de nouveau un long silence qui poussa Alain à demander s'il y avait encore quelqu'un au bout du fil, avant que ne reprenne la voix brisée.

– Oui, oui, voilà... Donc, monsieur Demers, mon nom est Jacques Lacoste, je suis notaire à Montmagny. J'ai un de mes clients, monsieur Joseph Manseau, qui m'a fait parvenir une offre d'achat signée de votre part pour les lots 1023, 1024 et 1030 situés au 3 du 6e Rang de la municipalité de Saint-Édouard-des-Appalaches. C'est exact?

Depuis une semaine, il n'avait plus repensé à son aventure de l'autre week-end. L'offre de Manseau lui revint en tête. Et aussi cette carte professionnelle avec ses coordonnées qu'il avait laissée sur la cheminée. Jamais, une seconde, il n'avait pensé que ça pourrait mener jusque-là. Et encore moins qu'on puisse lui affirmer qu'il avait signé une offre d'achat en bonne et due forme.

– Monsieur Demers? fit la voix du notaire dans son oreille comme si elle provenait de très loin, d'à même le fin fond de sa propre conscience.

C'est un saut vertigineux que l'esprit d'Alain devait effectuer pour réfléchir à tout ce qui lui tombait dessus. S'il n'avait pas pris l'offre de Manseau au sérieux, il se retrouvait devant une occasion sortie de nulle part en un moment crucial. Même le plus endurci des incroyants veut bien croire que chaque chose arrive en son temps. Aurait-il le courage d'aller s'installer là-bas? Voilà une des questions qui le turlupinaient parmi toutes celles qui jaillissaient en son esprit. C'était une révolution circonstancielle tout à fait exceptionnelle qu'il devait faire là. Le scotch aidant, le déséquilibre de sa vie le plaçant dans une situation tout à fait inconfortable, lui qui n'avait pas particulièrement l'esprit aventurier, voilà qu'il voyait là une occasion à saisir, une chose à faire qui naissait soudainement au beau milieu de ce chaos qui l'entourait depuis plus d'un an. Une drôle de certitude, comme il n'en avait pas ressenti depuis longtemps, le saisit au ventre.

– Vous pouvez me rappeler sur quel montant nous nous étions entendus, monsieur Manseau et moi?

– Certainement, répondit le notaire, il s'agit de
22 500 dollars.

Alain demeura de marbre en entendant le montant, même
si en son for intérieur il avait envie de hurler de rire. Certes,
à ce prix, le terrain ne devait pas être très grand et devait ne
s'étirer que jusqu'à la lisière du bois. La cabane était à refaire
en entier. Il n'y avait ni électricité ni téléphone. Mais il y
avait cette vieille grange et ces arbres immenses. En moins
d'une année, pensait-il, il pourrait faire monter la valeur de
cette maison. Il n'était pas fou de penser qu'il pourrait la faire
quintupler, sinon plus. C'était un investissement. Un excellent
projet. Voilà ce qu'il pensa. Une offre qui ne passait qu'une fois
dans une vie. Il fallait être là pour la saisir.

– Monsieur Lacasse...
– Lacoste.
– Pardon. Monsieur Lacoste, je dois régler quelques affaires
ici, ensuite je passe à la banque. Compte tenu du montant, je
pense pouvoir l'acquitter au complet à la signature du transfert des droits de propriété. Je vous rappelle dans quelques
jours.
– Très bien, monsieur Demers. J'attends de vos nouvelles.
Je vous rappelle que l'offre d'achat signée est valide jusqu'au
22 avril de cette année.

Ce qui lui laissait deux semaines. Deux semaines pour
vendre le condominium, c'était plus qu'il n'en fallait. Depuis
quelques années, les acheteurs étaient de plus en plus agressifs dans le quartier. Dans la dernière année, il avait reçu deux
lettres d'inconnus qui prétendaient s'intéresser à sa propriété.
Il avait mis un agent d'immeubles sur le coup. Mais il allait
certainement contacter ces deux personnes une fois qu'il
saurait exactement la valeur du marché, ainsi sauverait-il
la commission. Mais le soir venu, après avoir rêvé toute la

journée à cette petite propriété qui semblait lui promettre mer et monde, il fut abasourdi en entendant l'agent d'immeubles, qui était venu photographier le condo, dévoiler l'offre d'achat qu'il avait sur la table.

— J'ai une offre à 250 000, tout de suite, lui dit l'agent d'immeubles.
— Sans photo, ni rien ?
— C'est comme si c'était fait, monsieur Demers. J'ai une bonne clientèle qui me fait confiance.

L'agent était un homme qui avait à peu près l'âge d'Alain. Il s'efforçait d'avoir l'air le plus présentable possible pour son travail, mais avec ce teint de salon de bronzage, ce tatouage coloré qui remontait sur son cou et ses cheveux aux mèches teintes en blond, Alain savait qu'il avait devant lui le type même du « douchebag ». Pourtant, il devait s'avouer que s'il avait toujours abhorré ce genre de mec, celui-ci lui était plutôt agréable. Il s'exprimait bien, était avenant et jamais il ne se faisait envahissant ni ne cherchait à forcer quoi que ce soit, comme c'est souvent le cas avec certains vendeurs jeunes ou inexpérimentés.

Il accepta le verre de scotch qui lui tendit Alain et le savoura en affirmant qu'il était délicieux. Alain sourit et dit qu'il était un grand amateur. Le fort parfum de fumée qui se dégageait de cet alcool l'avait toujours écœuré et il savait qu'il tenait là un de ces produits tout habillés de la mode qui les caractérisait, le scotch anglo-saxon ayant préséance sur tout. Sa publicité le précédait. On lui fabriquait une image typique : un petit loch tôt le matin, avec un brouillard qui flotte sur des petits pâturages cailouteux. On payait un prix de fou pour ces scotches prétentieux, aux parfums exagérés de tourbe brûlée, comme s'il fallait faire plaisir à une clientèle formatée dans les magazines, en oubliant l'essence même de ce qu'était un bon alcool. Alain s'était juré qu'il ne se ferait plus avoir et qu'il retournerait vers des marques plus sobres ou encore, s'il devait mettre le prix, qu'il se tournerait définitivement vers les cognacs, qui gardaient, par leurs appellations et leur désuétude, un savoir-faire qui s'élevait au-dessus des tendances. Mais il dut s'avouer, à contrecœur, qu'en cette soirée, sa détestable liqueur lui paraissait comme un nectar divin. L'offre de 250 000 dollars était mise bien en évidence sur la table du salon. En faisant le calcul dans sa tête, Alain savait qu'il se faisait aisément près de 150 000 dollars, comme ça, une fois l'hypothèque remboursée.

Il avait toujours su que ce serait une bonne affaire de vendre le condo. Voilà sans doute ce qui l'aidait à supporter la douleur de la séparation. Sachant qu'Audrey se croyait dans son tort avec ce bébé qu'elle aurait d'une relation extraconjugale et combien elle était raisonnable, il lui avait racheté sa part pour une maigre somme. C'était sans doute cela qui l'avait fait la tenir dans ses bras et être aussi compréhensif, alors qu'elle se confondait en excuses dans un torrent de larmes. Peut-être était-ce vraiment cela...

Il éclata d'un rire puissant et sonore qui laissa l'agent d'immeubles stupéfait puis mal à l'aise. Alain signa l'offre d'achat, et rit encore plus fort. L'agent était parti depuis un bon moment et il riait toujours, emporté par des spasmes qui le menèrent jusqu'aux larmes sur son divan de cuir brun. C'était un rire dément, complètement déraisonnable, qui se poursuivit toute la soirée et qui se termina au fond de la bouteille de scotch fumé.

*

Le bureau du notaire Lacoste était situé dans une grande maison dans les vieux quartiers de Montmagny. Il fallut un peu de temps à Alain pour s'y retrouver dans le dédale des petites rues où les résidences s'entassaient les unes sur les autres. Il fut invité à attendre dans une pièce plutôt coquette aux murs de boiseries et de vieilles tapisseries, un petit vestibule avec trois fauteuils de cuirette noire qui juraient dans ce décor d'époque. Quelques tableaux ornaient les murs, des toiles d'une artiste locale, sans aucun doute, signées Monique, où l'oie blanche était déclinée de toutes les manières : prenant son envol au lever du soleil, cherchant patiemment sa nourriture dans les battures, élevant ses petits avec amour, etc.

C'est la femme du notaire qui l'accueillit, une dame d'un certain âge, qui se présenta sèchement, mais au regard très charmant.

– Bonjour, monsieur Demers, lui dit-elle en ouvrant la porte, avant même qu'il n'ait cogné ou appuyé sur la sonnette.

Alain avait traîné sur le trottoir un long moment, avant de se décider à gravir les larges marches qui s'élevaient jusqu'à un grand perron qui occupait toute la façade. Il trouvait la rue agréable avec ses arbres vénérables, bourgeonnant dans la chaleur de cette journée humide de printemps. Mais il était anxieux en pensant à ce qu'il était en train de faire. Avec son compte de banque garni après la vente du condo, il cheminait depuis quelques jours avec une étonnante assurance. Mais alors qu'il était au pied du fait à accomplir, n'ayant qu'à gravir les marches de cette maison centenaire pour apposer sa signature sur des documents, il se sentait terriblement confus. Il était heureux de tout cela, certes. Mais force lui était d'admettre que la solitude lui pesait. Il aurait aimé partager ses idées, ses aspirations avec quelqu'un. Mais chaque fois qu'il l'avait fait au cours des deux dernières semaines, il s'était heurté aux sentiments interdits de ses amis. Il leur semblait impossible d'exprimer autre chose qu'une extrême perplexité chaque fois qu'il s'avançait à parler de son projet. Ils connaissaient bien Alain. Comment ce *hipster* sur le retour, qui avait passé sa vie en ville, pourrait-il vivre tout seul dans une cabane au fond des bois? Ça demeurait un mystère, une abstraction dans leur esprit. Il allait certainement devenir fou. De plus, tous savaient trop bien qu'il n'était pas doué pour le travail manuel. Lui, pourtant, persistait à y croire, à voir dans ce projet quelque chose de salvateur, d'initiatique, pour son âme et sa conscience.

– Bonjour, madame, dit-il.
– Je suis la secrétaire de mon mari. Entrez, je vous prie.

Après avoir offert son manteau à la dame et que celle-ci l'eut rangé dans un placard, Alain la suivit à travers un grand corridor en respirant ses effluves parfumés. Elle portait ses cheveux gris longs, en une natte qui descendait sur son cou et le haut de son dos. Elle était habillée d'une veste de laine rose pâle et d'une jupe bleue. Ses hanches larges et plutôt hautes se balançaient au rythme de ses pas, accentués par les talons hauts qu'elle portait. Elle le mena jusqu'à la salle d'attente où elle l'invita à s'asseoir.

– Vous désirez quelque chose à boire? Du café?
– Non merci.

Une main appuyée sur le cadre de la porte qui donnait sur le petit vestibule, madame Lacoste le considéra longuement, au point où Alain en fut mal à l'aise. Il avait l'impression qu'elle cherchait quelque chose, le scrutant comme on cherche une réponse à une énigme. Si elle était la secrétaire de son notaire de mari, comme elle avait pris la peine de le préciser, nul doute qu'elle était au courant du cas Joseph Manseau. Il leva les yeux vers elle, et crut qu'elle allait enfin parler. Mais elle se contenta de sourire, avant de se retourner et de s'en aller avec cette démarche étonnante, le laissant seul avec les oies blanches et la pile de revues sur la table.

Le notaire Lacoste était tout à fait comme Alain se l'était imaginé, d'après ce que sa voix laissait deviner au téléphone. C'était un petit homme, plus petit que lui, qui devait faire tout un effet quand il se promenait avec son épouse au bras : elle devait le dépasser d'une tête. Il était chauve, sauf pour une fine couronne de cheveux gris qu'il portait très court. Il était vêtu d'un complet gris pâle sur col roulé bleu marine, ce qui le faisait ressembler à un curé ou à un animateur de pastorale. Il marchait d'un pas court et décidé – en fait, tous les gestes de ce petit homme indiquaient une énergie hors du commun –, et s'avança la main bien tendue. Après les échanges de civilités d'usage, ils passèrent au bureau. C'était une grande pièce qui avait dû faire office de salon à une autre époque. Sur un des murs latéraux, il y avait une bibliothèque impressionnante remplie de textes de loi et autres documents, et derrière le notaire, une immense *bay-window* donnait sur la rue, par laquelle on voyait des voitures passer en filigrane derrière de longs rideaux blancs qui descendaient du plafond jusqu'à terre. Deux photos encadrées sur le mur à droite : l'une où l'on voyait un cow-boy dompter un jeune taureau, et l'autre, un luxueux motorisé noir.

– Monsieur Manseau n'est pas là ? demanda Alain en prenant place dans le fauteuil mis à sa disposition.
– Non, malheureusement, Joseph n'a pu faire le voyage. Nous avons une procuration au nom de Jacqueline, ma femme.

Malgré ses allures austères et cette petite voix éraillée, le notaire s'exprimait avec chaleur. Son visage demeurait grave, mais ses deux petits yeux bleus étaient toujours rieurs. Il se pencha sur un vieil interphone beige posé sur son bureau et appuya sur un bouton noir pour appeler sa femme. Celle-ci répondit qu'elle terminait une chambre à l'étage et qu'elle serait là dans quelques minutes.

— Excusez-nous. Ma femme insiste pour tenir ce petit *bed and breakfast*. Personnellement, je trouve que nous avons bien assez à faire. Mais elle aime rencontrer des gens. Et puis, c'est toujours intéressant de discuter avec des voyageurs, vous ne croyez pas? Hier, nous avons eu deux Écossais à la maison. Un jeune couple de Glasgow. Je ne connaissais que très peu ce pays. Et maintenant, j'ai très envie d'y aller.
— Vous voyagez beaucoup?
— Aux États-Unis, la plupart du temps. Une fois, nous sommes allés dans l'Ouest, au Stampede de Calgary, ajouta le notaire en montrant la photo du cow-boy. Nous avons beaucoup aimé.

Monsieur Lacoste prenait de longues pauses entre chacune de ses phrases, comme si c'était là une façon d'allonger le temps tandis que sa femme les faisait attendre, ce qui visiblement le rendait mal à l'aise.

— Vous aimez le scotch, monsieur Demers?
— Je ne sais plus, répondit Alain.

Cette réponse plus qu'évasive trouva approbation chez le notaire qui acquiesça en faisant signe qu'il comprenait.

— Vous faites une belle affaire, dit le notaire dont la voix éraillée faillit s'éteindre avant de terminer la phrase.
— Je ne sais pas, fit Alain. Il y aura beaucoup de travail pour remettre cette maison en état. Et je dis ça en ayant

évalué le tout à vue de nez. Il y aura certainement des dépassements de coûts.

Le notaire sourit en haussant les sourcils, paraissant intrigué par cette réponse.

— Vous pouvez me montrer l'offre d'achat signée ? demanda Alain.

— Certainement, fit monsieur Lacoste en lui tendant une copie du document.

Cette fois, ce fut Alain qui sourit d'une manière énigmatique en voyant la signature qui n'était pas la sienne. En fait, il fallait être un peu sot pour ne pas s'apercevoir que la signature du vendeur et de l'acheteur était le fait d'une seule et même personne.

— Il était tard quand je l'ai signé, dit Alain.

— Alcool ? questionna le notaire.

— Non, j'ai trouvé cette maison en déambulant au hasard dans les rangs. Il y avait une enseigne à vendre. Je suis descendu de voiture, et nous avons discuté.

— Ah bon ? Joseph nous a dit qu'il vous connaissait depuis très longtemps.

— C'est vrai, fit Alain en essayant de se rattraper maladroitement. Je ne m'attendais pas à trouver monsieur Manseau en cognant à cette porte.

— Un ami de la famille ?

— Une connaissance de mon père. Monsieur Manseau a peut-être exagéré les liens qui nous unissent.

— Peut-être, dit le notaire Lacoste du bout des lèvres.

Il regardait Alain de son visage impassible et de ses yeux rieurs. Visiblement, il ne croyait pas un seul mot de ce que lui racontait son interlocuteur. Il voulut ajouter quelque chose, mais c'est alors que se présenta sa femme. Celle-ci, la taille sertie d'un tablier de ménagère, entra, une serviette dans les mains. Elle s'assit sur le fauteuil tout près d'Alain. Elle croisa les jambes, laissant paraître des mollets abondants serrés dans son bas-culotte.

Jacqueline Lacoste, tout comme son mari, avait toujours ce petit sourire aux lèvres qui ressemblait plus à une manie qu'autre chose. Malgré une certaine sévérité dans le regard et dans cette manière de s'habiller quasi monacale, elle avait des gestes chaleureux, et donnait l'impression d'être une femme généreuse. Sous leur couvert quelque peu austère, Jacques et Jacqueline devaient être de bons vivants. Du genre à parcourir la province dans leur gros motorisé Prévost, dont ils affichaient la photo avec fierté dans le bureau, pour faire la tournée des festivals western.

Une fois sa femme installée, le notaire lut l'acte notarié à voix haute comme le veut l'usage. Alain écoutait d'une oreille distraite, impassible, installé confortablement dans sa chaise, attendant seulement ce moment où Jacques Lacoste lui tendrait les documents à signer pour clore l'affaire en toute légitimité. Après avoir entendu de nouveau le montant dérisoire qu'on lui demandait pour la transaction, il redressa la tête de stupéfaction en entendant la suite, que le notaire prononça d'une voix impassible :

– ... le lot 1030, d'une superficie de 520 hectares.
– Pardon ? fit Alain.
– Oui ? répondit l'autre en regardant par-dessus les documents qu'il tenait en main.
– Vous avez dit 500 hectares ?
– 520. Plus les quarante hectares du lot 1023 et les deux du 1024, ce qui fait 562 hectares au total.
– À ce prix..., fit sa femme.

– Jacqueline..., intervint Jacques, l'air réprobateur.

Elle haussa les épaules, et il poursuivit :

– Comme vous payez la somme en entier, il n'y a pas obligation de faire un relevé pour un prêt hypothécaire. Bien que le dernier relevé, ma foi, date un peu. Je vois 1984 sur le document. Je vous suggère de vous en occuper dès la prise de possession de votre bien et de mettre tout ça à jour. Vous pourrez me le faire parvenir pour que je l'ajoute à votre dossier.

Le notaire déposa un document sur son bureau : une feuille qu'il déplia en trois sections. C'était une carte qui étalait les frontières du dernier relevé de la propriété. Le lot 1024 englobait la maison et la grange, un peu à l'image de ce qu'Alain croyait acheter jusqu'alors. Les quarante hectares du lot 1023 s'étiraient le long du 6e rang, en face, en une fine bande de 200 mètres, sur deux kilomètres, jusqu'au chemin de l'Immaculée-Conception. L'incroyable lot 1030 qu'il achetait pour une bouchée de pain, quant à lui, s'étendait sur des kilomètres à la ronde, bordé par la frontière américaine sur une bande de près de 500 mètres, de l'autre côté d'une rivière. Tout le 6e Rang, avec la montagne derrière, entre les deux routes provinciales, allait lui appartenir, sitôt qu'il signerait.

Le notaire termina sa petite litanie juridique en parlant de sa voix monocorde. Mais Alain n'écoutait plus du tout. Des émotions complexes et opposées s'agitaient en lui, faisant naître un vertige. Il signa d'une main tremblante, avec la conviction profonde que plusieurs choses lui échappaient. Un cadeau tel que celui-là, envoyé par le destin, ne pouvait que se payer très cher, d'une manière ou d'une autre. Il ne savait qu'espérer ou craindre.

Une fois sa griffe appliquée, il se recula dans son fauteuil, sans regarder Jacqueline Lacoste, mais en sachant qu'il ne manquait plus que la signature de la femme du notaire pour que tout soit complété. Elle s'avança sur le bout de son siège et signa nonchalamment le document sans le regarder. Sa tâche accomplie, elle laissa aller cette remarque, loin d'être anodine :

— Si j'étais vous, j'éviterais d'annoncer combien vous avez payé pour ce lot.
— Jacqueline, dit Jacques en la dévisageant sévèrement.
— Ce que j'avais à dire est dit, ajouta-t-elle en se levant de sa chaise.
— Et ce sera tout ? fit son mari.
— Pour l'instant, oui.

Elle quitta la pièce non sans regarder Alain une dernière fois, ajoutant encore plus à son trouble. Tandis qu'ils échangeaient les signatures, les documents, et que le notaire lui parlait de l'histoire forestière et des qualités de la région, l'attention d'Alain était toute portée vers cette dame. Elle semblait savoir des choses qu'il se devait, lui aussi, de connaître.

Il se retrouva seul dans le corridor en marqueterie de la vieille maison d'époque, le notaire Lacoste ayant refermé la porte derrière lui, s'excusant de ne pouvoir le raccompagner à cause d'un téléphone urgent qu'il devait absolument faire. Au lieu de se diriger vers la sortie, Alain alla plutôt en direction de la salle d'attente, puis se risqua un peu plus loin, en avançant presque sur la pointe des pieds, jusqu'à la pièce tout au bout, à côté d'un grand escalier en boiseries qui menait à l'étage. Il découvrit une grande salle à manger avec trois tables décorées de quelques fleurs dans des pots de verre ciselé. Sur un buffet, près d'une grande fenêtre qui donnait sur le mur du voisin immédiat, il y avait un grille-pain commercial ainsi qu'une grosse cafetière en acier inoxydable. Il se rappela que madame

Lacoste tenait un couette et café et qu'il devait s'agir là de l'endroit où déjeunaient les pensionnaires. Sur les murs, il y avait encore ces toiles d'une certaine Monique. Une d'entre elles attira son attention plus que les autres. Il s'en approcha. Le vernis était jauni et la peinture devait dater de plusieurs décennies. Cette Monique ne devait plus être toute jeune. On sentait moins d'assurance dans ce dessin plus naïf. Les points de fuite étaient irréguliers et les proportions, mal réussies, contrairement aux toiles de la salle d'attente qui étaient plus achevées et maîtrisées. Un peu trop au goût d'Alain qui préférait cette première naïveté sacrifiée à la mécanique de salle de classe. Sur cette toile, toujours des oies. Cette fois, elles étaient dans un grand champ. En arrière-plan, un tracteur avec des enfants assis sur une charrette à foin.

— Vous avez l'œil, fit la voix de Jacqueline Lacoste derrière lui.

Il ne se retourna pas. Il la sentit s'approcher de lui, puis s'arrêter un instant. Il pouvait, sans la voir, sentir ce parfum délicat qui l'accompagnait, comme si elle était tout près et pouvait lui souffler sur le cou. Elle s'avança encore jusqu'à ses côtés. Il sentit la veste de laine rose pâle lui toucher le bras.

— J'aime bien celle-ci, dit-il.
— C'est son travail de jeunesse. Ça ne vous rappelle rien ?
— Non, pourquoi ?
— Vous ne l'avez pas connue. Cette scène a été peinte sur l'ancienne propriété des Manseau. Elle est adjacente à la vôtre, de l'autre côté de la montagne, sur le bord de la route 286. Monique est ma grande sœur. Elle était une amie de Louise, la femme de Joseph. Elle l'a bien connu, à une certaine époque. En fait, jusqu'à ce qu'elle-même s'installe à L'Islet avec son mari.

– Que s'est-il passé ? demanda Alain. Monsieur Manseau m'a dit qu'on l'avait dépossédé.

– On pourrait dire ça. Qu'il a été dépossédé de sa terre, de sa femme, ainsi que de ses enfants : deux fils et une fille qui doivent avoir à peu près votre âge et qui vivent toujours sur l'ancienne propriété. Même si aujourd'hui elle appartient à un entrepreneur, et maire de Saint-Édouard, Réal Fortier, qui y exploite un gisement d'ardoise. Ma sœur pourrait vous en dire plus. Si vous le désirez, je vous la présenterai.

Jusque-là, pour Alain, le nom de Fortier n'était que la représentation d'un fantôme harassant l'esprit tourmenté de Joseph Manseau. Parfois, lorsqu'il repensait à cette nuit surréaliste dans la cabane du 6e Rang, qui l'avait mené à en devenir propriétaire en ce jour même, il réentendait le nom de Fortier, prononcé haineusement, par la bouche déformée de l'ermite. Il en était venu à imaginer cet ennemi comme un monstre, une créature vivant dans un univers parallèle et ne pouvant naître que de l'esprit tordu d'un pauvre fou. Cette chose l'effrayait, certes, car il était incapable d'en dessiner le contour, mais il savait qu'elle n'existait pas, car lui, Alain, n'était pas fou. Mais voilà que la créature prenait vie et qu'elle avait des formes bien précises et tracées en un tableau pessimiste par Jacqueline Lacoste. Il semblait que les chimères de Joseph Manseau n'en fussent pas. Du moins étaient-elles l'expression d'une véritable peur, incarnée par le maire de Saint-Édouard-des-Appalaches, son nouveau village.

Madame Lacoste poursuivit :

– Joseph est le descendant d'une grande lignée d'agriculteurs originaires de La Malbaie qui ont colonisé ces terres au début du siècle. Malheureusement, ils ont beaucoup perdu lors du redécoupage de la frontière avec les États-Unis. De plus, Joseph était un rêveur plutôt qu'un bon agriculteur, et il se préoccupait plus de ses modèles réduits que de faire prospérer la ferme. Peu à peu, la terre des Manseau a perdu en valeur alors que se réorganisait l'agriculture au Québec et qu'apparaissaient les grandes fermes nécessaires pour répondre à la nouvelle réalité de la distribution alimentaire. Sa femme Louise, sur qui il comptait beaucoup, mourut du cancer. À la suite d'un conflit avec Fortier, qui racheta ses biens pour une bouchée de pain, Joseph perdit complètement la raison. Il abandonna ses enfants et se réfugia sur sa montagne. Ma sœur Monique a accompagné Louise durant sa maladie et a vécu avec eux pendant un moment. C'est à cette époque, d'ailleurs, qu'elle a peint cette toile.

– Et les enfants de Joseph ?

– Ils étaient presque des adultes lorsque c'est arrivé. Mais déjà Fortier avait mis la main sur tous les moyens de subsistance de la famille. Il était celui qui signait les maigres chèques de paie des garçons. Ce sont de pauvres hères, qui vivent dans le dénuement le plus complet, dans la vieille maison.

– Pourquoi il n'a pas laissé la terre du 6e à ses enfants ?

– Il faudrait le demander à Joseph... Ses deux fils travaillent pour le maire du village. Il ne leur fait sans doute pas confiance. Sait-il seulement encore qu'il a des enfants ? Peut-être a-t-il vu en vous, le fils de son ami, quelqu'un en qui il puisse avoir confiance, quelqu'un pour sauver ce qui reste de sa terre, avant qu'on ne saccage tout pour du bois, du sable, de la silice, ou je ne sais quoi. Quoi qu'il en soit, méfiez-vous de Réal Fortier. S'il attendait que trépasse Joseph pour mettre la main sur la montagne, il vous considérera comme un ennemi. Ne sous-estimez pas ce politicien véreux. Je ne serais pas surprise s'il utilisait les enfants Manseau pour contester l'acte de vente. Soyez prêt à tout.

Alain demeura songeur, ruminant de sombres pensées. La perspective de se retrouver au milieu d'une chicane générationnelle et d'un conflit entre propriétaires terriens d'un petit village perdu ne l'enchantait guère. Il n'y avait pas encore mis les pieds qu'on lui annonçait que le maire du village allait le détester. Mais il y avait cette montagne et ces 520 hectares. Les titres de propriété lui appartenaient maintenant.

C'est alors que Jacques Lacoste fit son entrée dans la salle à manger. Il parut surpris, et même un peu fâché, de voir son client discuter avec sa femme.

— Vous vous intéressez aux oies ?
— Non, pas particulièrement, répondit Alain.
— Moi non plus, je les déteste.
— Jacques ! s'exclama Jacqueline.
— C'est vrai.
— Il s'agit de ma sœur.
— Oh, ça, je le sais très bien. D'ailleurs, ça fait longtemps qu'on ne l'a pas vue, celle-là. Tant mieux.

Alain comprit qu'il était temps de s'esquiver. Il les salua, sans qu'aucun des deux ne lui prête attention, tout occupés qu'ils étaient à se disputer. Il s'éloigna d'un pas rapide par le corridor et passa la grande porte prestement. Il dévala les marches du perron et traversa la petite rue jusqu'à sa voiture. C'était le printemps. Il s'arrêta au quai de Montmagny pour observer les oies en transit qui venaient prendre du repos et se nourrir dans les riches battures de la Côte-Sud.

*

Alain était de retour chez lui. Son chez-soi qui ne l'était presque plus. Le couple de jeunes programmeurs-analystes qui avaient acheté son condo à fort prix vint deux fois en trois jours. Ils voulurent tout d'abord s'enquérir du *modus operandi* concernant le déménagement : stationnement, ascenseur de service, etc., et vinrent le surlendemain pour faire le tour des pièces avec des palettes de couleur pour la peinture et l'aménagement. Un soir, assis devant de fictifs travaux qu'il n'arrivait pas à avancer, Alain se dit qu'il devait lui aussi prendre des dispositions avec le vieux pour la cessation de la propriété. Et le lendemain matin, tôt, il tournait dans le 6ᵉ Rang de Saint-Édouard-des-Appalaches.

Sur la route, un soleil pâle s'était entêté à percer le ciel nuageux, laissant tomber çà et là des colonnes de lumière sur le paysage. En empruntant le rang, Alain aperçut pour la première fois celui qui serait son unique voisin. D'un rapide coup d'œil, il put se faire une idée de ce type plutôt grand, avec des cheveux noirs, arborant de gros favoris. Il était assis sur l'un des sièges de voiture trônant sur son balcon. Ses jambes étaient croisées et ses pieds, appuyés sur la rambarde. Il fumait une cigarette en regardant nonchalamment son rottweiler géant qui s'élança sur la route pour poursuivre l'automobile. Alain dut appuyer sur l'accélérateur pour semer le monstre. La route de pierre détrempée par la fonte des neiges était boueuse et très cahoteuse, parsemée de nids-de-poule géants et de ventres-de-bœuf contre lesquels la pauvre Honda, dont la suspension était mise à mal, se heurta violemment.

Cette première rencontre avec son voisinage immédiat confondit Alain. Déjà qu'il n'arrivait pas à concevoir comment il prendrait possession de son bien, comment il allait s'intégrer à sa nouvelle communauté, voilà qu'il se faisait poursuivre par un molosse aux yeux exorbités et à la gueule écumante. Avec cette cour remplie de carcasses de voiture, de machinerie en décrépitude et de déchets, ce voisin serait la première chose à éviter dans ce patelin.

La maison apparut telle qu'il l'avait quittée la dernière fois. Excepté que son air pittoresque, qui habitait son esprit depuis, faisait maintenant place à une impression nettement plus négative. Depuis le rang où il s'était arrêté, la cabane qu'il apercevait tout en haut de la côte était une ruine. Il se demanda s'il aurait la force morale de mener son projet à terme. La galerie sur pilotis penchait dangereusement vers l'avant, les feuilles de tôle sur le toit étaient rouillées ou manquantes, les planches des soffites pendouillaient çà et là, et le revêtement de bardeaux de bois était en décrépitude. Les fenêtres étaient toutes craquées et réparées avec du ruban gris. On devinait aisément que les cadres qui devaient les supporter étaient, tout autant que le reste, atteints de pourriture avancée. La vieille peinture pelait de partout. Alain se motiva un peu en appréciant les arbres impressionnants qui parsemaient ce terrain, avec cette forêt et cette montagne en arrière-plan. Une image du vieux lui revint en tête. Les yeux sur la grande cheminée qui émergeait au centre de la toiture, s'élevant de ses pierres grises noircies par la suie, Alain cria d'une voix forte et affirmée :

— Monsieur Manseau ! Vous êtes là ?

Sa voix résonna en un court écho qui s'estompa rapidement. Il marcha d'un pas ferme jusqu'à la porte de la maison, celle-là même qu'il avait vue éclatée par le coup de fusil. La poignée n'avait pas été réparée, et la porte demeurait légèrement entrouverte, comme si rien n'avait bougé depuis qu'il était parti. Il allait la pousser lorsqu'un curieux bourdonnement en provenance de l'intérieur le fit hésiter. Il y avait une odeur rebutante aussi. Il se déplaça de deux pas sur sa droite, pour jeter un coup d'œil par la fenêtre qui donnait sur la cuisine. La vitre était excessivement sale. Il s'appuya contre un carreau en coupant la lumière du soleil avec ses mains. La première chose qui capta son attention fut l'énorme cheminée se découpant dans l'ombre, puis son regard parcourut la grande pièce. Alain recula précipitamment : il venait de voir le vieux sur une chaise, la tête affalée sur la table de la cuisine, les bras pendant de chaque côté de son corps.

Il marcha de long en large sur la vieille galerie, se parlant à lui-même, nerveusement. Puis d'un geste prompt, il ouvrit la porte en la poussant du pied. Une odeur fétide lui vint aux narines, exactement comme celle qu'aurait un morceau de viande oublié trop longtemps sur le comptoir de la cuisine. Le bourdonnement entendu plus tôt était assourdissant. De grosses mouches noires volaient dans la pièce au-dessus du corps de Joseph Manseau qu'on devinait entamé par les asticots. Dégoûté, Alain quitta l'endroit au pas de course. Il sauta dans sa voiture et roula jusqu'au village avec toujours sur le cœur cette odeur de mort qui ne le quitta pas et qui le fit se moucher maintes et maintes fois, comme un hystérique, à s'en arracher les naseaux.

Il ne savait où aller, et s'arrêta à l'épicerie.

Martin Duchesne, le propriétaire, était à la caisse. Une cliente achetait des billets de loterie. Alain entra en coup de vent. À son allure, avec son teint blême et son regard confus, on devinait que quelque chose de grave s'était passé.

— Monsieur Manseau, qui vit sur le 6e Rang..., dit-il.
— Oui ?
— Il est mort.
— Mort ? ! Mais qui êtes-vous ?
— Le nouveau propriétaire.

*

La police se rendit sur les lieux. Un coroner se présenta une heure plus tard, et vint ensuite un véhicule de la morgue. Alain était resté dans le 6e Rang, bien éloigné de la maison qu'il apercevait à peine à travers les arbres. Il discutait avec un agent de police, un dénommé Charles Marois, un bonhomme costaud à la moustache fine et aux cheveux blonds grisonnants avec de petits yeux bleus glacés, qui l'interrogeait sur les circonstances de la découverte du cadavre. Le coroner avait terminé et les employés de la morgue venaient de disparaître par la porte avec une civière et un sac pour le corps.

— C'est une mort naturelle ? le questionna Alain.
— Oui, fit le policier. Mon collègue en est convaincu aussi. Nous connaissons bien le docteur Couture qui suivait Joseph depuis de nombreuses années. Nous savions tous qu'il était gravement malade et que ce n'était qu'une question de temps. Vous disiez être venu pour la prise de possession ?
— Oui.
— J'ignorais que Joseph voulait vendre. Vous le connaissiez ?
— Oui, un peu.
— En fait, j'imagine que tout le monde l'ignorait. Vous avez les papiers de la vente ? Une formalité, sans plus.

Alain sortit de sa voiture une enveloppe brune contenant l'acte notarié.

Le policier acquiesçait silencieusement en consultant le document. Il jeta ensuite un regard dubitatif et grave sur Alain qui baissa les yeux. Sans doute parce qu'il arrivait très bien à deviner les pensées du policier. Il semblait que la mort soit la seule issue pour le vieil ermite Avec l'acte de vente signé, il donnait le champ libre à ce cancer qu'il combattait depuis si longtemps. Malgré cette folie qui lui consumait l'esprit comme le cœur, il savait très bien comment cela allait finir. Mais pour Charles Marois, le policier de la Sûreté du Québec, né dans cette région, qui connaissait Joseph Manseau, sa famille et son histoire, cette vente soulevait des interrogations tout autres. Et on eut pu certainement imaginer, à observer ce regard qu'il faisait peser sur Alain, qu'il remettait en question cette mort dite naturelle. Et encore plus la valeur de cet acte de vente signé par la main tremblante d'un esprit gravement malade.

Les deux hommes ne disaient plus rien et attendaient, les yeux rivés sur la maison, que sortent les gens de la morgue. C'est alors que le son puissant d'un moteur se fit entendre sur le chemin. On vit s'approcher un vieux pick-up gris métallique, couvert de rouille, avec une boîte en fibre de verre. L'engin remontait la grande côte en faisant un vacarme infernal, comme si la transmission était bloquée en première vitesse et que son conducteur insistait en appuyant à fond sur l'accélérateur. Le camion s'arrêta à quelques pouces seulement de la Honda d'Alain et le moteur s'éteignit comme si on l'étouffait. Puis la portière s'ouvrit avec un long grincement et le voisin aperçu plus tôt en descendit, s'étirant de tout son long avec des allures félines. La première chose qui frappa Alain fut cette coupe de cheveux assez étonnante, une grosse banane anglaise, *rockabilly quiff haircut*, remontée de chaque côté vers le centre en une crête impressionnante. Le grand gaillard portait un jeans et une chemise à carreaux dont les manches roulées sur ses avant-bras exposaient des tatouages : Betty Boop, un full aux as, une tête de mort, des plumes et des ronces, le tout dans des dégradés de couleurs flamboyantes. Il s'avança vers Alain en pompant avec attitude une cigarette qu'il tenait entre le pouce et l'index. Il fit un clin d'œil au policier en claquant de la langue rapidement comme on le ferait pour faire avancer une vieille jument.

Charles Marois affichait une mine patibulaire en dévisageant l'impertinent. Et ce dernier, répondant à l'affront, en fit autant, en s'approchant de quelques pas, plantant ses bottes dans la garnotte et ses pouces dans les ganses de son jeans. Visiblement, ils se connaissaient et ne s'appréciaient pas.

— Le vieux est malade ? demanda le grand rockabilly.
— Il est décédé, fit sèchement Marois.
— Mouais, c'est ça... décédé, dit le personnage dont l'attention s'était portée sur Alain. Et toi, t'es qui ? poursuivit-il.
— Alain Demers. Le nouveau propriétaire.

Le rockabilly, qui y allait d'une touche de sa cigarette, souffla rapidement la fumée par les narines. Il sourcilla, écarta les deux jambes en prenant soin de bien ancrer ses deux pieds dans le sol, et y alla d'un rire tonitruant et nasillard avec ses grandes dents portées en avant. Après avoir ri tout son soûl devant un Charles Marois renfrogné et un Alain pour le moins intrigué, il reprit une touche de la cigarette qu'il tenait toujours entre les doigts, les yeux au sol, s'essuyant quelques larmes au coin de l'œil. Puis d'un geste militaire, il salua la voiture de la morgue qui passa à côté d'eux.

— Salut, mon Jos. Ça me fait de la peine de savoir que t'es mort. Même si t'étais un vieux fou, je t'aimais bien. T'inquiète pas, je m'occupe de tout.

Il avait dit cela en s'approchant d'Alain, et en lui passant un bras autour des épaules.

— Puisque c'est toi le boss, maintenant, il va falloir qu'on parle.

Puis il ajouta, en élevant la voix d'une manière trop peu subtile :

— Mais pas ici. Ça sent trop la charogne.

– Morissette! cria le policier qui serrait les dents et les poings.

– Marois! jappa le voisin.

– À un moment donné, tu vas y goûter, Dean. Je te le jure.

Dean quitta Alain pour s'avancer prestement vers l'agent de la SQ.

– Essaye là, là. Rien que pour voir, dit-il en allant placer son gros nez à deux pouces du visage de l'autre.

Charles Marois, plus petit, mais plus costaud que le grand échancré, le repoussa vivement. Les deux serrèrent les poings en les mettant en garde devant leurs visages. C'est le collègue du policier, arrivé au pas de course, qui s'interposa entre eux.

– Ça va faire, Dean! dit-il d'une voix autoritaire. Éloigne-toi ou je t'embarque!

Puis il se retourna vers Marois qu'il retenait à deux mains et lui parla d'une voix basse, inaudible. Ce dernier acquiesçait seulement de la tête tout en gardant son regard livide fixé sur le grand rockabilly, donnant l'impression que si on lui en avait donné l'ordre il l'abattrait sur-le-champ. Dean avait repassé son bras autour d'Alain qu'il dépassait d'une tête, et qu'il mena malgré lui, presque de force, derrière la camionnette...

– Tu ne trouves pas que ça sent la charogne, ici? dit-il.

– Euh... non. Non, pas du tout, s'empressa de répondre Alain.

Le rockabilly humait l'air avec son grand nez en reniflant comme un chien avec des mouvements saccadés de la tête accompagnés de grimaces de dédain. Dans la boîte de fibre de verre sans porte du camion, on pouvait voir un coffre à outils, une scie à chaîne, deux pelles et un filet de camouflage militaire, ainsi qu'un pneu et un bidon à essence.

– Dean Morissette, fit le voisin en tendant la main.
– Alain Demers.
– Bienvenue à Saint-Eddy, mon chum. Ici, on sera mieux pour discuter.
– Je suis pas sûr que...
– Tu as peur de Charles Marois ? Inquiète-toi pas. Il fait son frais parce que son collègue est là. Mais s'il était tout seul, face à face avec moi, il se traînerait à quatre pattes comme un chien en me suppliant de le laisser lécher mes bottes. Tu comprends ?

Alain ne l'avait rencontré que depuis cinq minutes et comprenait déjà que Dean Morissette, son nouveau voisin, était un phénomène peu ordinaire. Mis mal à l'aise par cette proximité qu'il lui imposait en le dévisageant constamment avec son sourire plein de dents, Alain cherchait ailleurs où regarder. Mais Dean le suivait toujours des yeux en plantant son visage devant le sien.

– Je suis vraiment content de te rencontrer, Al. Moi, j'ai un don singulier. Je sais toujours exactement à qui j'ai affaire. Et là, écoute-moi bien. Toi et moi, on va bien s'entendre. OK ? Ça va être notre coin à nous autres. On va faire ce qu'on veut, et personne va nous faire chier. Ça marche ? Viens chez nous, on va prendre une tite bibine pour fêter ça.
– Euh... OK. Mais pas tout de suite. J'ai à faire.
– Quoi ?
– Il y a quelqu'un qui est mort chez moi.
– Et tu vas faire quoi ?
– Je ne sais pas.

Il tourna le dos à son voisin, et il l'entendit s'éloigner dans son vieux pick-up, non sans soulagement. Ce grand extravagant était trop pour lui. Quand il s'enquit de ce qu'il y avait à faire, le policier Marois répondit qu'il avait sa déposition, que tout était en règle. S'il y avait autre chose, il allait communiquer avec lui.

— OK, mais, je veux dire...
— Vous êtes le propriétaire. C'est à vous.
— Oui, mais... Monsieur Manseau, ses affaires?
— Ah, ça. Il faudra voir avec la famille. Mais de ce que j'en sais, ils ne seront pas trop en deuil de leur père, si vous voyez ce que je veux dire. Et si je peux vous donner un conseil : allez chercher de l'eau de Javel en ville. L'odeur d'un mort, ce n'est pas facile à faire partir.

Les deux policiers éclatèrent de rire avant de s'en aller. Alain, perplexe, regarda la voiture aux gyrophares disparaître dans la poussière. Il allait et venait sur le chemin qui menait à la maison, incapable de monter les marches et de franchir la porte. D'après les estimations du coroner, Manseau était mort depuis plusieurs jours. Il était difficile d'en douter, étant donné l'odeur écœurante qu'Alain avait sentie plus tôt.

*

Il était de retour du village. Dans le coffre de sa voiture, il avait une brosse, de l'eau de Javel, du savon, une vadrouille et sa chaudière, des tampons S.O.S., ainsi qu'une réserve de trois paires de gants en caoutchouc. Dès qu'il avait remis les pieds dans l'épicerie, sa présence seule avait suffi à faire taire tous les gens présents. Alain n'eut aucune difficulté à imaginer de quoi ils discutaient avant son arrivée. La mort de l'ermite devait être sur toutes les lèvres. Aucun d'entre d'eux ne lui adressa la parole, ni ne porta son regard sur lui, excepté un vieil homme, plutôt grand, au dos courbé, avec une veste de laine jaune sur les épaules et des pantoufles aux pieds. Sous son nez, il portait une moustache blanche, effacée par son âge avancé. Le vieillard était dans l'épicerie comme dans son salon. C'était monsieur Duchesne père, épicier à la retraite. Il fut le seul qui dévisagea Alain, qui soutint son regard et qui l'observa errer à travers les rangées du commerce à la recherche de tout ce dont il aurait besoin pour faire disparaître l'odeur du mort.

Cette première expérience avec les villageois de Saint-Édouard laissa à Alain une impression ambiguë, un sentiment désagréable. Il avait essayé de sourire, mais en fut incapable et demeura parfaitement stoïque, regardant le comptoir devant lui, alors que Martin Duchesne l'informait du montant de ses achats. Le vieux était parti s'asseoir dans son fauteuil berçant, dans le salon adjacent au commerce. Alain sentait ses yeux toujours posés sur lui.

Sans doute qu'il cherchait à éviter la tâche ingrate qu'il s'apprêtait à accomplir. Et peut-être aussi était-il échaudé après cette rencontre avec les résidants du village. Toujours est-il qu'il trouva le prétexte du bon voisinage pour tourner dans l'entrée boueuse de Dean Morissette, décidé à prendre cette bière offerte plus tôt.

Il fut accueilli par les jappements et les grognements du rottweiler aux grosses tétines qui s'attaqua aux pneus de sa voiture aussitôt qu'il s'arrêta. N'osant pas descendre, il attendit le voisin qui vint chasser le chien à coups de pied au cul.

– T'inquiète pas, dit-il en ouvrant la portière. C'est une actrice. Elle n'est pas dangereuse.

Alain jugea la comédie de cette femelle, qui semblait n'avoir rien de moins que la rage, un peu trop réaliste à son goût, avec cette écume blanche qui pendouillait de sa gueule et ses yeux exorbités, rouges, injectés de sang. L'animal jeta un dernier coup d'œil à Alain comme pour lui dire que ce n'était que partie remise, puis alla se terrer dans le garage.

– Elle a l'air maligne comme ça, mais c'est une bonne grosse fille, dit Morissette. Elle me fait de belles portées. Je viens de vendre la dernière à un gars de Loretteville. Il a acheté les cinq chiots, 700 piastres chaque, sans pedigree, sans questions, rien. Les connaisseurs savent reconnaître un vrai molosse quand ils en voient un. Un de mes chums sur le Maine vient de la saillir avec son mâle. Tu devrais voir le monstre : 150 livres. Élevé à coups de pelle. Un vrai soldat. Si tu veux un chien, mon homme, tu me fais signe, je t'en garde un.

Tout en parlant ainsi de son élevage, Dean avait entraîné Alain à l'arrière de sa petite maison. Si, déjà, de la route, on pouvait voir que le terrain n'était rien d'autre qu'une véritable cour à scrap, une fois au milieu de celui-ci, on était à même de constater qu'il s'agissait plutôt d'un véritable dépotoir à ciel ouvert.

Outre les centaines de carcasses de voitures déposées sur tout le champ, il y avait ces résidus d'électroménagers que l'on pouvait compter par dizaines. Il y avait aussi de la vieille machinerie agricole et industrielle. Certains items étaient de véritables structures en eux-mêmes : des moissonneuses-batteuses, des condenseurs géants provenant de systèmes de réfrigération industrielle, de vieux silos à grains couchés sur le côté et d'autres dont Alain n'avait aucune idée à quoi ils pouvaient servir. Ils gisaient sur le sol, empilés les uns sur les autres, grugés peu à peu par la rouille. On trouvait encore, un peu partout où se posait le regard, des palettes de bois par centaines, des clôtures de pruche, des barils de quarante-cinq gallons en métal ou en plastique, etc. C'était un fouillis incroyable disposé sur plus d'un kilomètre à la ronde, dans la boue et les herbes longues. Et tout cela gravitait, tel un amas de matière dans un système cosmique, autour d'une véritable montagne artificielle, faite de terre, de résidus végétaux, d'asphalte et de béton, occupant près d'un hectare de terrain sur plus de vingt-cinq mètres de haut.

C'était sans compter tout ce que pouvaient contenir les deux granges et le grand garage derrière la maison qui étaient remplis à ras bord d'un bric-à-brac inimaginable.

Dean regardait ce désastre les deux mains sur les hanches, l'air triomphant.

— C'est quelque chose, hein ? dit-il.
— Oui. C'est exactement les mots que je cherchais.
— Il y a des années de travail derrière ce chef-d'œuvre, l'ami. Et t'as encore rien vu.
— Tu vends le métal ?
— Non, je le ramasse. Ce n'est pas encore le temps de vendre. J'attends la vraie crise. Elle s'en vient. Et là je vais faire la piastre.

Dean avait construit, en l'appuyant contre le garage, un patio d'environ douze pieds sur douze en vieilles planches de bois. Il y avait un barbecue au gaz propane ainsi qu'une table et des chaises en PVC blanc, jauni. Suspendues à des cordes attachées à quatre poteaux de perche plantés à chaque coin, il y avait une ribambelle de lanternes en plastique multicolores faisant le tour du patio. Dean sortit une bouteille de Jack Daniel's d'une pharmacie accrochée au-dessus d'un évier de cuisine commerciale, contre le mur du garage, et fit sauter le bouchon avec ses dents avant d'en verser une longue rasade dans un verre qu'il tendit à Alain.

Le couvert nuageux était presque dispersé. Le soleil brillait, accompagné par quelques gros nuages molletonneux poussés par un vent frais en provenance du nord-ouest.

Ils trinquèrent à deux reprises en calant leur verre. Une première fois à la mémoire de Joseph Manseau. Et une deuxième à la santé d'Alain.

– À la tienne, Al. Tu sais ce qu'on va faire?
– Non.
– On va marcher ton terrain.

Dean cala son verre et fila à l'intérieur du garage. On l'entendit parler à son chien. Puis il y eut un long silence avant que ne démarre un moteur dans un puissant vacarme. Et du bâtiment, on vit surgir un curieux véhicule à six roues, un amphibien 6 x 6 avec peinture militaire. Deux phares étaient juchés sur des *roll bars* à partir desquels se déployait un filet de camouflage servant à se fondre dans la nature. Dean, au volant, prononça quelques mots incompréhensibles, couverts par le bruit infernal du moteur. Puis il fit signe à Alain d'embarquer sur la banquette arrière.

Alain hésita d'abord. Puis, le bourbon aidant, il se convainquit que ce n'était pas une si mauvaise idée. À peine était-il monté dans le véhicule que Dean démarra en trombe. Alain fut projeté avec force contre le filet arrière.

– Scrambler 1977, hurla Dean en se retournant. Moteur Tecumseh, un cylindre, 16 HP. Il est raide sur la *clutch*, je peux pas décoller autrement. On peut atteindre trente-cinq milles à l'heure sur terre et quatre milles à l'heure sur l'eau!

Et il donna un coup de volant qui renversa Alain sur la banquette.

*

Le tout-terrain fila au milieu de l'immense cimetière d'automobiles et de machinerie. Très vite, Alain remarqua comment les voitures étaient entassées : pilées et placées dans un ordre bien précis, formant un curieux labyrinthe. Parfois, elles pouvaient former des murailles de près de dix automobiles. C'était un ouvrage titanesque. Impressionné, Alain sortit son téléphone et commença à faire une petite captation vidéo.

C'est alors que le véhicule s'arrêta net et que Dean se retourna, l'air sévère.

– Pas de ça chez nous, dit-il en pointant le téléphone.
– OK, désolé.
– Jamais ! Compris ?
– Oui.

Alain rangea l'appareil en s'excusant de nouveau. Dean soupira en agitant la tête de gauche à droite, tout en se passant les mains sur le visage, avant de lancer deux ou trois jurons bien sentis en frappant le volant du véhicule.

– Non, non, c'est correct, dit-il. C'est correct... Tu ne pouvais pas savoir. Mais tu vas me montrer ce que tu as filmé. Je dois jeter un coup d'œil à tout ça. Ensuite, tu vas détruire le fichier, devant moi. Je dois refaire mon *set up*.

Il avait prononcé cette dernière phrase en jetant un coup d'œil aux amoncellements de voitures derrière. Après avoir marmonné quelques mots pour lui-même, il redémarra le tout-terrain. Peu de temps après, ils s'engagèrent sur un chemin forestier, au bout du champ.

*

Ils roulèrent une dizaine de minutes à travers une vieille plantation de pins à la taille respectable. Puis ils cheminèrent à découvert dans des terrains marécageux jusqu'au bord d'un méandre adjacent à une rivière aux eaux noires, coulant doucement. Il y avait des piliers de pierres en décrépitude qui émergeaient de l'eau et sur lesquels tenaient en suspension, de manière précaire, des vieilles planches faisant office de pont. Le chemin, qui se poursuivait de l'autre côté, était obstrué par une vieille clôture de broche rouillée suspendue à deux poteaux de pruche. Une vieille affiche défraîchie pendouillait sur un fil de fer : «Frontière US – 500 pieds/500 feet – US border. » Ils descendirent du tout-terrain pour se retrouver sur un sol humide où poussaient de hautes herbes.

— C'est l'ancien tracé du chemin de l'Immaculée-Conception, l'ancienne route. Jusqu'à la fermeture de la frontière qu'ils ont déplacée lors de la construction de la 286. Ça fait un bout de ça. Il y a encore des gens qui venaient, il y a pas si longtemps, chercher de l'eau. Il y a une source plus bas.

— On peut traverser ?

— Tu veux traverser ? Je ne te le conseille pas. Il y a des milices qui patrouillent.

— Des milices ?

— Ouais, dit Dean. Des citoyens américains épris de liberté. Exaspérés par l'inaction de leur gouvernement, ils ont décidé de prendre les choses en mains. Ils patrouillent jour et nuit pour protéger la frontière des envahisseurs étrangers. Ces gars-là ne pensent pas comme nous autres, Al. Ce sont des Américains, tu comprends? S'ils t'attrapent, tu vas passer un mauvais quart d'heure, crois-moi.

Dean parlait en acquiesçant pour lui-même, à chaque mot qu'il prononçait. Il lui semblait impossible de cacher son enthousiasme, son empathie et même son admiration pour ces Étasuniens libertariens. Il scrutait attentivement la forêt, de l'autre côté. Puis il rit pour lui-même.

— Oh que oui, ils sont là.
— Là?
— Là, là. Ils nous ont vus. Inquiète-toi pas.

Et Dean fit un salut en direction de la frontière.

Alain s'était retourné pour observer cette montagne qui était dorénavant la sienne. Si du 6e Rang, avec son couvert forestier dense, elle apparaissait comme une masse plus large que haute, plus bas sur la rivière, de cet autre point de vue, elle s'élevait d'une façon abrupte. Les arbres plus disparates laissaient apparaître ici et là des caps rocheux bien en évidence.

— Ton terrain commence juste à côté, dit Dean qui s'était approché. En fait, toute la tourbière, là-bas, est à toi. C'est une bonne place pour l'orignal. Puis il fait toute la montagne, là devant. Il y a quelques sentiers qui s'entrecroisent plus bas, avec une vieille cabane à sucre.
— Il y a une érablière?
— Oui. Quelqu'un m'a dit qu'il y avait déjà eu plus de 3 000 entailles. À l'époque, c'était respectable. J'y suis allé une couple de fois. La cabane est à jeter par terre. Il reste de la quincaillerie et une vieille bouilloire, mais elle est toute percée.

Regarde le versant est, il n'y a que des érables. Ça pourrait devenir une affaire intéressante.

Dean parlait et parlait, mais Alain était déjà en train d'entailler ses érables et de mettre en conserve son sirop pour la vente. Son projet premier était de restaurer la maison pendant une année et de la remettre en vente. Mais après la surprise de ce territoire tombé du ciel, il était évident qu'il y avait tout un parti à en tirer. Déjà, il pensait pouvoir se lancer dans l'exploitation forestière, la coupe, certes, mais aussi la culture et la plantation. Et maintenant, il y avait le potentiel acéricole.

Il leva la tête lorsqu'il entendit Dean prononcer :

— ... puis, là, tu tombes sur l'ancien chemin de la résidence Manseau. En bifurquant à droite, tu te ramasses chez toi. À gauche, tu as 500 pieds à faire et tu es direct dans la carrière d'ardoise. D'ailleurs, si tu regardes la montagne d'ici, je dirais qu'elle débute à peu près là où la pente s'adoucit. Il y a une région à découvert, tu vois ?
— Je pense, oui.
— C'est la carrière des fils Manseau.

Les sentiers qu'ils empruntèrent par la suite étaient impraticables pour le tout-terrain. Depuis plus de trente ans, Joseph Manseau n'avait fait qu'y déambuler à pied en prenant soin de ne jamais déranger le paysage, se déplaçant à pas feutrés tel un loup arpentant son territoire. Ils remontèrent le lit de la rivière en enjambant les pierres, et en s'envoyant quelques rasades de bourbon, jusqu'à une vieille cabane sur la rive. En fait, elle ressemblait plutôt à une vieille bécosse. Il y avait un tuyau de cheminée qui sortait sur le côté, et une toute petite toiture en bardeaux de cèdre.

– Ça, c'est le vieux Manseau qui l'a construite. Il venait pêcher tous les jours. L'hiver, il faisait ses trous dans la glace et s'assoyait dans sa cabane. Dans le bassin, il y a presque douze pieds d'eau. Les truites descendent du lac Blouin que la Municipalité ensemence pour la Fête de la pêche en juin.

– Tu pêches, toi ?

– Oui. Mais pas l'hiver. Il y a trop de courant de mon côté, le niveau est trop bas. Les truites, elles attendent le printemps chez vous.

Alain voulut aller voir la cabane à sucre, mais Dean affirma qu'il n'y avait pas de sentier praticable à partir de la rivière, que c'était trop marécageux, et qu'il fallait faire le tour par la montagne. Et le jour tirait à sa fin.

Il leur fallut près d'une demi-heure pour monter tout en haut de cette montagne que le voisin appela à quelques reprises le mont Manseau. Alain s'étonna de découvrir cette forêt d'arbres matures, avec de nombreux feuillus. Les rochers étaient recouverts d'une mousse verte, fournie et luxuriante, qui remplissait l'air d'une odeur fraîche.

Son guide marchait d'un pas assuré, à grandes enjambées dans ces obscurs sentiers qui se croisaient les uns les autres. Ils formaient des espèces de méandres qui parfois se confondaient si bien avec la nature environnante, avec les fougères envahissantes, qu'Alain aurait été parfaitement perdu si ce n'avait été du soleil qui continuait à percer les nuages en cette fin de journée.

– Tu connais bien le terrain.

– Je suis venu de temps en temps. Mais il ne fallait pas se faire attraper par le vieux.

Ils marchaient depuis un moment dans cette forêt de cèdres aux dimensions fascinantes. Certains avaient des troncs si gros qu'ils paraissaient plusieurs fois centenaires.

– Impressionnant, hein ? dit Dean en donnant un coup de pied sur un arbre qui mesurait près de cent pieds et dont le tronc devait faire plus de quatre pieds de diamètre. T'en as pour une véritable fortune ici.

Alain se demanda s'il aurait le cœur de faire couper des arbres aussi beaux. Le thuya occidental, communément appelé cèdre blanc, était un arbre commun. Mais les spécimens ayant atteint la maturité se faisaient de plus en plus rares. Des arbres aux dimensions telles que ceux qui s'étendaient par centaines autour d'eux, on n'en trouvait que sur des terrains aménagés et entretenus. À l'état sauvage, et pour l'exploitation, plus du tout. Ils pourraient certainement rapporter gros. Mais il suffisait de déambuler au milieu de ces arbres vénérables pour ressentir plus que d'ordinaire cet esprit qui habite et fait vivre toute forêt. Celui qui nous fait s'arrêter, par humilité, au cours d'une promenade pour faire silence. Alain, l'athée, n'aurait su le nommer, mais il le ressentait certainement.

En déambulant ainsi, ils aboutirent à un point de vue, orienté nord-est, offrant un panorama superbe du village de Saint-Édouard. Les monts Notre-Dame, vieux massif montagneux des Appalaches, s'étendaient jusqu'à l'horizon, jusqu'au Bas-Saint-Laurent, et ressemblaient à de grandes vagues d'arbres et de rochers, descendant en aval comme le fleuve pour aller rejoindre la mer. Dean pointait les quatre points cardinaux en nommant les villages.

– Saint-Juillet, La Félicité, Saint-Eddy-des-Appalaches, notre beau patelin, Saint-Léonce, Saint-Évrard, là-bas. Quand il fait beau on peut voir plus loin encore, jusqu'à Sainte-Monique.

C'est vraiment une belle place, ici. Il y a toujours du vent. Si ça t'intéresse, j'ai une éolienne qui a appartenu à un fermier de la Beauce. Avec un bon pack de batteries, on pourrait être autonomes, mon gars. Chauffés au bois, éclairés au vent, on n'aurait plus besoin de personne. Il faut y penser, Al. C'est là, là, qu'il faut s'y mettre. L'économie s'effondre. Tout ce qu'on a connu jusqu'ici ne sera plus jamais comme avant. Les Chinois ont mis la main sur le pétrole albertain, bientôt ce sera notre électricité. Quand tu ne paieras pas, ils vont s'en crisser eux autres de la protection du consommateur. Ils vont te couper drette là. C'est l'autonomie qu'il faut viser. C'est le seul salut pour des gars comme toi et moi. Ça s'en vient, mon homme.

Alain avait, bien évidemment, détecté cette tendance à la paranoïa chez son nouveau voisin. Ça se confirmait bel et bien avec ce discours sur la fin du monde. Il avait toujours été fasciné par ce type de gens, et était curieux de voir jusqu'où ils pouvaient aller dans leur délire. En général, ils finissaient vite par s'épuiser à force de confusion. Mais pas Dean Morissette – il l'apprendrait assez vite – dont la conviction s'ancrait dans l'étalage de ses connaissances techniques, les défis qu'il lui fallait sans cesse relever et auxquels il donnait sens par leur réalisation même. Il n'y avait qu'à voir son terrain pour s'en convaincre. Ce gars faisait partie des irrécupérables qui amenaient leur folie jusque dans leur tombe.

— Les piles pour emmagasiner l'électricité, je sais où les trouver. Tu connais les grosses batteries pour les passages à niveau?

— Non.

— C'est ça qu'on va prendre. En fait, le problème, c'est de faire cheminer l'électricité depuis la montagne. Le plus cher, c'est le fil de cuivre. Mais j'ai ma petite idée où s'en procurer, beau, bon, pas cher, si tu vois ce que je veux dire... On pourrait même y aller cette nuit, si ça t'adonne. À Sainte-Monique, ils refont les lignes haute tension.

Alain, qui ne se voyait absolument pas partir en commando pour voler du gros fil sur un chantier de construction, déclina l'offre.

– Ça m'intéresse l'autonomie, Dean, mais j'aime mieux attendre un peu. Il faut que je m'installe avant de faire des plans comme ça. J'ai toute la maison à rénover. D'ailleurs, il faut que j'y retourne.

Les effets du bourbon commençaient à s'estomper, de même que naissait en lui une légère confusion. Alain repensa à l'odeur du mort, se demandant s'il serait capable de faire partir une puanteur pareille. Dean l'observait, avec un grand sourire, les mains sur les hanches, acquiesçant de la tête.

Puis il ajouta encore, incapable de se taire un instant :

– Tu veux une génératrice ? C'est sûr que tu vas en avoir besoin. Tes outils ne fonctionneront pas à la boucane. Je te prête la mienne. J'en ai deux, trois ou quatre... je le sais plus. Je vais t'amener la grosse cette semaine. Elle marche au diesel. Il y a une pompe au village chez Maynard. De toute façon, le réservoir est plein et elle ne consomme presque pas. T'en auras pour des semaines.

Ils marchèrent une quinzaine de minutes sur un sentier redescendant le côté ouest. Ils se retrouvèrent très vite sur un chemin qui devait servir à des véhicules autrefois, mais que les arbres et la broussaille avaient complètement investi. C'était de cet endroit que Dean parlait plus tôt, affirmant qu'il n'y avait que 500 pieds à faire sur la gauche avant d'atteindre l'ancienne propriété des Manseau. La route parsemée de grosses fougères descendait en tournant sur la droite, puis les arbres cachaient la vue.

*

Il lui fallut une quinzaine de minutes, à bon pas, pour redescendre jusqu'à la maison. Alain avait laissé Dean sur la montagne. Celui-ci devait retrouver son 6 x 6 au bord de la rivière.

En chemin, Alain eut la surprise d'entendre son téléphone sonner, lui qui croyait n'avoir aucun signal dans la région. Il sut que dorénavant il pouvait attraper une communication au sommet de la montagne, ce qu'il ferait de façon régulière pour prendre ses courriels et faire ses retours d'appels, du moins pendant les premiers mois de son séjour, jusqu'à ce qu'il n'y ait plus aucune raison de communiquer avec qui que ce soit, et que plus personne ne communique avec lui. C'est lorsque l'on s'expatrie pour un temps, que l'on change de pays ou de région, que l'on voit à quel point l'amitié, les relations personnelles ou professionnelles tiennent trop souvent à bien peu de choses. L'absence est vite oubliée, remplacée.

C'était Bruno.

— Comment est-ce qu'il va, mon Demers?
— Pas mal. Je visite mon terrain.
— Excellent. J'ai bien hâte de voir ça. Le vieux est parti, finalement?
— Oui, mettons.
— Qu'est-ce que tu veux dire?
— Je l'ai retrouvé mort, ce matin.

– Ciboire... Dans quoi tu t'es embarqué ?! Et là, tu vas faire quoi ?

– Je le sais pas. La police est venue. Le coroner, aussi. Le décès a été constaté. Le corps est à la morgue. J'ai aucune idée à qui parler.

– Il n'a pas de famille ?

– Oui, ses enfants habitent pas loin. Je vais essayer d'entrer en communication avec eux, je pense. En attendant, je vais faire le ménage. *Man*, ça sent tellement la charogne.

– J'imagine...

Bruno avait téléphoné pour confirmer sa disponibilité. C'est le dimanche suivant qu'aurait lieu le déménagement. Il avait parlé avec Laurent et tout était OK. Ce qui ne laissait que quelques jours à Alain pour tout organiser avec le locateur du cube de seize pieds.

Il descendit une longue pente de gravier que le ruissellement des eaux de pluie gardait bien dégagée et vit bientôt apparaître la grange, puis la maison et son improbable cheminée. La vue était superbe avec la lumière du soleil couchant à travers les arbres, accompagnée par le bruit de torrent du ruisseau. C'est seulement alors qu'il réalisa que sa voiture était demeurée chez Dean, avec toutes ses affaires. Lui qui comptait retourner le soir à Québec s'inquiéta de cette première nuit à passer dans sa nouvelle maison.

Il hésita longuement, marchant de long en large, observant la cabane aux bardeaux gris et aux fenêtres brisées qui s'assombrissait à mesure que disparaissait la lumière du jour. Avec les ombres qui grandissaient dans le paysage tout autour, la cheminée semblait s'étirer vers le ciel, émergeant du toit telle une stalagmite ou une poussée géologique inexplicable. Après maintes tergiversations, il finit par se convaincre d'entrer.

Il monta le vieil escalier avec autorité et poussa la porte, son gilet remonté sur le nez. Rien n'avait bougé. Il y avait toujours les mouches et cette odeur nauséabonde. Ce ne fut pas chose facile de dégager les fenêtres qui n'avaient pas été ouvertes depuis très longtemps, la plupart ayant été clouées ou vissées sans autre forme de procès. Après avoir trouvé un marteau et une barre à clous dans les affaires de Manseau, Alain finit par en décoincer quelques-unes. Sous l'évier, il trouva un bac, une grosse brosse en bois et un savon à main.

L'air frais du soir qui circulait dans la maison faisait du bien. Mais Alain n'était pas au bout de ses peines. À cette odeur putride du cadavre s'ajoutait celle, bien distincte, de la merde. Alors qu'il rendait son dernier souffle, les sphincters de Joseph Manseau s'étaient relâchés. Une merde nauséabonde avait coulé le long de ses jambes et jusque dans ses bottes. Aussi, la fiente, abondante, avait fait son chemin, au grand dam d'Alain, jusque dans les craques profondes de ce vieux plancher en grosses planches de pin brut. Il gratta patiemment chacune de ces ouvertures avec un couteau, extrayant les fèces qu'il jetait sur du papier journal. Après avoir arrosé le sol une dernière fois et frotté vigoureusement avec la brosse, il déplaça sur le balcon la chaise sur laquelle Manseau était décédé. Il la brûlerait ultérieurement, et probablement tout le mobilier de la maison avec elle.

Il s'était assis sur le divan, revivant péniblement cette première nuit passée en compagnie du vieux et n'en revenant pas d'être maintenant le propriétaire de tout ça. Il se demandait si l'odeur était bel et bien partie ou s'il s'était habitué à celle-ci. Comment sa vie avait-elle pu changer ainsi, bout pour bout, en quelques semaines ? Lui qui était un rédacteur publicitaire au bout du rouleau se retrouvait par un coup du destin grand propriétaire terrien. Il fallait qu'il se lave le plus tôt possible : cette odeur de charogne devait s'être incrustée dans chacune des fibres de ses vêtements. Le soleil était presque couché. Il alluma un feu dans le poêle à bois et quelques chandelles sur la table.

Par la grande fenêtre, on voyait les champs, qui s'étendaient de l'autre côté du rang, qui avaient pris une teinte violacée, et sur lesquels se découpaient en s'allongeant les ombres de grands conifères. Tout le temps qu'avait duré le nettoyage du plancher, Alain entendait des bruits en provenance de la cave, des murs et du plafond. La maison était habitée : souris, oiseaux ou écureuils. Avec les travaux prévus, ces locataires allaient trouver leur nouvel hôte passablement dérangeant.

Il ouvrit la trappe dans le plancher et y dirigea la lumière de la chandelle qui se refléta sur une eau noire recouvrant complètement le sol de terre battue. Une odeur de renfermé et de moisissure lui monta au nez, ainsi qu'une odeur âcre d'ammoniaque propre à l'urine, ce qui lui fit penser qu'un chat sauvage ou une marmotte y avait élu domicile. Il descendit quelques marches de l'escalier de bois pour y voir plus clair, lorsque des bruits de pas se firent entendre distinctement à l'extérieur. Alain figea complètement, chandelier dans une main, l'autre sur le panneau de la trappe.

Des réminiscences de cette nuit avec Joseph Manseau montèrent en lui. Il sentit son cœur s'affoler et ses idées se bousculer. Il demeurait parfaitement immobile, toute son attention convergeant vers ces pas qui approchaient sur le gravier, l'escalier, puis le balcon jusqu'à la porte à quelques mètres devant lui.

Il n'avait pas peur des esprits, fantômes ou revenants. La mort de Joseph ne lui inspirait aucune crainte, seulement tristesse et dégoût. Alain, et il s'en rendait compte à ce moment bien précis, n'avait peur que des hommes. Il avait toujours eu peur des autres. Sa pire crainte, à ce moment, était de tomber face à face avec les enfants Manseau.

La porte s'ouvrit en grinçant et un homme étrange apparu sur le seuil. C'était un type dans la cinquantaine, au crâne dégarni et à la couronne de cheveux gris coupée très court, quasi inexistante. Il était grand et mince. Son profil était plutôt aquilin, mais sans que son nez ne soit pour autant démesurément grand. Les lèvres étaient fines sur une bouche assez large. Ses yeux bruns étaient grands et ronds et faisaient un effet étonnant sur cette curieuse petite tête sphérique. Il portait un anorak gris et un sac en bandoulière. Il regardait Alain sans rien dire, avec un sourire plaqué sur son visage.

— Bonsoir, dit Alain, au bout d'un moment, afin de casser ce silence et son malaise.

L'homme ne répondit pas, allongeant seulement une main gantée de cuir noir. Alain toujours dans son trou, avec seulement le haut de son corps qui dépassait, serra la main qui était petite, mais ferme dans le cuir froid. Il remonta ensuite l'escalier et referma la trappe, tandis que le visiteur s'exprimait enfin, d'une voix calme, plutôt belle, avec une tonalité presque féminine. Une voix qui, en aucun cas, n'aurait trahi son âge.

— Bonsoir. Je suis Claude Prud'homme, le curé de la paroisse de Saint-Édouard.
— Enchanté, monsieur. Alain Demers, nouveau propriétaire. Comme vous le savez, j'arrive dans des circonstances singulières.
— Oui, en effet. Je suis désolé pour vous. J'imagine que ce n'est pas très facile tout ça.

L'homme tangua curieusement vers la pièce à côté du poêle à bois, celle qui était à gauche du foyer : la chambre de Joseph Manseau. Il semblait chercher quelque chose du regard, dans la pénombre.

– Je suis venu faire une dernière prière pour l'âme de Joseph. Il était très malade. C'était un homme taciturne, difficile à rejoindre. Vous qui le connaissiez et qui étiez... de la famille ou peut-être un ami ?

– Monsieur Manseau était une vieille connaissance de mon père.

– De votre père, voilà ce qu'on m'a dit.

C'était la troisième fois qu'Alain mentait sur cette prétendue relation entre son père, mort il y avait seize ans de cela, et le vieux Manseau qu'il n'avait connu ni d'Ève ni d'Adam. Mais compte tenu des circonstances, chaque fois qu'on le questionnait sur le sujet, il ne pouvait faire autrement. Et toujours, ça lui semblait à propos, une chose naturelle, et à laquelle il avait envie de croire surtout.

– Vous saviez donc que c'était un homme reclus. Je le savais malade, mais je n'ai jamais eu l'occasion de lui administrer l'extrême-onction. J'ai beaucoup de regrets et j'ai pensé qu'une prière ici pourrait l'aider à rejoindre le royaume du Seigneur, à trouver la paix.

– Je comprends, dit Alain.

– C'était un homme seul et très malheureux.

– Oui.

Le curé lui tourna le dos et fit le tour de la grande pièce en marchant les mains jointes derrière le dos. Il observait les objets, les meubles, et jeta un coup d'œil dans les deux chambres. Une fois son petit manège terminé, il s'assit sur une chaise près du poêle en joignant ses mains sur ses jambes. Il s'était assis de côté, offrant son profil droit à la lumière des chandelles. Ainsi, il se profilait dans l'obscurité, avec un aspect fantomatique, ou comme s'il n'avait plus que deux dimensions et qu'il avait été peint sur un tableau, l'artiste s'étant attardé à mettre en valeur ce petit nez pointu et le contour de ce visage singulier au crâne petit et rond.

— Si vous n'y voyez pas d'inconvénient, dit-il sans bouger, les yeux fermés en recueillement, j'aimerais faire cette prière. J'y tiens beaucoup, pour le salut de l'âme de Joseph.

— Oui, bien sûr.

— Vous désirez m'accompagner ? Vous êtes le bienvenu.

— Non merci. Je sors. Prenez tout votre temps.

Alain marcha sur la grande galerie en testant les planches avec ses deux pieds, en pesant de tout son poids. Il en identifia quelques-unes à remplacer, mais contrairement à son impression première elles étaient encore solides pour la plupart. Il fit ensuite le tour de la maison et s'arrêta devant une porte à l'arrière qui donnait accès à la cave. Il souleva la trappe qui grinça sur ses gonds. Il n'y voyait strictement rien, excepté une ou deux marches d'un escalier qui disparaissait dans l'opacité la plus absolue. Il retourna dans la maison avec l'intention de prendre sa torche électrique. En entrant, il eut la surprise de trouver le prêtre dans la chambre de l'ermite. Le curé Prud'homme avait déposé un chandelier sur la commode dont le contenu était vidé sur le sol.

— Ça va ? demanda Alain en s'approchant.

— Oui, très bien, fit le curé en se retournant vers lui, tout sourire.

— Les prières pour le salut de l'âme des morts ne sont pas très longues.

— Non, quelques mots d'apaisement, seulement.

— Et qu'est-ce que vous faites ?

– Là, je... Excusez-moi, j'aurais dû vous avertir. La famille du défunt n'osant pas venir ici, pour des raisons personnelles, m'a demandé de cueillir les effets de leur père. Vous comprenez?

– Oui, bien sûr.

Lui qui craignait de rencontrer les fils Manseau, cette réponse faisait son affaire, et ce, même s'il trouvait douteuses les manières du curé. Il se saisit de la lampe de poche et retourna à l'accès au sous-sol. C'est sans étonnement qu'il vit l'escalier qui s'enfonçait dans l'eau. Avec un bâton, il évalua la hauteur à quelques pouces seulement, ce qui lui donnait une bonne idée de la profondeur de cette cave. Il entendit la porte s'ouvrir et se refermer, et des pas dans l'escalier. Il alla au-devant du curé qui descendait le chemin d'un pas rapide, son sac sur l'épaule.

– Vous avez trouvé ce que vous cherchiez? l'interpella Alain.

– Pardon? Euh... Oui, je pense que c'est ce que la famille voulait. Je n'ai pris que quelques effets personnels qui me semblaient avoir une valeur sentimentale.

– Vous êtes venu à pied?

– Bien sûr que non. Ma voiture est dans le rang plus bas.

– Vous pouvez me conduire? Je dois récupérer ma voiture.

*

Dans la voiture qui descendait lentement le 6e Rang, ils discutèrent un court moment. Les bancs de cuirette beige étaient froids. La radio de Radio-Canada jouait discrètement. Il y avait une odeur insistante de voiture neuve, comme si le curé utilisait l'un de ces parfums de concessionnaires.

– C'est bien d'avoir de nouveaux arrivants, dit celui-ci. Les régions se vident. Les jeunes quittent les villages pour les villes et ne reviennent plus. Qu'avez-vous l'intention de faire à Saint-Édouard-des-Appalaches?

– De l'exploitation forestière et acéricole.

– Ah bon? La production de sirop d'érable, vraiment? Vous vous y connaissez?

– Oui.

– Je suis très heureux d'entendre ça. Vous êtes baptiste?

– Non. Je suis athée. Désolé.

– Mais ne vous excusez pas, fit le curé. Un de mes meilleurs amis est un athée convaincu. C'est toujours un plaisir de discuter avec lui. Sachez, monsieur Demers, que ma porte vous est toujours ouverte.

La question, lancée de la sorte, avait surpris Alain. À une époque pas si lointaine, l'athéisme était la chose maudite entre toutes. Le non-croyant était considéré comme le pire des vauriens. Il semblait alors, dans l'échelle sociétale, qu'un être humain ne pouvait aller plus bas. Mais autre époque, autres mœurs. De nos jours, l'ennemi venait de l'intérieur. Plusieurs scandales avaient mis en cause des congrégations religieuses. Les gens, toujours avides de certitudes, se tournaient vers un christianisme communautaire très à la mode et symptomatique de la puissance culturelle du voisin du sud, représenté en autres par les évangélistes, baptistes et autres *reborns*. Le curé Prud'homme, comme la plupart de ses congénères, souriait à cet athéisme vu maintenant comme de la naïveté, sans plus, et bien inoffensif à côté de ces nouvelles guerres des croyances.

Il était minuit passé lorsque Alain ouvrit la porte du condo. Un bref coup d'œil au salon, en enlevant son blouson, le fit soupirer. Il régnait là un bordel décourageant, d'autant plus qu'il n'avait que quelques jours pour tout ramasser, nettoyer et emballer. De nombreux voyages à l'Armée du Salut étaient à prévoir ; de nombreuses choses étaient à jeter aussi. Il faudrait qu'il téléphone à Audrey pour savoir s'il n'y avait pas des meubles ou des objets qu'elle désirait récupérer. Il se rappelait qu'elle avait dit vouloir la bibliothèque s'il s'en débarrassait un jour. Son intention à lui était de n'apporter que le strict nécessaire. De toute façon, la maison de Saint-Édouard était si petite qu'à part son lit, le divan, la table de la cuisine et son bureau, il ne voyait pas du tout ce qu'il pourrait faire du reste.

En s'assoyant sur le divan, il ouvrit la télévision pour constater que la télé satellite avait été bel et bien annulée comme il en avait fait la demande. Il s'étira en fermant les yeux et se revit sur cette route de campagne la nuit, escorté par les grands conifères noirs. Il avait roulé lentement en savourant chaque moment. Sur le tableau de bord, le cadran numérique était toujours à l'heure d'hiver et indiquait 21 h 43.

*

Laurent et Bruno le quittèrent après s'être enfilé les quelques bières qu'il lui restait. Il était à peine dix-neuf heures. Puisque Alain emportait si peu de choses, le camion avait été chargé en moins d'une heure. Ses deux amis devaient le rejoindre le lendemain pour faire le voyage en sa compagnie. Pendant le chargement du camion, ils n'avaient cessé de le taquiner sur sa nouvelle vie, se moquant de ce dont il aurait l'air après un an de cette existence de sauvage, seul au fond des bois. Ils le surnommaient Daniel Boone, ou alors, tout comme le vieux Manseau, « l'ermite ».

Même si ce n'était que des pitreries, et qu'il riait de bon cœur avec eux, Alain ne pouvait s'empêcher de ressentir un léger malaise. Car voilà bien ce qu'il craignait en s'éloignant ainsi, en se coupant du monde. Bien qu'il fût un être plutôt taciturne et solitaire, il n'avait toujours vécu qu'en ville. S'il ne voyait plus grand monde, depuis quelque temps, ses longues marches sur la rue Saint-Joseph à travers la foule des inconnus avaient quelque chose d'apaisant. Dorénavant, il n'aurait personne à qui parler lorsque s'étireraient les longues journées au bout du 6e Rang. Personne, excepté peut-être ce phénomène qu'il avait pour voisin.

— Ça ne te fait pas peur, Alain ? demanda Bruno.
— Quoi ?
— Aller vivre tout seul dans le bois.
— Non.
— Sérieux ?
— Sérieusement, pas du tout.

Il ne restait plus dans le condo du centre-ville que son matelas ainsi que la glacière électrique avec quelques trucs à grignoter. Ses deux amis partis, Alain s'était déshabillé avec l'intention de se mettre au lit pour lire un peu. Il regarda longtemps le plafond, étendu tout nu sur le matelas déposé au milieu du grand salon qu'il avait toujours connu en désordre, et qui était maintenant impeccablement vide et qui sentait le nettoyant bon marché.

Il plongea dans un bouquin sur la rénovation, trouvé chez un vendeur de livres usagés. Il étudia une heure environ un chapitre sur la réfection des toitures, jusqu'à ce qu'il se convainque de téléphoner à sa mère.

Des années durant, avant que Michèle n'ait son propre télé-phone portable, jamais Alain ne l'appelait. L'idée de tomber sur Guy, le barbu snobinard, lui était trop insupportable. C'était arrivé une fois seulement, alors qu'il venait à peine d'emménager avec son père et qu'il avait treize ans. Marc était soûl et ronflait sur le divan. Alain se sentit soudainement très seul et eut besoin de parler à sa mère. Dans la cuisine sale et malodorante du petit bungalow de la Côte-de-Beaupré, il avait empoigné le téléphone nerveusement, le cœur gros. Lorsqu'il avait entendu la voix de Guy, il avait tout de suite raccroché. Il était demeuré près d'une heure en pyjama, à la table de la cuisine, sous la lumière blafarde du néon, se disant que sa mère finirait par se rendre compte que c'était lui qui avait appelé. Elle n'avait qu'à faire *69 et le numéro de Marc serait trouvé. Il finit par se résigner. Elle ne rappellerait pas ce soir-là, ni le suivant, et il avait présumé que jamais Guy n'avait parlé de cet appel à Michèle. La tristesse qui l'avait accablé à ce moment précis de sa vie avait été marquante. Il avait ravalé ses larmes, mais il lui semblait que cette dernière avait défini, si tôt, son passage dans le monde des adultes. Il en avait résulté une froideur dans les émotions, une difficulté à les comprendre, à les ressentir, qui avait dicté toute sa vie jusqu'à maintenant.

Ainsi, le garçon blessé et entêté n'avait plus rappelé. C'est elle qui devait prendre l'initiative, de temps à autre. Michèle prenait quelques nouvelles, mais en écoutant toujours distraitement ce que son fils avait à dire. De toute façon, en quoi ce qui intéressait Alain pouvait l'intéresser, elle ? C'était la réflexion de l'adolescent d'alors. Il lui parlait de ses bonnes notes à l'école, sachant que sa mère en était agacée. Comme si c'était là la preuve de son échec. Comme si elle voyait là un affront ultime de son fils, une contestation pleine et entière de sa nouvelle vie, de ses amours avec son physiothérapeute. Et c'est sans doute aussi pourquoi Alain persistait à réussir son secondaire.

— Ah bon, quatre-vingt-douze en français ? Ta tante Nicole était très bonne en rédaction, elle aussi. C'est toujours elle qui m'aidait à faire mes devoirs. D'ailleurs elle est venue souper l'autre soir. T'aurais dû la voir...

Et les appels se distanciaient chaque fois un peu plus, au fur et à mesure qu'Alain gagnait en âge.

Aujourd'hui, à la mi-trentaine, Alain lui parlait peut-être quatre fois par année, ceci incluant un déjeuner en ville pendant la période des fêtes, dans un restaurant, entre Noël et le jour de l'An. C'était chaque fois un moment difficile à passer, qu'il vivait machinalement, par habitude, avec la nette impression que si sa relation avec sa mère se terminait là, ni lui ni elle n'en seraient affectés.

Toujours étendu sur le dos sur son matelas, il se sentait comme une étoile éteinte au milieu du vide sidéral. Il regardait le plafond cathédrale et la mezzanine. Le téléphone sonna trois fois dans son oreille avant qu'il n'entende la voix de sa mère.

– Alain! Comment ça va? Je pensais à toi, justement. Tu ne sais pas qui j'ai vu l'autre jour? Stéphanie, la petite voisine de la rue Beaucage. Elle travaille au IGA à Saint-Raymond...

Il la laissa parler un moment en l'écoutant d'une oreille absente, comme il le faisait toujours, avant de lui annoncer qu'il avait vendu le condo et qu'il allait s'installer à l'extérieur de la ville. Michèle lui demanda des nouvelles d'Audrey. Il lui dit qu'il n'en avait pas. Elle lui dit, malgré le fait qu'il lui eût raconté cent fois qu'Audrey était tombée enceinte de son amant, que c'était la bonne fille pour lui et qu'il n'aurait pas dû la laisser tomber. Alain lui dit que bien sûr il aurait dû s'installer avec elle et son journaliste culturel. Michèle allait ajouter autre chose, mais s'arrêta net, comme si avec plusieurs secondes de retard son cerveau venait de traiter l'information.

— À l'extérieur de la ville ? Mais où ça, donc ?

— À Saint-Édouard-des-Appalaches.

— Mon doux, qu'est-ce que c'est que ça ?

— C'est sur la Rive-Sud. Près de la frontière des États-Unis. C'est une petite cabane au fond des bois, sans eau ni électricité.

— Mais voyons, Alain ! Mon pauvre garçon, tu parles d'une idée !

— Ça ne changera pas grand-chose, maman. On va se voir une fois par année, à Noël...

— Ça va, j'ai compris. Si tu commences avec tes reproches, je raccroche.

Toujours sur le dos, les yeux perdus dans le blanc du plafond, il se demanda si ce n'était pas la première fois qu'il discutait ainsi avec sa mère. Il se passait quelque chose, une vibration dans la voix qu'il ne connaissait pas. Michèle, grande adepte de croissance personnelle, était la personne la moins empathique qu'il ait connue – et c'était sa propre mère. Peu importe les événements, rien ne semblait l'affecter véritablement. Le monde gravitait autour d'elle, et elle cherchait toujours sa raison d'exister à travers ce monde, sans s'y sentir impliquée pour autant, comme s'il était à son service. Elle était obsédée par sa santé, son équilibre psychologique, psychique, etc. Ce qu'Alain avait vite compris, alors même qu'il était un jeune adolescent et que sa mère commençait à fréquenter ce grand hippie BCBG obnubilé par l'argent, c'est que ces gens obsédés par la croissance de soi et l'épanouissement à tout prix pouvaient s'avérer les pires égoïstes et les plus grands égocentriques. Michèle en avait certainement tous les traits de caractère. Cela avait été mis au grand jour et s'était épanoui sous l'emprise de son mentor et conjoint, Guy le physiothérapeute. Ces gens n'étaient préoccupés que par leur propre personne. Ils en venaient même à oublier les êtres qui leur étaient les plus chers. Et tout ça, sans doute, parce qu'ils n'arrivaient pas à contenir, à gérer ou à vivre leurs propres émotions, cherchant par l'occasion à donner un sens à tout et à rien.

Alain écoutait sa mère lui parler égoïstement des choix qu'elle avait dû faire «pour elle» dans la vie.

– Il y a un trésor enfoui au fond de nous. La vie est une quête pour nous permettre de le découvrir et de le faire fructifier. J'ai découvert le trésor, et aujourd'hui je m'attarde à le faire vivre le mieux possible. Tu comprends? Je ne suis pas parfaite, Alain. Je fais de mon mieux. Je suis moi. C'est tout.

En général, lorsqu'elle parlait ainsi, s'exprimant avec ce vocabulaire nouvel-âgeux, Alain se mettait à faire une panoplie de borborygmes incompréhensibles et autres expressions de flatulences. Et là, stupidement, feignant ne pas être affectée, Michèle se mettait à rire de son rire de Castafiore où elle avait tout faux. Ces discussions pouvaient continuer longtemps à tourner en rond sans but et sans écoute aucune.

Mais cette fois, il sembla à Alain qu'il approchait d'un cul-de-sac avec sa mère, et il la laissa parler sans rien dire. Peu habituée de s'exposer autant, elle en devint si confuse qu'elle ne sut comment poursuivre sa lancée et fit une longue pause. Puis elle termina son discours ainsi, en lançant, non sans désespoir, des mots qui venaient du fond du cœur:

– J'espérais tellement qu'en devenant adulte tu comprendrais.

Une sincérité qui aurait pu être désarmante, mais pas pour Alain, digne fils de sa mère, qui en la voyant ainsi à découvert, se jeta sur elle.

– Désolé, maman, même adulte, je n'arrive toujours pas à comprendre comment on peut s'éloigner autant de son propre enfant.

– Si tu avais des enfants, peut-être que tu comprendrais.

– Ça, tu peux l'oublier. Parce que l'envie d'avoir des enfants, tu me l'as complètement enlevée.

Il l'entendit ravaler ses paroles au bout du fil. Elle demeura sans mot, complètement effacée. La discussion se termina ainsi.

Après avoir appuyé sur la petite icône de téléphone rouge sur le clavier tactile, Alain se sentit très las. Il avait pris plaisir à voir sa mère s'effondrer. Mais cette fois, c'est lui qui avait tout faux. Car lui, et lui seul, savait à quel point tout cela n'était qu'un mensonge. Puisque des enfants, jamais il ne pourrait en avoir.

*

Il l'avait vue la veille.

Attablé à un café de la rue Cartier, il était près de s'en aller lorsqu'elle débarqua avec son parapluie détrempé qu'elle déposa sur le bord de la porte, dans un panier prévu à cet effet. Elle accrocha au mur son imperméable rouge vif. Elle le chercha du regard, puis l'aperçut et le salua d'un grand sourire. Tout ce que cette petite place comptait de têtes s'était retourné pour la regarder faire son entrée. Nonobstant cet imperméable rouge qui attirait invariablement l'œil, Audrey était une fille de cinq pieds huit pouces, aux longs cheveux noirs soyeux qui ne laissait aucun garçon, ni aucune fille, indifférent. Depuis qu'elle occupait ce nouveau travail, cette nouvelle position dans l'échelon social, et qu'elle était devenue mère, elle n'avait plus l'air de la grande fille timide et mal dans sa peau qu'Alain avait connue, mais bien d'une femme accomplie qui fait son chemin dans la vie. La conviction et l'assurance sont source de séduction. Il n'y avait aucun doute : à la regarder s'asseoir avec cette désinvolture tout en contrôle et ce visage pétillant, on voyait qu'Audrey était heureuse.

– J'avais hâte que tu m'invites et qu'on puisse bavarder ensemble, dit-elle.
– Pourquoi ?
– Pourquoi ? Mais parce que j'ai partagé six ans de ma vie avec toi, voilà pourquoi. Je suis contente de te revoir. Je sais que tu es trop bête pour comprendre, mais c'est comme ça.

Elle venait à peine de s'asseoir. Il n'avait dit qu'un seul mot et déjà la fleur commençait à faner. Audrey avait perdu un peu de son sourire et de ses yeux étincelants. C'était sans doute une des grandes qualités d'Alain : quand tous étaient heureux, il contaminait leur humeur en la teintant inexorablement de la sienne.

– Tu as l'air bien, dit-il.
– Oui, fit-elle en retrouvant un peu de son sourire, qui n'était plus tout à fait le même. Oui, je suis très heureuse. Mon travail me plaît, ma petite fille est trop géniale...
– Et Yann ?
– Il va bien aussi. Il a signé pour une autre année au boulot, il continue à couvrir l'actualité au *Québec ce soir*. Il part un mois cet été en Gaspésie.
– Pour le travail ?
– Non, une formation sur un voilier. C'est son rêve de naviguer.
– C'est inspirant.

– Je ne sais pas comment je vais faire avec la petite, pendant un mois, tout l'été.

– Ta mère viendra t'aider.

– Oui.

Le serveur leur offrit chacun un menu. Alain déclina tout comme Audrey. Pourtant, ils s'étaient donné rendez-vous pour dîner. Mais il semblait que les plaies n'étaient pas toutes pansées – les blessures de l'amour le sont-elles jamais ? – à leur en couper l'appétit.

– Tu t'es acheté une terre ? C'est Bruno qui me l'a dit.

– Oui. J'ai vendu le condo. Je m'en vais.

– Ça ne te ressemble pas.

– Plus grand-chose me ressemble.

– T'as déjà changé.

– Merci.

Elle avait parlé en l'observant des pieds à la tête. Lui qui était si soucieux de bien paraître, à une certaine époque du moins, ne s'était pas rasé depuis des semaines. Il portait une chemise carreautée vert forêt, déboutonnée et s'ouvrant sur un t-shirt Molson Ex. Ses cheveux étaient longs, en brous-saille, et sortaient de chaque côté d'une casquette à l'effigie d'une équipe de baseball de Charlesbourg.

– Il y a des gens qui s'inquiètent, Alain.

– Ah bon, on s'inquiète ? Tu me fais rire.

– Mais oui. Les gens se demandent ce que tu fais. Tu n'ap-pelles plus personne. Quand on te croise et qu'on t'interpelle, tu réponds froidement et tu profites de la première occasion pour t'en aller.

– Je vois toujours Laurent et Bruno.

– Quand ça t'arrange de te soûler la gueule.

– On l'a eue, cette discussion, il y a deux ans, Audrey. Tu te souviens comment ça avait fini ? Je suis comme je suis, il y a rien à faire. Je suis très heureux de partir.

– Bon, voilà un peu d'émotion. C'est déjà ça.

Il y eut un long silence, pendant lequel ils dégustèrent chacun le café déposé devant eux. Ils avaient toujours bu leur café de la même manière. Avec un peu de lait, sans plus. Alain avait arrêté de sucrer son café le premier matin de ce premier rendez-vous avec Audrey, il y avait six ans.

– Tu vas faire quoi là-bas ?

– Je vais travailler ma terre.

– Travailler ta terre ?

– Oui, j'ai l'intention de faire du sirop d'érable. Il y a 3 000 entailles sur le terrain.

– Toi, ça ?

Elle éclata d'un rire franc et sans pudeur, faisant tourner toutes les têtes dans le bistro. C'était un fou rire sincère, tellement tout cela tenait de l'absurdité. Audrey ne l'avait connu que comme un pseudo-intellectuel, surtout geek, un peu paresseux, réussissant sa vie avec le talent que lui avait donné la nature : il avait un don pour l'écriture, certes, mais il était surtout un grand séducteur, capable de vendre à peu près n'importe quoi avec quelques phrases qui émergeaient du bout de ses doigts blasés sur le clavier. Elle qui avait partagé son quotidien pendant si longtemps le connaissait comme un adolescent attardé avec une sexualité calquée sur les films pornos, passant son temps à lire des romans ou des BD de mauvais goût avec des monstres sodomisant de jeunes nymphettes avant de les dévorer sur l'autel d'un quelconque dieu lovecraftien venu du fin fond de l'Univers, à jouer à des jeux vidéo douteux, à fumer du pot. Ce grand cynique, elle ne l'avait jamais vu lever un marteau ou à peine. Il n'avait aucun loisir digne de ce nom, à part les soirées hockey, bière et pop-corn à la taverne du coin. Rien ne semblait véritablement l'intéresser. Et encore moins le bricolage, et l'entretien des maisons. Chaque fois qu'il avait dû s'attaquer à un problème au condo, avec ce coffre d'outils qu'il avait hérité de son père, il s'était blessé la plupart du temps pendant le processus et avait empiré le problème. Et ça avait toujours fini par un appel à un entrepreneur spécialisé qui débarquait à fort prix.

En la voyant s'esclaffer ainsi, Alain ne put s'empêcher de rire à son tour. Un moment de douce sincérité tout à fait inattendu au milieu de ces tensions affectives, de tous ces nœuds.

– Mais tu sais quoi ? finit-elle par ajouter. J'ai véritablement l'impression que ça va marcher pour toi. Je suis sûre que c'est ce dont tu avais besoin.
– Merci, Audrey. Je le pense aussi.

Elle aurait voulu ajouter qu'elle s'inquiétait pour lui, qu'elle se souciait de sa santé, de son bien-être psychologique. Elle qui était si heureuse avait besoin de le savoir lui aussi heureux pour passer véritablement à autre chose. Mais elle ne dit rien, annonçant seulement la fin de son heure de lunch.

Elle attendait un sandwich commandé au comptoir du bistro. Lui feuilletait une revue du Clap, cherchant quel film il pourrait aller voir, un dernier avant de s'en aller. Mais rien ne l'intéressait vraiment.

– Si tu fais fortune, tu penseras à moi. À moins que ça ne soit déjà le cas.

Il sentit la pointe qu'elle lui lançait. Alain avait acheté la part d'Audrey à la valeur de ce qu'ils avaient payé trois ans avant la séparation. Le prix avait doublé depuis le temps.

– Je vais te rembourser en sirop d'érable et en bois de chauffage.

Elle acquiesça avec un sourire, peu sincère cette fois.

Ils se quittèrent en sachant qu'ils ne se verraient plus jamais.

*

Le grand Bruno était sorti du camp en hurlant, les mains sur le visage, simulant exagérément son dégoût.

C'était une belle journée de la fin d'avril, comme on ne peut en imaginer mieux. Le soleil brillait, l'eau coulait abondamment dans les ruisseaux et les oiseaux gazouillaient joyeusement.

Alain arriva le matin, quelques minutes avant le cube. La première chose qu'il remarqua fut cette grosse génératrice sur remorque, stationnée devant la maison. Perplexe, il évaluait le monstre laissé par son voisin lorsque ses deux comparses se présentèrent avec le camion qui grimpa péniblement la grande côte jusqu'à la maison. Laurent fut le premier à sortir de la cabine. Il sauta au sol et s'empressa de regarder autour, observant minutieusement les arbres et démontrant toute son appréciation. Pour un sculpteur-ébéniste tel que lui, ce territoire faisait rêver. Il fabriquait de petits objets en bois, rien d'utilitaire, parfois des représentations animales, mais toujours avec de très belles lignes filiformes qui s'étiraient pour mettre en valeur les qualités naturelles du bois. Il vendait ses sculptures ici et là, dans les boutiques du Vieux-Québec et dans les salons d'artisanat à travers la province. Rien qui puisse rapporter gros, et sa petite maison du quartier Saint-Sauveur lui bouffait tout son argent. Mais Laurent avait l'œil pour le bois et avait tout de suite évalué le potentiel forestier de l'endroit. Alain l'avait invité à venir couper pour ses affaires et il avait accepté.

Le déménagement fut rapide. Contrairement à la première idée d'Alain, les affaires de Manseau ne furent pas brûlées, mais rangées dans la vieille grange. Il ne garda que le vieux chapeau de feutre noir, laissé sur un crochet derrière la porte, ainsi que le grand bâton de marche de Joseph. Ils placèrent les meubles d'Alain et ses quelques boîtes en un rien de temps. Celui-ci s'était débarrassé de tout ce qu'il considérait comme superflu et il ne lui restait plus grand-chose. En commentant cette sortie spectaculaire de Bruno qui avait pris le mors aux dents plus tôt, dégoûté par l'odeur de la maison, tous trois s'interrogèrent sur l'odeur des morts et comment s'en débarrasser. Alain se saisit de l'eau de Javel, du seau et de la vadrouille, pour frotter de nouveau le plancher, tandis que Laurent et Bruno faisaient le tour du propriétaire en évaluant les travaux nécessaires.

— Tu vas démolir la cheminée ? le questionna Bruno.
— Non, répondit Alain.
— Pourquoi ? Elle prend toute la place. La maçonnerie tombe en ruine.
— Si je manque de place, j'agrandirai. Je garde le foyer.

Alain avait parlé sèchement. D'une manière qui surprit ses deux amis.

— Et tu vas continuer à pomper ton eau à la main ? poursuivit Laurent, pour changer de sujet.

Alain, qui depuis plusieurs jours passait tout son temps dans ses encyclopédies sur la rénovation, glanées çà et là – Réno-Dépôt, Do It Yourself, etc. –, sourit en expliquant qu'il allait installer une pompe électrique avec un réservoir, afin d'alimenter la maison, et qu'il comptait faire une salle de bain dans l'ancienne chambre de l'ermite. Bien qu'il aille utiliser la bécosse en arrière de la maison pendant quelque temps, il comptait sur une vraie cuvette à moyen terme. De plus, il lui fallait une laveuse et une sécheuse, ne se voyant absolument pas faire son lavage à la main. L'eau du puits lui paraissait bonne. Du moins sortait-elle de la pompe glacée et translucide. Il en tendit un verre à ses deux amis qui déclinèrent l'offre. Il en prit une grande lampée et goûta quelque chose qui lui déplut : un goût d'œufs pourris, celui du soufre.

Bruno offrit une bière à chacun, et ils trinquèrent longuement en discutant maison, techniques et outils.

*

L'après-midi était bien entamé lorsque Laurent décida de partir explorer le territoire. Une autre bière, avait-il affirmé, et il ne pourrait plus quitter sa chaise sur le perron. De leur côté, Bruno et Alain avaient choisi de s'attaquer à l'énorme engin à leurs pieds. Juchés sur les vieux pneus tout craqués, ils observaient la grosse génératrice diesel de Dean Morissette. Avec ses 200 kVA, cette machine devait avoir servi dans un complexe industriel, un abattoir ou une porcherie. C'était une chose tout à fait ridicule de vouloir alimenter le chalet avec un monstre pareil.

Bruno s'y connaissait un peu mieux qu'Alain en mécanique, mais le technicien en électronique était plutôt limité lorsque ça dépassait l'ordre d'un circuit imprimé. Ils trouvèrent tout de même la clef sur le contact et actionnèrent un bouton rouge qu'ils firent passer de la position «off» à «on». Le moteur diesel mit du temps à démarrer. Puis il décolla, à grand bruit, en faisant vibrer la structure de métal d'une manière qui laissait penser que tout allait exploser. Après s'être éloignés, craignant de voir la génératrice leur éclater en pleine figure, ils la virent plutôt s'étouffer en lançant de grosses bouffées de boucane bleue, puis s'éteindre complètement. Ils tentèrent de la redémarrer, prudemment d'abord. Puis avec obstination, jusqu'à ce qu'il fallût se raisonner et tout arrêter avant de voir la batterie se décharger complètement à force de solliciter le démarreur.

Bruno voulut vérifier s'il restait du fuel.

— Il m'a dit que le réservoir était plein, dit Alain.
— Ça fait longtemps qu'il l'a ?
— Aucune idée, vraiment.

Bruno jeta un coup d'œil à l'intérieur du réservoir, puis il sentit en plaçant son nez contre l'ouverture. Il afficha un air perplexe et y enfonça un bout de bois que lui tendit Alain. Il l'en ressortit recouvert d'une matière gélatineuse blanchâtre. Alain apprendrait plus tard qu'il s'agissait d'une contamination fongique. Les cycles chaud-froid finissent par produire de la condensation dans le réservoir. Avec le temps, il se forme des champignons dans cette eau qui flotte à la surface du diesel, à cause des bactéries présentes dans les produits pétroliers.

— Bon, tant pis, dit-il. Ce n'est pas très grave. Le vieux a toujours vécu sans électricité. Je devrais être capable d'endurer ça quelques jours. J'irai m'acheter une génératrice au gaz pour les outils, et une recharge pour l'ordinateur et le téléphone.

– Parlant de téléphone, fit Bruno qui sauta en bas du monstre mécanique, tu me passes le tien ? Je dois parler à ma blonde.

– J'ai pas de signal, ici. Il faut aller sur la montagne.

– Et comment on fait pour t'appeler ?

– Tu laisses un message. Moi, je grimpe là-haut et je te rappelle.

– OK..., fit Bruno en regardant le mont Manseau, derrière, qui s'élevait sur plus de cent mètres. Chapeau. C'est toute une vie que tu vas avoir ici.

Il paraissait anxieux de ne pouvoir joindre sa copine, Marie-Christine, une blonde assez ronde, aux seins énormes qui faisaient la fierté du grand Bruno. Alain l'avait toujours connue comme une fille très contrôlante, qui supportait mal les activités « masculines » de son conjoint, comme si cela pouvait être une désacralisation de leur union. Il fallait toujours qu'ils fassent tout ensemble. Même si elle n'aimait pas le hockey, elle se faisait un devoir de l'accompagner à la taverne. Ainsi, Bruno avait pris l'habitude de n'aller voir le hockey que les mardis, les soirs où Marie-Christine faisait du pilates avec ses copines. S'il ne pouvait lui téléphoner, elle ne manquerait pas de le lui reprocher. Telle qu'Alain la connaissait, elle avait sans doute organisé une activité – souper et film au cinéma – et se morfondait à attendre un signe de son chum, rageant contre lui, incapable de s'organiser une vie rien que pour elle. Marie-Christine était une fille très sociable, fusionnelle. Au début de leur relation, Bruno avait abouti à plusieurs reprises chez Alain et Audrey, se cherchant un endroit pour dormir.

– C'est fini, répétait-il. Je ne suis plus capable, ça va trop loin. J'étouffe.

Visiblement, Bruno avait de grandes capacités pour l'apnée puisqu'il continuait à faire sa vie avec elle, et ce, depuis bientôt cinq ans.

Alain n'était pas peu fier de son ménage. Tout cela lui paraissait de très bon augure. Les fenêtres grandes ouvertes, l'air frais printanier et le nettoyant au pin aidant, il croyait bien être arrivé au bout de cette odeur persistante. Jusqu'à ce que Laurent entre et dise en inspirant :

– Salut, les gars. Ça sent... le Pine-Sol... et la mort.

De retour de promenade, il affirma avoir vu de superbes bouleaux jaunes, de véritables spécimens, ajouta-t-il. Il avait déambulé parmi les méandres des sentiers pour aboutir dans cette forêt de cèdres dont lui avait parlé Alain, et était descendu jusqu'à l'érablière. Il y avait là de magnifiques érables très âgés, disait-il. Il y aurait de la coupe à faire, et de l'entretien, pour permettre une production commerciale. Il disait cela sans trop connaître le sujet.

– Ce qui est encourageant, dit-il en terminant, c'est de voir à quel point la forêt est en santé. J'ai vu un truc bizarre, par contre.

– Quoi donc ? demanda Alain.

– Je ne sais trop. Un endroit où il y a eu une coupe assez récente. Avec de nombreuses traces de machinerie.

– Ah bon... Et où exactement ?

– Je ne sais pas trop. J'ai emprunté un sentier à partir de la cabane à sucre. J'ai longé la montagne sur une longue dénivelée.

– Tu es allé jusqu'à la rivière ?

– Non. Ça monte de l'autre côté de la montagne. Carrément au sud.

– T'étais peut-être sur le terrain du voisin.

— Peut-être...
— T'as vu la carrière d'ardoise?
— Non.

Les gars prirent une dernière bière puis se dirent au revoir, en se serrant la main à plusieurs reprises. Bruno et Laurent semblaient soucieux. Laurent promit qu'il serait de retour dans quelques semaines pour identifier les quelques arbres qu'il aimerait couper. Il avait des amis ébénistes qui seraient intéressés par les gros érables. Alain affirma que ça lui ferait immensément plaisir de recevoir tout ce beau monde. Puis ils se saluèrent de nouveau alors que les deux visiteurs sautaient sur le siège du camion et que Bruno mettait en marche le moteur. Alain suivit des yeux le cube qui descendit lentement la côte abrupte jusqu'au 6e Rang. Il leur envoya la main tandis que le véhicule s'éloignait sur la route, sachant qu'ils le regardaient, tous les deux, dans les rétroviseurs. Puis il se retourna vers la maison. La nuit tombait et un ciel violet foncé se dessinait au sommet de la montagne, tandis qu'approchaient des nuages en provenance de l'ouest. De la maison, il ne semblait plus y avoir que la cheminée. Il marcha vers elle, de grands frissons lui parcourant l'échine.

*

Il ne pouvait se le cacher, il appréhendait cette première soirée. Il se demandait comment réagirait son esprit hyper sollicité et imprégné jusque dans ses moindres recoins par la vie urbaine : télévision, Internet, téléphone. Qu'adviendrait-il de lui, avec ce calme absolu, cette solitude ? Pour seule compagnie, il n'avait que ces quelques livres et la lumière vacillante des chandelles.

– Des chimères, pensa-t-il. Il n'y a qu'à faire, c'est tout.

L'esprit libre et sans contrainte ouvre la porte à toutes les fantaisies. Les inquiétudes et les mauvaises pensées ont ainsi le loisir de surgir à tout moment. Alain pensait que les peurs se soignent à l'action. Il s'assit à table et entreprit de dessiner quelques plans pour ses travaux : la salle de bain, entre autres.

Il passa une longue heure attablé à ses projets, dessinant lentement, traçant chaque ligne à une échelle bien précise. Dans le silence absolu, tous ses sens étaient exacerbés. Il était à l'affût de la moindre sensation, du moindre bruit : une brise légère à l'extérieur, une souris se baladant entre les murs. Et il y avait cette noirceur complète qui le saisissait chaque fois qu'il lançait son regard par la fenêtre. Aucune de ses craintes ne se matérialisa. Lui qui ne savait que craindre s'étonna de se trouver si calme et posé. Les tourments étaient restés derrière. Il n'y avait que son esprit clair et limpide. Tout allait de soi, comme si ce qu'il avait tant souhaité, et dont il doutait secrètement, arrivait à point dans sa vie.

Excepté cette curieuse impression qu'il n'arrivait pas à chasser, celle d'être constamment observé, de ne pas être seul.

Il se dit tout d'abord que ça ne pouvait venir que de son imagination, bien sûr. Sans doute qu'à force de vouloir tout contrôler et de refouler ses peurs, il en venait à se sentir étranger à lui-même, comme s'il avait un double prenant note de chacune de ses pensées, de ses gestes, de chacun de ses sentiments.

Il alla plusieurs fois aux fenêtres avant et arrière, son œil se perdant dans la nuit opaque, arrivant à peine à distinguer la lisière des bois. Mais le problème, et il ne pouvait se le cacher, c'est que cette impression ne venait pas de l'extérieur, mais bien de l'intérieur. Ses petites réflexions psychologiques ou philosophiques sur sa personne n'arrivaient pas à la dissiper. Il observa les petites sculptures de bois et de fil d'acier, sur une tablette, à côté de la porte. Elles ressemblaient à de petits bonshommes, mais ce n'était pas encore ça. C'était plutôt sur sa gauche, à même l'âtre de la cheminée, où la lumière des chandelles semblait incapable de pénétrer, formant un véritable trou noir au milieu de la maison, une masse sombre autour de laquelle tout gravitait et qui cherchait à l'attirer.

Lors de cette nuit singulière passée en compagnie de Joseph Manseau, l'ermite avait insufflé une âme à cette cheminée en en faisant le refuge de l'esprit de la sorcière brûlée vive en ces lieux.

Qu'Alain fût le plus convaincu des athées n'empêchait rien. Par la force des choses, comme la malédiction prononcée ou la bonne aventure que l'on s'est fait dire, comme cet enfant qu'on désire, ce rêve que l'on chérit, quelque chose quelque part, que ce soit seulement dans le monde des idées, se met à exister. C'est toute la force de l'esprit. Et bien qu'il aurait voulu le réfuter, Alain n'était plus seul. Contrairement à ses appréhensions premières, l'endroit n'était pas marqué par le sceau de la tragédie, que ce fût la mort de Joseph ou celle de la sorcière, mais plutôt par celui de la paix et de la sérénité. La meilleure façon de ne pas craindre les esprits, c'est de s'en faire des alliés.

Il jeta sa règle et son crayon sur la table, se leva et saisit du bois. Puis, il s'agenouilla devant le foyer. Ses yeux se perdirent dans le trou noir. Il passa la tête dans l'ouverture et sentit un air froid qui tombait depuis la cheminée, comme une étrange caresse sur sa tête, ses cheveux et son visage.

Le papier journal et le bois sec s'embrasèrent avec une vivacité surprenante. Sitôt le feu allumé, Alain jeta une grosse bûche dans le foyer et observa les tisons s'envoler et disparaître par le conduit de la cheminée. Il s'assit sur une chaise qu'il approcha de l'âtre et fixa les flammes qui dansaient. Son esprit partit en songe, emporté par le doux vent du soir, et se répandit sur ses terres et sa montagne, voyageant à travers les feuilles et les branches des arbres jusqu'à s'évanouir dans tout le paysage.

*

Il y avait quelque chose d'aussi agréable que de désagréable dans le démarrage de cette génératrice. Certes, elle assurait le contact entre Alain et le monde en alimentant son téléphone, son ordinateur, et, bien sûr, ses outils pour les travaux. Mais il y avait ce bruit épouvantable qui bousculait la quiétude des lieux. Cependant, très vite, après quelques jours seulement, le publicitaire se transforma en véritable forestier et s'en accommoda très bien. Si, les premières fois, il se sentait mal à l'aise au point de s'excuser auprès des arbres et des oiseaux, son petit rituel de fin de journée finit par lui devenir essentiel. La solitude lui pesant, après avoir passé la journée à suer et à se parler à lui-même, démarrer le moteur à essence qui se mettait à ronronner signalait en quelque sorte sa présence, annonçant au monde qu'il était toujours là et qu'il n'avait pas tout à fait disparu. Et pour rendre ce moment encore plus agréable, il y avait cette unique bière de la journée qu'il s'autorisait une fois la génératrice en marche. Ainsi, il déambulait sur son chantier en admirant le travail qui avançait, et préparait sa journée du lendemain.

Cela faisait deux semaines qu'il était installé à Saint-Édouard. Les plans de la salle de bain et des nouvelles divisions étaient dessinés. Mais avant tout, il lui fallait l'eau courante. Pour ça, il devait aménager la cave. Très vite, il réalisa que toute la suite des travaux à venir tenait essentiellement de cette étape cruciale qui allait durer presque tout le printemps et une partie de l'été. Il lui fallait soulever la maison pour faire une fondation. Une dalle de béton serait coulée, sur laquelle il installerait une pompe, un réservoir, etc. Et bien sûr, il lui fallait l'électricité. Il avait communiqué avec Hydro-Québec la veille et attendait des nouvelles.

À l'aide d'une grosse pompe à levier, il avait patiemment vidé l'eau de la cave. Il découvrit un sol en terre battue, plutôt sablonneux. Les rives du plancher reposaient sur des fondations de pierre au mortier effrité, au travers duquel on pouvait voir la lumière du jour. Au centre de la cave, tel un arbre enraciné, il y avait la base de la grosse cheminée en pierre, un ouvrage impressionnant. Il fallait qu'il le soit pour supporter toute cette pierre, du foyer à la cheminée, jusqu'à près de trente pieds dans les airs. Ainsi, Alain comprit qu'avec une construction pareille, ancrée à même la montagne, il était hors de question de soulever la maison. Il dut se résoudre à une autre solution, qui allait demander des jours et des jours de durs labeurs : l'excavation. Pendant plus d'une semaine, du matin jusqu'au soir, il creusa la cave, charriant de la terre et du sable dans des seaux de vingt litres qu'il allait vider à côté de la grange. Ce fut un travail si éreintant pour son corps si peu habitué aux travaux manuels qu'il fut strictement incapable de bouger le lendemain du premier jour, ni le surlendemain. Il reprit le travail trois jours plus tard. Peu à peu, son corps s'endurcit. Si bien qu'au bout de ces deux semaines de travaux de forçat, il était en mesure de constater une nette différence de ses capacités physiques et de son endurance.

Ce fut une pénible quinzaine. Tant pour son corps que son esprit. Deux semaines où il ne vit à peu près personne, sauf pour cette soirée passée avec Dean à picoler sur des chemins de campagne et ces deux autres fois où il était allé à la quincaillerie et à l'épicerie. Pour le reste, il ressentait un intense besoin de rester seul et de repousser ses limites dans cette solitude et ces corvées sur lesquelles il s'acharnait compulsivement comme s'il était en cure. En cure de lui-même, supposait-il.

Ses soirées, il les passait à ruminer, en contemplation devant le feu de la cheminée. Avec l'impression toujours grandissante qu'il y avait là quelqu'un pour l'écouter.

*

Le jour où il mesura quatre-vingts pouces de la terre aux solives du plancher, il décida que c'était assez. Avec un lit de pierre concassée et une dalle de béton, il aurait plus ou moins six pieds de cave, ce qui était acceptable compte tenu des circonstances. Il y avait encore du creusage à faire autour de la cheminée. Mais avant, il fallait supporter la maison afin de démolir les anciennes fondations. Un travail qui prendrait certainement une semaine, sinon deux.

En ce beau matin du début de juin, alors qu'une petite brume se dissipait lentement pour faire place au soleil, il décida de prendre congé. Plus de quatre semaines étaient passées. Il se sentait en pleine forme, avec toute sa tête, et ne se rappelait pas, à trente-cinq ans, avoir éprouvé un bonheur pareil de toute sa vie. Cela tenait sans doute à cette solitude dont il s'était fait une amie, et aussi à ces travaux qu'il menait tant bien que mal, mais d'une manière toujours plus assurée.

Après son déjeuner, il partit à Saint-Édouard à la recherche de crics et de vérins pour soulever la maison.

Il acheta le journal à l'épicerie. La jeune caissière ne répondit pas à son salut.

– Ça va ? insista Alain.

Elle acquiesça sans sourire.

Il pensa aux maux de l'adolescence, qui font souvent ressembler les jeunes à des asociaux pathologiques. Lui-même avait eu une adolescence difficile, introvertie, et pouvait certainement comprendre ces comportements. C'était sans grande importance, en apparence, mais c'est à ce moment qu'il commença à se questionner sur son image auprès de la population locale. Les conditions dans lesquelles il avait acquis cette importante propriété devaient soulever plusieurs questions. Il n'aurait su répondre autrement aux mécontentements de certains qu'en étant le plus avenant possible et en essayant de montrer toute sa bonne foi.

Il se rendit au garage de monsieur Maynard. Il y trouva le propriétaire et son employé – un type un peu sot du nom de Philippe. Le garage était une immense bâtisse en blocs de ciment gris, pouvant accueillir deux remorques de quarante-cinq pieds, bien que la clientèle du commerce se compose essentiellement de propriétaires de vieilles bagnoles de la région.

Le garage était vide. Philippe, avec sa chienne noircie de graisse et son ventre proéminent, posait devant le grand établi du fond, en pleine réflexion devant un petit moteur disposé devant lui, la bouche entrouverte et le regard vide.

– Bonjour. Le plein, s'il vous plaît, demanda Alain, dont la voix résonna dans le grand garage.

Le gros garçon ne réagit pas immédiatement, évaluant un jeu de clefs qu'il soupesait à l'aide de ses mains comme si l'important n'était pas d'identifier la bonne ouverture (3/8, 7/16 ou 1/2), mais bien le poids de chacune d'elles. Ce fut seulement lorsque Alain l'interpella à nouveau qu'il sortit faire le plein de la voiture.

Philippe lavait le pare-brise en haussant les épaules à chaque nouvelle question d'Alain. C'est monsieur Maynard, le vieux propriétaire grincheux, qui sortit du bureau, pour lui proposer sèchement d'aller chez Fortier Industries.

*

Alain rentra chez lui bredouille, incapable de se décider à aller chez ce maire qu'il ne connaissait pas mais qu'il craignait déjà. Il repensa à ces deux tentatives ratées de contacts sociaux, à l'épicerie et au garage, et il décida de se consoler en allant marcher sur la montagne pour explorer son terrain comme il le faisait régulièrement depuis son arrivée. Cette fois, il décida de ne pas suivre le sentier principal et de piquer au beau milieu du bois, derrière la chiotte, pour attaquer le flanc ouest.

Après une demi-heure d'une marche plutôt sportive sur ce côté abrupt du mont Manseau, il se retrouva devant une haute paroi rocheuse surmontée par des épinettes se découpant sur le ciel bleu. C'était de la roche sédimentaire, très friable, et difficile à escalader. Le pari était trop risqué. Il fit donc le tour par la gauche en forçant son chemin à travers une muraille de conifères de petite taille. Exposés aux vents dominants de l'ouest, ces arbres étaient rabougris, durs et tissés serré comme des ronces.

Après maints efforts et une chemise déchirée, Alain se retrouva finalement sur le cap rocheux. Comme il l'avait anticipé, le mal qu'il s'était donné en valait la peine : la vue était superbe. Il pouvait voir toute la vallée de la route 286 qui descendait jusqu'à la frontière des États-Unis. Au-delà, on percevait les pentes du massif de ski, avec de la neige éparse sur les pistes. Ce paysage appalachien typique était entaché par un curieux phénomène. C'était la première fois qu'Alain pouvait les observer si nettement (au village, on voyait la fumée qui montait par temps clair, mais le mont Manseau en cachait complètement la vue) : longues et grises, émergeant d'entre les arbres au fond de la vallée, deux grandes cheminées s'élevaient. Elles crachaient une fumée blanchâtre qui montait dans le ciel en se confondant avec les quelques nuages qui passaient là, comme si c'étaient elles qui les fabriquaient.

Si Alain connaissait un peu Fortier Industries, il y avait là une activité industrielle qu'il n'avait nullement imaginée.

Il y avait deux messages dans sa boîte de réception : un de Laurent qui confirmait sa visite la fin de semaine suivante, un autre d'une connaissance qui lui envoyait un lien vers l'album photo virtuel de son dernier voyage au Viêtnam. Sur sa boîte vocale, un employé d'Hydro-Québec répondait à son appel et proposait de venir évaluer les travaux nécessaires pour faire acheminer l'électricité jusque chez lui. Il pouvait passer le lendemain matin.

Cette nouvelle rendit Alain très heureux. S'il appréciait son petit rituel de génératrice et ses soirées au bord du feu, qu'il tolérait ses sorties à l'air glacial pour aller à la bécosse et la cuisson sur le poêle à bois, la chose la plus pénible pour lui était l'absence de réfrigérateur. Il se nourrissait essentiellement de conserves, de légumineuses, de pâtes, et de viande de temps à autre, qu'il devait manger sitôt achetée. Il s'était essayé à conserver quelques trucs dans sa glacière électrique, mais celle-ci consommait trop pour ses pauvres batteries à décharge profonde qui lui avaient coûté une fortune et qu'il devait ménager. Il avait hâte de pouvoir conserver quelques trucs – lui qui aimait tellement cuisiner avec Audrey : condiments, fromages, et bien sûr certains légumes qui vieillissaient très mal sur le comptoir de la vieille maison.

*

Après quelques tergiversations, hésitant sur la direction à adopter, il finit par atteindre le chemin de la montagne, celui qui aboutissait derrière sa grange. C'est alors qu'il entendit le bruit d'un marteau porté par l'écho. Toute son attention se porta au sud.

Deux semaines auparavant, il avait trouvé de peine et de misère cet endroit mentionné par Laurent. Aucun des sentiers qui cheminaient depuis la maison ne menait là. Si bien qu'il fallait à un point couper en plein bois et marcher sur plusieurs centaines de mètres.

Alain s'était demandé ce qui avait pu y mener Laurent l'ébéniste au cours de sa promenade. Quelque chose avait nécessairement guidé son intérêt. Plus bas, sur le versant sud, il trouva une forêt de grands merisiers. Il s'y enfonça en suivant les plus beaux spécimens et déboucha sur cette clairière révélée par son ami, peu sûr s'il s'agissait encore de ses terres – ce point serait confirmé ultérieurement sur des cartes topographiques qu'il consulterait en comparant avec l'ancien relevé de la terre de Joseph.

La forêt avait été défrichée grossièrement sur une centaine de mètres, environ. On avait laissé traîner, épars, les arbres et les branches. Visiblement, on ne s'était pas intéressé au bois. Il y avait en plein centre une petite cabane en contreplaqué avec un toit de tôle galvanisée. L'installation n'était vieille que de quelques mois. La porte était retenue par une chaîne et un cadenas. Dans l'entrebâillement, Alain jeta un coup d'œil, mais ne put rien voir distinctement, si ce n'est une forme rectangulaire au sol. Il suivit ensuite les traces de machinerie, qui le menèrent, après quelques minutes d'une marche rapide, à la carrière d'ardoise des fils Manseau.

C'était la première fois depuis son arrivée à Saint-Édouard qu'il s'approchait du terrain des fils de Joseph. Il craignait tellement de tomber nez à nez avec eux qu'il s'accroupit au sol. Il ne vit pas la maison. Seulement la carrière, sorte de cuvette en roche stratifiée, grugée à même la montagne. Elle était complètement déserte, sans machinerie ni traces de vie, comme si elle était abandonnée depuis un moment. De sa position, Alain pouvait entendre les poids lourds qui circulaient sur la 286 et qui actionnaient, dans un bruyant concert, leurs freins moteurs en descendant la grande côte menant à la frontière des États-Unis.

*

Les coups de marteau résonnèrent de nouveau. Nettement, cette fois, droit devant lui, à l'est. Il s'engagea sur le sentier qui menait au promontoire des grands thuyas. Après une dizaine de minutes de marche, il émergea d'entre les arbres pour découvrir, à son grand étonnement, une tour en bois qui devait mesurer dans les dix mètres. L'étonnante construction était faite de troncs d'arbres mal dégrossis qui s'élevaient en un ingénieux enchevêtrement jusqu'à une plateforme clôturée, tout en haut.

Quelqu'un tapait du marteau. Alain l'interpella, les mains en porte-voix, et vit apparaître la tête de son voisin. Dean s'était appuyé sur le garde-corps en laissant pendre ses deux longs bras dans le vide et souriait en exposant ses grandes dents. Alain le questionna sur la signification de tout ça, mais l'autre donnait l'impression de ne pas comprendre, puisqu'il continuait à sourire niaisement, sans dire un mot.

Voyant une échelle appuyée contre la plateforme, Alain y grimpa. La tour était construite à flanc de montagne, sur le cap rocheux. Ainsi juché dans les airs, on avait l'impression de se balancer dans le vide. La vue était impressionnante.

Dean Morissette portait un pantalon de type camouflage gris, avec sur le torse une camisole vert armée. Il avait une ceinture de menuisier accrochée à la taille, avec un marteau, une petite barre à clous et une visseuse à batterie bon marché. Des lunettes de sécurité aux verres jaunes étaient cramponnées à son gros nez. Sa coque graisseuse retombait sur le côté de son visage. Avec toute l'attitude possible, il sortit une cigarette d'une poche de son pantalon et l'alluma, la tête penchée démesurément sur le côté, le faciès grimaçant. Il acquiesçait exagérément pour lui-même, à chaque bouffée qu'il semblait déguster avec un mélange de plaisir et de douleur. Dean aspirait de l'air frais, puis soufflait le tout très fort, comme s'il expurgeait un mal plus grand encore. Lorsque son manège rituel fut terminé, il se retourna vers l'est en s'appuyant sur le garde-corps pour contempler le paysage.

– C'est-ti pas assez beau ? dit-il
– Oui... Mais tu peux m'expliquer ce que tu fais ?

En entendant ces mots, l'attitude de Dean changea du tout au tout. Il détourna le regard, fit claquer sa langue contre son palais, puis il jura à voix basse en se penchant excessivement en avant, en étirant les bras, en se balançant d'avant en arrière. Sa tête s'agitait de gauche à droite.

– Non, non, non...
– Non, quoi ? demanda Alain.

Dean s'était retourné. Il paraissait désemparé, en proie à une grande affliction.

– C'est pas facile, mon homme.
– Qu'est-ce qui n'est pas facile ?
– J'ai tout fait. Tout. J'ai utilisé la visseuse le plus possible... Mais aujourd'hui, je n'avais pas le choix de taper du marteau. C'est ma faute, j'ai mal calculé la rampe... J'espérais que tu n'entendrais pas.
– Tu penses que je ne me serais pas rendu compte que tu construisais un truc pareil sur la montagne ?
– Al, tu ne comprends pas... C'est un cadeau que je voulais te faire.
– Un cadeau ?
– Oui. T'avais tellement l'air d'aimer l'endroit. Je me suis dit que ça te ferait plaisir d'avoir une place rien qu'à toi pour observer le paysage. C'est un gage d'amitié... tu comprends ?

Alain considéra de nouveau la tour incroyable qui s'étirait sous lui, jusqu'au sol, trente pieds plus bas. Qui avait besoin d'une structure semblable pour contempler la nature ? Ça paraissait complètement absurde. Tout autant que ce mauvais théâtre que lui jouait Dean avec sa moue d'enfant dépouillé.

Depuis un sac dos déposé contre l'échelle, on entendit la voix d'un homme qui appelait à partir de ce qui semblait être un émetteur radio.

Au premier appel, on n'entendit rien d'autre que des bruits de voix et des grésillements. Puis, au second appel, on entendit parler d'un ton autoritaire :

– *Nighthawk to Beavertail! Nighthawk to Beavertail!*

Après la troisième série d'appels, Alain questionna Dean du regard en montrant le sac à dos. Mais Dean ne disait rien et continuait à sourire bêtement, sans bouger. Sa tête s'activait à intervalles réguliers, en donnant des petits coups pour déplacer sa coque qui se battait contre le vent qui soufflait ferme en haut de la tour.

Finalement, alors que la voix hurlait en anglais qu'elle pouvait le voir et qu'elle lui intimait de répondre, Dean soupira et marcha jusqu'au sac duquel il sortit un walkie-talkie.

– *Yes, Nighthawk, this is Beavertail.*
– Qu'est-ce que tu fais ?! Ça fait cent fois que j'essaie de t'appeler.
– J'ai du monde.
– Je le vois bien. Tu ne m'as pas dit que c'était réglé avec lui ?
– Oui, oui.
– Bon. Il commence quand ?

*

– Il commence quoi ? avait demandé Alain.

Dean avait ramassé ses outils et tout mis pêle-mêle dans son sac, avant de descendre l'échelle sans rien dire. Bien décidé à comprendre, Alain le suivit en le harcelant de questions jusqu'au sol. Le grand rockabilly, qui demeurait parfaitement stoïque, marcha à grands pas jusque dans la forêt de cèdres, avec Alain sur les talons.

– Dean ! ajouta encore ce dernier.

Il n'avait pas pu finir sa phrase. Le voisin s'était retourné à la vitesse de l'éclair, l'avait empoigné pour le plaquer solidement contre le tronc d'un arbre, le soulevant dans les airs, de façon à ce que ses pieds ne touchent plus le sol. Dean Morissette avait approché son visage de celui d'Alain, le touchant presque avec son grand nez. Il avait porté un doigt à sa bouche en lui faisant signe de se taire.

– Al, ces gars-là voient tout, entendent tout.

Dean regarda de chaque côté du tronc de l'arbre, comme s'il cherchait quelque chose.

– Je ne voulais pas en parler, mais là je n'ai plus le choix. Je suis un agent infiltré de la M.U.P.
– La M.U.P. ?
– La Maine's United Patriots. Je fais partie d'une unité spéciale : la D.W.S.U. pour Deep Wood Surveillance Unit.

Il nommait son chef Nighthawk. Dean l'avait rencontré pour la première fois dans un bar de Jackman, il y avait de cela plusieurs années. Ils s'étaient tout de suite entendus.

– Nous sommes devenus des frères. Je donnerais ma vie pour eux, et ils feraient pareil pour moi. Nous avons signé un pacte de sang. Ce que je te dis là est hautement confidentiel. Il faut que tu n'en parles à personne, Al. Si jamais il y avait une fuite, tu serais la première personne suspectée, et je ne pourrais rien faire pour toi. Ce qu'ils font de l'autre côté est parfaitement légal, c'est écrit dans leur constitution et protégé par le premier amendement. Dans notre république de bananes socialiste du Canada, ça ne l'est pas. Nous sommes en territoire ennemi. J'ai la charge de patrouiller la frontière et de débusquer les tentatives d'infiltration du territoire américain par les terroristes.

– Les talibans ne doivent pas passer souvent dans le coin.

– Clair qu'il ne se passe pas grand-chose par ici, mais ça prend du monde partout. Et dis-toi que si jamais il se passe de quoi, Dean Morissette sera là. Maintenant, viens avec moi, il faut que je te montre quelque chose.

Ils descendirent de la montagne jusqu'à la rivière, où Dean avait laissé son véhicule tout-terrain.

Ces discours d'une droite radicale et paranoïaque, Alain les connaissait bien. Il se surprenait qu'avec la pensée conservatrice de plus en plus présente dans le paysage politique on puisse encore associer le pays au socialisme. Mais il faut savoir que pour un libertarien américain, le gouvernement canadien, peu importe qu'il soit de gauche ou de droite, est un choc culturel en soi et est tout de suite identifié à du communisme radical.

Ce n'était donc pas tant ce discours qui inquiéta Alain – il était de Québec, tout de même –, mais plutôt ce « nous » qu'avait employé Dean, comme s'il l'incluait naturellement.

– Beavertail, hein ?

– Oui, c'est le nom qu'ils m'ont donné. T'aimes pas ça ?

Alain regarda les grandes dents de Dean et haussa les épaules.

*

Le cimetière automobile colossal de Dean Morissette, une vision apocalyptique au milieu de ce territoire de montagnes et de forêts, émergea au bout de l'ancien tronçon du chemin de l'Immaculée-Conception, alors qu'ils roulaient en trombe dans le Scrambler 6 x 6. Alain observa les différentes murailles de voitures qui avaient toutes été déplacées pour former une nouvelle mosaïque de dédales labyrinthiques. Les photos qu'il avait prises l'autre jour avaient été la cause de ce grand dérangement. Pour un paranoïaque tel que Dean, mercenaire ennemi en son propre pays, ce labyrinthe de voitures était un champ de bataille tactique. Il en possédait un plan tracé dans les moindres détails et l'étudiait tous les jours. Si un avion passait au-dessus de son terrain, il se remettait à l'ouvrage, revisitant ses dessins. Puis, à l'aide de son transpalette au gaz et de sa fourche immense, il déplaçait les centaines de voitures pour refaire un nouvel ensemble.

À chaque détour de son incroyable labyrinthe, des voitures étaient marquées d'un trait de peinture jaune.

– Dans celles-là, expliqua-t-il en montrant à Alain le tout sur une grande carte, il y a des munitions et des armes, des grenades surtout. Les X que tu vois un peu partout sont des mines. Si tu veux aller te promener par là, il faut que tu apprennes le plan par cœur, sinon tu risques de perdre une jambe. Comme tu peux le voir, elles sont disposées selon un schéma bien précis répété partout dans le labyrinthe. Une fois que tu l'as bien assimilé, tu ne marches plus sur la ligne transversale entre les deux extrémités les plus rapprochées de deux corridors. Personnellement, je me dis que, naturellement, on a tendance à emprunter le chemin le plus court pour aller d'un point A à un point B. Dans le feu de l'action, c'est encore plus vrai. Le jeune ti-cul du groupe tactique d'intervention de la SQ va s'en rappeler en tabarnac de sa mission chez Dean Morissette!

Et il éclata de son rire puissant et nasillard, la bouche grande ouverte, avec les dents portées en avant.

Chaque fois qu'il passait dans le rang avec sa Honda et qu'il voyait la petite maison délabrée, avec ses chaises d'auto sur la galerie, Alain essayait de s'imaginer à quoi ça pouvait ressembler à l'intérieur. Le grand rockabilly devait vivre dans l'univers typé qu'inspirait ce genre de personnage. Alain imaginait les posters de voitures et de filles à poil, avec un décor permanent de capharnaüm à l'image de son terrain, des objets empilés jusqu'au plafond, des cendriers débordants et des bouteilles de bière et de Jack Daniel's traînant partout.

À sa grande surprise, il découvrit un intérieur douillet et chaleureux, rangé impeccablement; une maison qui aurait pu appartenir à une vieille grand-mère. Ça sentait la lavande et les biscuits. On entrait directement par la cuisine, où la première chose qui frappait était cette peinture jaune soleil sur les murs, et les rideaux de dentelle blanche. Les électroménagers de marque Bélanger, qui devaient dater du début des années soixante, étaient dans un état impeccable, avec leur chrome luisant, comme s'ils venaient tout juste de sortir de la manufacture de Montmagny. La table de cuisine aux accents des années cinquante était recouverte d'un Arborite bleu ceinturé de métal chromé, avec des chaises aux pattes chromées et garnies de petits coussins de tricot colorés sur les sièges. Plus étonnant encore, ces jarres à biscuits colorées et ces petites poteries déposées sur une tablette qui faisait le tour de la cuisine. Dans une armoire vitrée, il y avait une collection de salières et de poivrières en céramique représentant des oiseaux. Il devait y en avoir plus d'une cinquantaine. Bien en évidence, sur un bout de mur au papier peint recouvert de petites fleurs bleues et roses, on trouvait un rond de bosse sculpté dans un bois au vernis jaune représentant Marie, la mère de Jésus. Au-dessus de la porte qui séparait la cuisine du salon, il y avait un crucifix.

— Tu vis seul, ici ? demanda Alain.
— *Yes*, mon homme. Tout seul. *Fuck* les bonnes femmes.

Et pourtant, on aurait juré que seule une « bonne femme » aurait pu tenir une maison de la sorte. Dean lui fit signe d'enlever ses bottes et lui tendit de petites pantoufles en Phentex. Alain le suivit à travers la cuisine, en marchant sur un prélart d'époque aux motifs complexes de petites feuilles et de tiges vertes sur fond beige sans égratignures.

C'était une toute petite maison. Il y avait deux pièces au rez-de-chaussée, soit le salon et la cuisine, et une grande pièce à l'étage qui servait de chambre à coucher et de salle de lecture, au dire de Dean – Alain n'aurait jamais l'occasion d'y monter. En voyant ce salon de grand-mère avec ces causeuses en velours rose pâle, ce tapis boudiné de forme ovale, ces quelques peintures sur les murs de tapisserie et ces pots de fleurs en porcelaine, il redemanda à Dean qui vivait avec lui.

Ce dernier haussa les épaules comme s'il ne comprenait pas la question, comme si cela avait été une chose parfaitement normale que lui, le grand rocker sale de Saint-Édouard qui vivait sur une cour à scrap, pût vivre dans une maison pareille. Puis, en jetant un regard vif autour de lui, il dit que rien n'avait bougé depuis son arrivée, il y avait une douzaine d'années. Alain n'eut aucune difficulté à le croire.

Alors qu'il décortiquait l'invraisemblable décor du salon, il vit son attention captée par une toile. Elle faisait naître en lui une incompréhensible impression de déjà-vu. Jusqu'à ce qu'il s'en approche et reconnaisse à ces oies amerrissant près du quai de Montmagny l'artiste Monique, la sœur de madame Lacoste, la femme du notaire.

— Comment s'appelait la propriétaire? demanda-t-il.
— Céline Leclerc. Elle m'a vendu son bout de terrain et sa maison pour s'installer dans une maison de retraite. Elle est née ici, et elle y est demeurée même après la mort de ses parents. C'était une vieille fille, enseignante au village. On a fait le transfert de propriété ici même, à la table de la cuisine, avec le notaire. La pauvre vieille a signé en pleurant. Moi, je venais de débarquer de Kuujjuaq. Je pesais cinquante livres de plus et j'avais l'air d'un gros phoque. Il y avait d'autres acheteurs intéressés, paraît-il, mais elle a insisté pour que ce soit moi. Quand je lui ai demandé pourquoi, elle m'a dit qu'il n'y aurait aucun de ces esti d'enfants de chienne de trous de cul sales de Saint-Édouard qui allaient mettre la main sur sa propriété.
— Elle a dit ça?
— Oui. Pour une maîtresse d'école, ça m'a surpris. Elle m'a fait promettre de ne pas toucher à un cheveu de la maison. C'est ce que j'ai fait. Je te jure que rien n'a changé depuis que je suis ici, ajouta-t-il fièrement avec un grand sourire. Et j'entretiens chaque objet dans chaque recoin, comme si j'étais madame Leclerc!
— Et elle est installée où, cette dame?
— Elle est morte depuis plusieurs années.

Dean lui offrit un biscuit au chocolat tiré d'une jarre en céramique représentant un petit cochon rose au ventre proéminent assis sur son derrière.

– Elle m'a même laissé sa recette de *cookies*. J'ai jamais tenu maison, mais je vais te dire, ça me fait du bien. Ça met de l'ordre dans ma vie d'épousseter des petits rideaux vert tapette. Ici, jamais de conneries, pas de cigarettes, pas même une goutte d'alcool. La boisson, le cul, c'est dans le garage.

Sur la table de la cuisine, Dean présenta le plan de son terrain. De son doigt, il désigna tous ces endroits où son arsenal était caché : les bombes (grenades à fragmentation, fumigènes), les fusils d'assaut et lance-grenades, les vestes pare-balles et les casques de combat PSAGT.

– Ici, sous cette voiture, un Chevrolet Cavalier mauve, il y a une trappe. Tu te glisses dans un trou, à plat ventre, de face – très important, parce que si tu y vas en reculant, tu ne pourras pas te retourner, ni ressortir à l'autre bout, parce que ça remonte à la verticale, OK ? *Moulto* important. Ensuite tu vas avancer en rampant dans le tunnel. À environ dix pieds, sur ta gauche, tu trouveras dans un coffre métallique, avec une lampe de poche, des allumettes, six grenades et des cigarettes. Tandis que la police te cherche, tu peux décompresser tranquillement. Ensuite, tu vas ramper sur une cinquantaine de pieds. Tu vas ressortir dans le secteur n° 2, sous un pick-up rouge. Il y a un trou percé à travers la boîte avec un périscope. Il est facile à trouver, juste à côté du *muffler*, sous le *truck*, tu peux pas te tromper. Le périscope, vu de loin, a l'air d'un *roll bar* chromé, j'y ai fixé un phare antibrouillard pour que ça ait l'air vrai. Les cochons n'y verront rien. Toi, tu peux tranquillement les observer et estimer leurs déplacements pour te repositionner adéquatement pour ta nouvelle série d'attaques. Une chose que tu dois savoir, Alain, c'est que la guerre, c'est avant tout psychologique. Ça sert à rien de tirer ton ennemi *one shot* dans la tête. Tu viens de faire un grand silence autour de lui et de donner du courage à ses compagnons. Non, ce que tu veux, c'est effrayer. C'est pour ça que tu dois viser les jambes. Si tu y arraches la moitié d'une patte avec une rafale de M16, le gars, il va gueuler en sacrament. Et toi, tu ne viens pas de mettre un gars hors de combat, mais aussi toute une unité qui va capoter et qui va devoir s'occuper de son blessé. C'est ça, la guerre psychologique.

Ces discussions de guérilla ramenèrent chez Dean l'envie de boire et de fumer, et il invita Alain au garage. Après avoir rangé soigneusement leurs pantoufles en Phentex dans un panier d'osier, ils sortirent sur la galerie arrière. Une pluie torrentielle tombait, chaude et humide comme en juillet. Ils coururent sur le terrain boueux dans la nuit noire.

Le garage était un bordel sans nom. Avec des outils et des pièces d'auto qui traînaient partout. Le plancher de terre battue était noir, imbibé de vieilles huiles de vidanges. On entrait par deux grandes portes de bois qui tenaient à peine sur leurs gonds rouillés. Il y avait le 6 x 6 et une voiture montée sur des crics. Droit devant, au-dessus de l'atelier qui occupait tout le mur du fond, il y avait une mezzanine soutenue de travers par des poteaux de bois et sur laquelle on voyait accumulés pêle-mêle de vieux moteurs rouillés, des pièces de système d'échappement, des portières, etc. On attendait le moment où elle s'effondrerait en emportant tout le garage avec elle. Dean alla directement à l'établi contre lequel il s'appuya en extirpant une bouteille de bourbon d'un tiroir.

Sammy-Jo, en présence de son maître, demeurait tranquille. Elle était couchée sur une vieille couverture, dans un coin, et léchait ses gros mamelons nonchalamment en jetant des coups d'œil vers Alain. Ce dernier n'eut aucune difficulté à croire que si Dean s'en allait, elle n'hésiterait pas un moment à sauter sur lui pour se faire les dents.

Le grand rockabilly avait déjà sa cigarette au bec. Il pompait frénétiquement en s'envoyant la fumée directement dans ses gros naseaux, et en l'inspirant comme un junkie. Il versa deux généreuses doses de son bourbon dans des tasses métalliques issues d'une vieille gamelle militaire. Il tendit la tasse à Alain avant de se retourner subitement vers l'établi pour y déposer sa tasse et s'y appuyer à deux mains. Il avait la tête penchée vers l'avant et il l'agitait de gauche à droite en prononçant des mots incompréhensibles.

Alain prit une gorgée d'alcool, et attendit un moment. Voyant que Dean ne bougeait pas et poursuivait son manège, il lui demanda si tout allait bien. Le voisin se retourna, avec des yeux étincelants, humides. Il parla avec un trémolo dans la voix.

– Oh oui, ça va! Ça va même très bien. C'est pas facile ce que je fais, Al. Il y a des jours où j'aurais envie de tout abandonner, de vendre le terrain et de sacrer mon camp. Mais je sais que je ne peux plus reculer. J'ai trop investi de mon temps et de mon argent. Il y a trop de monde qui compte sur moi, tu comprends?

Alain était à peu près sûr de ne rien comprendre. Il acquiesça, par contre, comme si c'était le cas.

– Ça fait du bien d'avoir quelqu'un avec moi sur qui je peux compter.

Dean voulut porter un toast à son second.

Alain voulut lui dire que ce n'était pas possible. Mais il n'arriva pas à placer un mot. Dean avait calé son bourbon, puis s'était saisi d'une manette avec laquelle il alluma un immense téléviseur cinquante-deux pouces suspendu par deux chaînes sous la mezzanine. Sur l'écran, on vit apparaître un film porno avec une fille à genoux qui suçait trois immenses queues.

Dean poussa un cri furieux en lançant sa tasse vide au bout de ses bras.

– J'ai le goût de travailler sur un char! hurla-t-il à pleins poumons en gonflant ses biceps.

Il sortit de la cocaïne de son paquet de cigarettes, sniffa deux grosses lignes sur un bout de miroir avant d'en offrir à Alain qui refusa. Il arracha sa camisole puis se saisit d'un *grinder* pour s'agenouiller à côté de la voiture montée sur des crics. Il commença à *buffer* du métal, torse nu. La meuleuse électrique faisait un vacarme infernal tandis que les particules de métal en fusion lui frappaient la poitrine et la tête sans qu'il bronche. Alain demeurait les yeux fixés sur l'écran où la fille était maintenant à quatre pattes et se faisait enculer à tour de rôle par les trois gars.

Le *grinder* s'arrêta.

– Tu peux te crosser, mon homme, fit Dean. Gêne-toi pas. Tout est cool ici. Le garage est fait pour ça. C'est notre place!
– Heu... non, merci, balbutia Alain. Je vais rentrer chez nous.
– Tu veux que j'aille te reconduire? Il pleut à verse.
– Non, je vais marcher.
– Comme tu veux. Je passe te voir demain. Je vais aller te donner un coup de main avec ta maison. Après, on va aller s'entraîner!

Alain s'en alla tandis que Dean recommençait de plus belle avec sa meuleuse.

Il pleuvait des cordes et il fut détrempé en un instant. À peine avait-il rejoint le rang qu'il entendit Sammy-Jo sortir de l'atelier en jappant furieusement. Épouvanté, il détala au pas de course alors que retentissaient derrière les cris de Dean qui rappelait sa chienne.

Même s'il savait que la grosse rottweiler n'était plus à ses trousses, Alain poursuivit sa course sur plusieurs centaines de mètres. Il était effrayé et s'en voulait d'avoir suivi Dean jusque chez lui. En partageant ses secrets, il lui était obligé, qu'il le veuille ou non. Et les remarques sur ses frères d'armes qu'il ne saurait retenir apparaissaient comme des menaces à peine voilées.

— Ce gars-là est un esti de malade, se dit-il, alors qu'il cessait sa course à bout de souffle.

Il se retourna pour regarder la route plus bas. La pluie ruisselait sur son visage dans la nuit noire opaque. On ne voyait que le garage de Dean qui paraissait suspendu dans le vide, au beau milieu de nulle part. Ce dernier était en train de souder à l'arc, et une lueur bleutée et éclatante illuminait le garage de manière saccadée, comme des décharges électriques par un soir d'orage. L'atelier clignotait comme un pulsar du fin fond du vide sidéral.

*

Alain s'éveilla sur le divan. Il mangea peu, quelques bouts de pain avec du beurre d'arachide, mais but beaucoup de café, à s'en écœurer. Il avait très mal dormi, ébranlé par cette dernière rencontre avec Morissette. Il avait passé une partie de la nuit assis à table, incapable de se décider à éteindre les chandelles, persuadé qu'on l'épiait. Quand il réalisa enfin, après de longues heures, qu'il se tenait là, dans l'exacte position dans laquelle il avait trouvé le vieux, il alla sur le divan, où il s'endormit.

Il n'aurait su dire pourquoi, mais il avait l'impression que cette journée, cette semaine même, serait mauvaise, un pressentiment qui se confirma sitôt qu'il entreprit de se rendre à la quincaillerie pour son bois et qu'on lui annonça que le *plywood* 5/8 pour son coffrage ne serait pas disponible avant la semaine suivante. Il rentra chez lui, peu sûr de ce qu'il devait entreprendre. À peine débarqué, il entendit une voiture qui remontait le chemin. À travers les branches des arbres, il vit s'approcher sur la route un véhicule utilitaire sport blanc. Alain reconnut le logo d'Hydro-Québec. Son projet pour faire acheminer l'électricité jusqu'à la maison se mettait en branle et ça lui redonna espoir.

Il descendit d'un bon pas jusqu'au véhicule. Un type très élancé apparut par la portière entrouverte. Il s'étira en dépliant de très longues jambes surmontées par un torse petit. Il arborait une moustache finement dessinée sur sa lèvre supérieure très charnue et une coiffure tout ce qu'il y avait de plus conventionnel avec une raie très basse sur le côté gauche. Il portait un jeans immaculé, comme s'il l'avait acheté la veille, et une chemise à carreaux dans des déclinaisons de vert. Il s'avança vers Alain en franchissant l'espace qui les séparait de deux grands pas. Il affichait un large sourire, la main bien tendue en avant.

– Vous êtes monsieur Demers ?
– Lui-même.

– Bonjour. Martin Racine, inspecteur pour l'Hydro. On m'a chargé d'évaluer un projet. Vous voulez acheminer l'électricité jusqu'à votre maison. C'est celle qu'on voit là-haut, n'est-ce pas ?

– Oui, c'est ça ! dit Alain, tout sourire, comme un enfant devant un cadeau attendu depuis longtemps.

Pour l'instant, il n'avait fait que des travaux de bras, mais bientôt commencerait le travail de charpenterie et de menuiserie, et toute la finition qui suivrait. Il aurait besoin d'outils plus sophistiqués que des pioches et des pelles et beaucoup plus énergivores que son moine à batterie. Il était hors de question que la génératrice roule du matin au soir. Et puis, il ne se le répétait jamais assez, parfois même plusieurs fois par jour : il commençait à en avoir réellement son voyage de la nourriture en conserve. Il discutait avec ce monsieur Racine et se voyait déjà chez le détaillant d'électroménagers, à Saint-Georges-de-Beauce, s'achetant un magnifique réfrigérateur en acier inoxydable. Dans son décor de vieux chalet en bois rond et en pierre des champs, ce serait la pièce maîtresse.

– Je suis content de voir que vous êtes déjà là. Je m'attendais à un délai beaucoup plus long, ajouta Alain, les yeux rieurs, s'imaginant en train d'extraire de son frigo une grosse palette de côtes levées ayant mariné toute la nuit sur la tablette du bas.

– Pour ce genre de projets, nous sommes plutôt rapides.

– Content de l'entendre. Et j'espère que la mise en branle des travaux n'est pas trop longue ?

– Non, du tout. Ça peut se faire dans la semaine si vous le désirez. Ce ne sont que des poteaux à installer, une ligne à tirer, des transfos... En quelques jours, c'est réglé.

– Parfait, parfait...

– J'ai évalué depuis la route plus bas... heu...

– Le chemin de l'Immaculée-Conception.

– Voilà. Depuis le chemin de l'Immaculé-Conception, jusqu'à votre entrée, ici : 1 952 mètres, presque deux kilomètres.

– Oui, c'est à peu près ça.

– C'est une grosse job.

– Je veux bien le croire.

– Vous devez savoir que ça n'inclut aucunement les travaux qui doivent acheminer l'électricité depuis le transformateur jusqu'à la maison ni toutes les installations électriques inhérentes à ce service : panneau, compteur et distribution. Il faudra faire affaire avec un entrepreneur-électricien pour cette partie.

– Oui, évidemment. Je comprends très bien.

– Je vais retourner au bureau pour comptabiliser tout ça officiellement. Vous aurez la soumission officielle demain matin. Mais vite comme ça, je dirais environ 125 000 dollars.

Alain continuait à sourire béatement. L'électricité allait enfin arriver chez lui. Il se rendait compte que cette abnégation dont il avait fait preuve pendant ce dernier mois passé dans le 6e Rang, ce bonheur de vivre rustiquement, étaient aussitôt effacés par l'anticipation de ce qui allait suivre. Au fond, il savait se convaincre d'à peu près n'importe quoi. Sa volonté était malléable au rythme des événements. Il pouvait se satisfaire de tout et de son contraire. Seulement, maintenant qu'il allait avoir un poêle et un frigo, un ordinateur – il allait se payer le dernier iMac – , un système de son, une télé ACL quarante-six pouces qui ferait merveille à côté de la grande fenêtre avec vue sur les monts Notre-Dame, cette conviction qu'il avait *a priori*, bâtissant et vivant comme un homme préhistorique, s'effaçait d'elle-même. Mais un sombre nuage passait sur ses rêveries. Un bruit sourd venait d'envahir sa tête : sa colère qui montait alors que les derniers mots prononcés par l'inspecteur commençaient à prendre forme dans son esprit.

– Pardon ? dit-il.

– Je comprends que vous soyez surpris. Vous avez certainement en main la soumission d'un entrepreneur privé. Vous devez tenir compte que nous sommes une société d'État. C'est toujours plus cher.

– Non, non, non... Vous ne comprenez pas, monsieur Racine. Je ne veux pas payer pour ça. Je veux qu'on amène l'électricité, sur le chemin, jusqu'à un poteau devant chez moi. C'est un service public, ça.

– Non, désolé, monsieur Demers. Pas sur une route privée.

– Comment ça, une route privée?! C'est le 6e Rang de Saint-Édouard-des-Appalaches, ici!

Alain sentait le sang qui affluait à son cerveau. Il commençait à parler fort et son teint s'était empourpré. Même s'il était de petite taille, avec ses cinq pieds six pouces, il pouvait paraître menaçant. Surtout que son allure générale ne s'était pas améliorée avec ce mois passé tout seul dans les bois. Il portait une casquette Stihl offerte par un concessionnaire de Montmagny. Son visage était sale, ses cheveux, gras – il ne se lavait qu'à la mitaine tous les trois jours. Il avait véritablement une sale gueule et avait mauvaise haleine. De plus, sans nul doute que dans son œil transparaissait encore un peu de cet état d'esprit dans lequel il avait quitté Dean et passé la nuit. En plus de ce mois passé tout seul dans le rang.

– Je suis désolé, poursuivit Martin Racine en prenant ses distances. J'ai tout vérifié avant de partir. Je me suis même arrêté à l'hôtel de ville, tout à l'heure. Ce chemin vous appartient, depuis la route plus bas. À moins que vous le cédiez à la Municipalité et qu'elle consente à le prendre en charge. Alors, là, ça changerait la donne. Mais ce genre de dossier ne se règle pas du jour au lendemain. Si je peux vous donner un conseil, faites affaire avec le privé, vous allez sauver beaucoup.

– Beaucoup..., fit Alain. Ça fait combien, ça, beaucoup?

– Ah... je dirais au moins 10 000 à 20 000 piastres, si ce n'est pas plus.

– Calvaire !

Le VUS blanc de l'Hydro était déjà loin, soulevant la poussière sur le chemin, et Alain tournait toujours en rond, en jurant et en donnant des coups de pied sur toutes les pierres à sa portée dans le 6e Rang... son 6e Rang.

*

Sitôt l'inspecteur parti, c'est Dean qui débarqua à l'improviste. Évidemment, il avait reconnu le logo sur le véhicule qui était passé devant chez lui. Et, tel un gardien curieux de savoir ce qui se passe sur le territoire dont il a la garde, il était venu s'enquérir de quoi il s'agissait.

Il portait de grosses lunettes aux verres fumés miroitants avec une casquette des Marines. Il avait sur le torse un t-shirt blanc très serré avec sur la poitrine les mots « *semper fi* ». Les manches étaient courtes, roulées sur ses épaules qu'elles serraient en décuplant la taille de ses bras tatoués. Il était arrivé sur une moto Yamaha, dépouillée, style *cafe racer*, avec les poignées courtes et basses.

Dean marchait de long en large, à grandes enjambées, en pointant Alain du doigt. Ce dernier l'observait nonchalamment, assis sur une pile de deux par quatre.

– Oublie ça, *man* ! T'es en train de te faire fourrer solide, hurla Dean. Je t'ai expliqué l'autre jour, comment être autosuffisant. Pour quatre, cinq, dix fois moins cher que ce que tu vas payer, on pourrait être parfaitement autonomes. Plus un crisse de cave pour nous faire chier! C'est ça qu'il faut faire!

Dean gesticulait en parlant de vents dominants, de tours éoliennes, de câbles électriques gratuits dont l'acquisition ne demandait qu'un peu de volonté de leur part, de batteries à décharge profonde – il disait cela chaque fois en fermant les yeux comme s'il était en train de venir – et surtout, de l'importance de se débarrasser de toute contingence pour être libre, véritablement libre des abus du système : des multinationales, des institutions et de tous les voleurs de la terre qui voulaient bouffer l'argent du monde jusque dans leurs tripes.

— Ils veulent tout contrôler. Tout. Ce que tu manges, ce que tu chies.

— Oui, bon, écoute, Dean... T'as fini par me convaincre. Je vais faire installer l'électricité et on reparlera de tout ça plus tard. Il sera toujours le temps de se mettre à l'autosuffisance au moment opportun. Là, j'ai besoin d'un frigidaire, et ça presse.

Dean lâcha deux ou trois jurons. Puis il acquiesça en disant que ce n'était pas ses affaires et qu'il n'allait plus s'en mêler. Il ajouta, sorti de nulle part :

— J'ai parlé de toi à Nighthawk.

Alain soupira en se passant une main sur le visage.

— Euh, non, Dean, je ne veux pas que tu parles de moi à...

— Il est très heureux de savoir que la D.W.S.U. compte un nouveau membre, l'interrompit l'autre qui s'alluma une cigarette, faisant comme s'il ne l'entendait pas. Ils vont vouloir te rencontrer, bientôt.

Ses craintes de l'autre nuit s'étaient matérialisées. Il était intégré à l'Unité de surveillance du bois profond, membre des Patriotes unis du Maine pour la surveillance des intérêts des États-Unis d'Amérique. Alain regardait Dean Morissette avec un mélange de fascination et d'effroi. Ce grand type surréel qui *grindait* du métal tout nu en sniffant de la coke et en écoutant des films de cul le plongeait dans un état d'extrême confusion. Comment s'opposer à son voisin, alors qu'il était tout seul dans son 6e Rang, au bout du monde, sans autre issue que cette montagne et cette forêt ? Il voyait Dean, au bout du chemin, devenir peu à peu une espèce de sentinelle incontournable dans sa vie. Il était incapable de s'opposer à cette étrange volonté.

— Dean, tes patriotes, ils sont venus ici ?
— Chez toi ? Je ne sais pas. C'est très possible, ajouta-t-il en le regardant dans les yeux, ne laissant planer aucun doute.

*

Peut-être avait-il semé les germes d'une peur réelle chez Alain ? Ce dernier était maintenant effrayé à l'idée que ses fantasmagories de la nuit puissent s'incarner dans ces mercenaires tapis dans l'ombre en train de l'observer. La folie du vieux Manseau devenait de plus en plus réelle. Alain, se sentant de plus en plus isolé, n'avait pas été en mesure de refuser lorsque Morissette lui avait demandé de l'accompagner, prétendant avoir besoin d'un coup de main pour récupérer un alternateur pour une éolienne.

— Je vais faire un prototype. Si ça fonctionne bien, on l'installera sur la montagne.
— On ne s'en va pas voler, là ? Parce que je ne te suis pas.

– Voler ? Pour qui tu me prends, Al ? Dean Morissette paie toujours rubis sur l'ongle.

Ils étaient partis pour Rivière-du-Loup, en milieu d'après-midi, dans le vieux pick-up gris. Ils avaient mangé à Kamouraska, au coucher du soleil, et bu quelques bières assis à une table sur l'esplanade aménagée au bord du fleuve. La marée était basse et le soleil éblouissant scintillait sur les crêtes des vagues. Une forte odeur de varechs accumulés sur la plage et chauffés par le soleil montait par bouffées désagréables. Dean, entre chaque gorgée de bière, ne cessait de crier :

– Crisse que ça sent la marde, icitte ! C'est ben dégueulasse !

Au grand déplaisir des marcheurs locaux, et visiteurs venus de loin pour apprécier le coucher de soleil exceptionnel de cette région du Bas-Saint-Laurent.

Ils atteignirent Rivière-du-Loup à la tombée de la nuit. Ils prirent quelques bières dans un bar de la rue Lafontaine, au centre-ville, avant de s'engager sur la 185 en direction du Nouveau-Brunswick. Ils prirent la première sortie, puis s'arrêtèrent non loin de là, dans un Tim Hortons, pour un sandwich et un café. Après avoir fait le plein, ils roulèrent sur un chemin de cailloux dans un quartier industriel.

– On n'est pas loin de chez nous, là, fit Dean en s'allumant une cigarette avec l'allume-cigare du camion. Si ça te tente, on peut aller coucher à Rivière-Bleue. J'ai une couple de chums qui vont être bien contents de nous loger en échange d'un peu de *booze*.

– Ouf... Sais-tu, Dean, j'aimerais bien rentrer chez nous, ce soir. J'ai de l'ouvrage demain.

– OK, mon Al. C'est toi le boss.

Après avoir bifurqué à une intersection, ils s'avancèrent lentement jusqu'à une bâtisse sombre qui se découpait dans un champ isolé, éclairée par un gros lampadaire. C'est là que Dean coupa les phares du pick-up.

– Je vais m'arrêter pour faire le reste à pied, dit-il. Faut pas que le gardien, dans sa roulotte, nous repère.

– Le gardien? Tu m'as dit qu'on venait chercher un alternateur!

– Oui, oui... Faut juste que je voie le gardien, avant... Mais que lui ne me voie pas, tu comprends?

– Calvaire...

Toute la soirée, alors qu'ils jouaient au billard, Alain n'avait cessé de lui demander quand ils allaient récupérer la pièce. Dean ne lui avait répondu que par des sourires et des clins d'œil, en ajoutant:

– Inquiète-toi pas, Al. J'attends mon contact.

Alain regardait les heures défiler tandis que Dean, avec sa baguette dont il se servait comme d'un *bo* pour le karaté, terrorisait les habitués de ce petit bar. Il attendait impatiemment que le téléphone sonne, que quelqu'un se présente. Mais il semblait que ce fameux contact ne soit rien d'autre qu'une connexion attendue dans les neurones de cet esprit délirant.

Après être descendu de la camionnette, Dean dit à Alain de prendre le volant, de laisser le moteur tourner et de se tenir prêt au signal. Puis le grand rockabilly disparut en courant à travers le champ en direction du gros bâtiment. Alain le vit réapparaître dans la lumière du lampadaire et se glisser furtivement jusqu'à une roulotte de chantier puis disparaître derrière.

Quelques instants plus tard, une porte s'ouvrit et une silhouette apparut. C'était le gardien. Alain s'écrasa dans son siège, les deux mains sur le volant. L'homme sortit en balayant devant lui avec une lampe de poche et descendit les quelques marches avant d'entreprendre un tour de la roulotte. C'est Dean qui surgit quelques minutes plus tard et qui lui envoya la main. Ça devait être le signal. En appuyant délicatement sur l'accélérateur, Alain fit avancer la camionnette jusqu'au bâtiment.

Dean était entré dans la roulotte puis en était ressorti aussitôt avec un ordinateur qu'il balança sans cérémonie dans la boîte du pick-up, avant de se hisser sur la banquette, côté passager.

— Porte n° 2, qu'il ordonna alors qu'il fouillait dans un immense trousseau de clefs.
— C'était quoi, ça ?
— Dans la boîte ? Le système de surveillance.
— Il est où, le gardien ?
— Il fait dodo, ajouta Dean, les yeux à moitié fermés, souriant idiotement avec ses grandes dents toutes poussées vers l'avant.

Alain, abasourdi, le cœur lui débattant, les mains moites, recula le camion devant la porte de garage n° 2. Dean alla ouvrir et disparut dans le bâtiment. Il revint avec deux caisses qu'il chargea avec attention et qu'il attacha avec des courroies à cliquet, pour les recouvrir ensuite avec son filet de camouflage militaire. Il prit la place du conducteur, fit signe à Alain de bien se tenir et décolla à toute allure.

Ils roulèrent sur une route de terre pendant plus d'une heure avant d'aboutir sur une route secondaire, complètement déserte. Ils filèrent ainsi, de routes secondaires en routes secondaires, suivant un itinéraire que Dean semblait connaître par cœur. Ce dernier n'avait cessé de fumer tout le long en chantant les mauvais refrains d'une radio country diffusant depuis l'autre côté de la frontière. Ils ne rentrèrent qu'à la fin de la nuit.

Dans la lueur du jour levant, alors que Dean redécollait vers chez lui, Alain jeta un bref coup d'œil dans la boîte du pick-up. Le filet de camouflage était tombé. Il lui sembla voir nettement, tout au fond, écrit sur les caisses : « Danger TNT ».

*

La construction des coffrages s'était bien passée, et Alain en était très fier. Juin était maintenant bien avancé, il n'aurait su dire la date, mais il ne doutait pas que la Saint-Jean-Baptiste soit proche, puisqu'il avait sué comme un pourceau lors d'une véritable canicule qui avait duré plusieurs jours. Heureusement, il avait maintenant une ligne 220 volts. Après sa rencontre avec l'inspecteur, il avait ragé pendant plusieurs jours pour finalement se faire une raison et donner le contrat à un entrepreneur de la région. La facture, très salée, s'éleva à 92 454 dollars et 12 cents exactement. C'était un montant astronomique qui lui bouffa la majeure partie de ses économies. Mais il ne pouvait se résoudre à vivre sans électricité. Avec les projets d'exploitation de sa terre et la remise à niveau de l'érablière pour la production de sirop, ça ne faisait aucun sens de continuer à vivre comme au XIXe siècle.

Alors qu'il installait les dernières planches, et que le son de la scie ronde qu'il venait tout juste d'arrêter hurlait encore en écho sur la montagne, il observait l'extension jaune qui glissait sur le gravier comme un long serpent, branchée dans cette prise de courant sur le côté de la maison. Il essayait de demeurer positif malgré les profits du condo qui avaient fondu comme neige au soleil, et le fait qu'il ne lui restait plus que quelques dizaines de milliers de dollars pour la suite de ses projets. Il allait devoir couper les coins ronds pour la finition de la maison, chercher des matériaux usagés.

Puisque cette terre ne lui avait pratiquement rien coûté, cela lui semblait un juste retour des choses.

S'il l'avait habitée avec l'impression d'être un imposteur jusqu'à maintenant, force lui était de constater qu'après avoir donné le chèque à l'ingénieur de la compagnie d'électricité qui avait installé les poteaux et la ligne 14,4 kV, il commençait à se sentir véritablement chez lui.

Assis sur un tréteau, dégustant une bière, il attendait la bétonnière qui devait passer pour couler la fondation. Il l'attendit tout l'après-midi. Après ses déboires des derniers jours, avec les crics défectueux loués à fort prix, les panneaux de 5/8 qui avaient mis une éternité à venir, la ligne électrique qu'il devait payer au complet, incluant les trente poteaux le long du chemin, il commençait à se demander s'il n'était pas victime d'un complot.

Cette impression s'était accentuée le matin même, au retour de sa marche, lorsqu'il avait remarqué, pour la première fois, cette boîte aux lettres au milieu des broussailles, sur le bord du fossé qui courait le long du rang. Il se faufila jusqu'à elle pour en extraire une lettre de la Municipalité de Saint-Édouard. Il l'ouvrit avec empressement, curieux de savoir de quoi il en retournait, même s'il avait sa petite idée.

Alain s'attendait certes à payer une grosse taxe de bien-venue, plusieurs milliers de dollars, mais rien ressemblant au montant qu'il vit sur ce papier, imprimé en petits chiffres au bas du compte : 32 220 dollars. Cela lui paraissait tellement absurde qu'il demeura parfaitement stoïque et se contenta d'afficher le papier sur son nouveau frigo, comme s'il s'agissait de n'importe quelle facture due pour la fin du mois.

Il n'avait toujours pas rencontré le maire Fortier, dont il entendait prononcer le nom chaque fois qu'il désirait faire quelque chose. Que ce soit pour creuser un nouveau puits ou une fosse septique, faire arpenter son terrain, évaluer le potentiel forestier de celui-ci, à l'épicerie, au garage ou à la quincaillerie, toujours la même référence. Il avait besoin d'un voyage de sable, de terre ou de pierre, d'une pépine pour creuser son fossé, un seul nom sur toutes les lèvres :

– Fortier.
– Tu devrais demander à Réal Fortier.
– Réal. Je vois pas qui d'autre.
– Va voir Réal Fortier.

Le maire en menait plus large que n'importe qui dans ce patelin. Il inspirait le respect, mais la crainte aussi. Si Alain ne sentait pas d'aversion chez qui que ce soit face au maire, il devinait tout de même une certaine omerta, une déférence qui allait au-delà de la simple estime et qu'on pouvait associer certainement à de la peur. Tout le monde, d'une manière ou d'une autre, devait quelque chose à Réal Fortier : Réal créait des emplois, avançait de l'argent, rendait service. Tout le monde, excepté Dean qui avait les allures d'un électron libre dans ce patelin et qui parlait avec sa franchise naturelle.

– Ça, vieux, c'est la mafia. De la grosse mafia. Si tu veux te faire des amis par ici, je te suggère de t'acheter un Chrysler.

Le concessionnaire Chrysler de la région appartenait à Réal Fortier. Alain apprit alors que l'adversaire politique de ce dernier, le député André Boyer, était propriétaire de la concession GM à Montmagny. Et qu'encore aujourd'hui, dans l'arrière-pays, on définissait son appartenance politique selon la voiture que l'on conduisait.

La bétonnière orange, arborant le nom «Fortier», se présenta finalement. Il était passé dix-sept heures. Elle s'avança dans le rang puis entreprit de reculer en s'engageant sur le chemin qui montait jusqu'à la maison. Alain, le dos appuyé sur un contreplaqué, la regarda faire. L'entrée était étroite et le conducteur braqua ses roues quelques mètres trop tôt. La bétonnière s'empêtra dans les branches du grand cèdre. Alain, voyant la catastrophe imminente, bondit sur ses pieds et dévala la côte à toute vitesse en hurlant. Mais, visiblement, le chauffeur ne l'entendit pas, car voyant que quelque chose l'empêchait de reculer, il insista en appuyant sur l'accélérateur. Il y eut un craquement sec et puissant, résonnant profondément en Alain qui se sentit atteint directement au cœur. La bétonnière avait reculé de quelques mètres et enjambait le ruisseau, emportant avec elle la plus grosse des branches du cèdre, qui avait cédé sous la pression.

Le conducteur descendit du camion. Sa toupie était en marche et le son puissant du moteur diesel rendait la conversation difficile. Il fallait crier pour se faire entendre. Le chauffeur était un homme assez petit, dans les cinq pieds six ou sept, tout comme Alain. Il portait une chienne grise, couleur béton, sur laquelle était brodé le F de Fortier Industries. Une énorme bedaine et une moustache le faisaient ressembler à un personnage de bande dessinée. Il aurait pu paraître sympathique si ce n'avait été de ce visage rougeaud et de ces cernes immenses qui descendaient très bas en deux poches noires plissées sur ses joues.

Après avoir constaté les dégâts, le conducteur s'excusa. Alain proposa de grimper sur la toupie pour couper les branches. Si le camion poursuivait sa route, c'est tout l'arbre qui allait être emporté. Lorsqu'il revint avec la sciotte, le chauffeur se pencha à son oreille et lui parla d'une voix rauque.

– On n'aura pas le temps de dégager ça. Le béton est à sa limite. Si on attend trop, on va avoir de la misère à couler.
– Deux minutes, je grimpe, dit Alain.
– Si j'arrête le mixeur, on va avoir des problèmes, insista le chauffeur.
– Deux minutes ! vociféra Alain, dont l'accent de colère fit reculer l'homme de quelques pas.

Ce dernier ouvrit la portière puis arrêta la toupie en agitant la tête de gauche à droite. Alain escalada l'imposante structure du véhicule pour couper la grosse branche et l'extraire de peine et de misère. Elle était coincée dans la rigole du camion. À l'aide d'une barre d'acier dont il se servit comme levier, il souleva la branche qui faisait plus de douze pouces de diamètre et qui s'affaissa lourdement sur le sol. Il dégagea ensuite les autres branches plus petites, qui n'avaient pas cédé et qui étaient entremêlées.

Juché sur le point le plus haut de la bétonnière, telle une vigie, il regardait devant lui le clocher de l'église du village qui s'élevait au loin par-delà la lisière de la forêt. Quoiqu'il déplorât cet accident qui allait peut-être faire mourir son arbre, il travaillait avec un enthousiasme qui l'étonnait. L'air sentait bon, chargé de l'odeur des arbres et des fleurs sauvages. Malgré les mouches noires, la chaleur, et tous les problèmes inimaginables reliés à la remise en état de la maison, il s'estimait heureux.

Le ciment fut coulé juste à temps dans les coffrages. Alain avait beaucoup lu sur le sujet, dans ses différents guides pratiques. Il avait travaillé d'arrache-pied pour que l'ensemble soit conforme. Mais il avait tout de même des appréhensions sur le renforcement, et n'osait imaginer ce qui adviendrait s'il fallait que tout s'affaisse sous la pression. Le chauffeur installa sa dalle et commença le travail en faisant couler le ciment. Les premières mottes tombèrent mollement au fond des casiers de ce qui allait être le nouveau solage. Le commentaire qu'Alain attendait arriva après quelques minutes, et il fut très satisfait quand le bonhomme lui dit que c'était du bel ouvrage et que ça avait l'air très solide.

*

Alain avait agité le béton avec un grand bâton, pour qu'il descende bien dans les coffres. Mais celui-ci, à peine coulé, commença à figer. Et la tâche fut impossible à terminer adéquatement. Au grand dam d'Alain qui craignit un défaut structurel pour sa fondation.

Il s'essuyait le visage avec une serviette, après s'être rapidement nettoyé dans son tonneau rempli d'eau de pluie. Un véhicule remontant la côte du 6e vint à son attention. À entendre le vacarme, il n'y avait aucun doute que c'était Dean Morissette au volant d'un autre de ses engins pas possibles. Alain vit son voisin apparaître au volant d'une étonnante Corvette Stingray 1973. Il ne restait de la carrosserie que le capot orangé. Il n'y avait que le châssis monté sur les essieux et les roues. Deux barres de fortune soudées grossièrement faisaient office de toit. Les gros pneus à crampons sur lesquels était montée la Corvette laissaient présumer qu'elle devait servir à l'exploration de l'arrière-pays plutôt qu'à faire du grand tourisme. Dean avait un chapeau de cow-boy en peau de serpent sur la tête et des lunettes aux verres fumés jaunes.

C'était l'heure de Dean. Celle où il venait proposer à Alain un autre de ses plans débiles. Celui-ci, après l'aventure de Rivière-du-Loup, en avait refusé plusieurs, craignant un autre coup fourré qui l'aspirerait contre sa volonté dans l'univers de Dean Morissette : escapade sur la Grande Allée à Québec, un quart de mille chronométré dans un rang de Saint-Léonce, salon de quilles de Saint-Georges-de-Beauce. Mais c'était parfois impossible à refuser tant l'autre savait se faire insistant en prétextant tout et n'importe quoi.

Il y avait quelques jours de cela, ils étaient allés du côté du pic à Maillot, une petite montagne très escarpée qui s'élevait sur les terres de la couronne, plus à l'est. Dean avait affirmé que les Patriots voulaient un rapport détaillé de l'endroit. Il ajouta que c'était une occasion pour Alain de se faire valoir au cours de sa première mission officielle dans la Deep Wood Surveillance Unit. Par peur de représailles, Alain avait accepté de se prêter au jeu. Mais comme il le remarquerait vite, ces missions n'atteignaient jamais leur but véritable et finissaient la plupart du temps en beuverie. Ils avaient trouvé un camp de chasse qu'ils avaient incendié en mettant le feu au matelas.

Dean avait échappé une torche à souder qu'il avait apportée pour fumer son haschich au couteau.

— La seule vraie façon de fumer du hasch, *man.*

Il en avait offert à Alain qui refusa, le cannabis lui étant trop anxiogène depuis sa séparation avec Audrey.

Le feu se propagea en un rien de temps, et ils purent s'échapper juste avant d'être asphyxiés par la fumée. Il était près de minuit, ils étaient soûls. Alain, les yeux brûlés par la fumée, était hors de lui, tandis que Dean, en transe, courait autour de la cabane en feu en hurlant et en dansant comme un Sioux. Chaque fois qu'Alain essayait de le saisir pour le convaincre qu'il fallait quitter les lieux, l'autre lui échappait en disparaissant dans la nuit pour réapparaître en rugissant, sorti de nulle part, près du feu. À un moment donné, il crut bien que le psychopathe finirait par flamber. Fort heureusement, le peu d'esprit qu'il restait à Dean lui revint, et ils déguerpirent par les chemins forestiers.

Les «lendemains de Dean», comme il avait commencé à les appeler, Alain travaillait des heures, sans arrêt, pour expurger l'alcool de son sang ; des travaux forcés qu'il s'imposait pour punir en lui l'ivrogne et l'irresponsable.

— Qu'est-ce qui est arrivé à ton arbre ? fit le voisin en sautant de sa Corvette.
— Le camion de ciment, tout à l'heure.
— Je suis sûr qu'il a fait exprès, le chien.
— C'est un accident.
— Ouais, c'est ça…, ajouta le grand phénomène. Un accident.

Évidemment, ce grand paranoïaque ne pouvait croire qu'il pût exister de hasard où que ce soit. Si un malheur arrivait, il fallait que ce soit par la volonté de quelqu'un quelque part qui lui en voulait personnellement. Les fils de Joseph Manseau, Paul et André, allaient le tirer à bout portant. Le maire Fortier lui volerait tout ce qu'il avait. Le docteur Couture allait lui injecter du poison dans les veines. Le curé allait le sodomiser. Et voilà que le conducteur de la benne à béton en voulait personnellement à son cèdre plusieurs fois centenaire. Au-delà de la folie militariste de Dean, de ses beuveries et de cette violence qui les accompagnait, c'était cette propension à voir le mal partout qui agaçait le plus Alain et qui lui faisait éviter son voisin, autant que possible.

Mais on n'échappait pas à Dean Morissette si aisément. Ce dernier se ramenait toujours avec sa répartie étonnante, contradictoire, comme si c'était un don chez lui. Il parlait comme un véritable démon qui lit vos intentions et se moque de vous.

Il s'était approché de la fondation pour tâter le béton du coffrage qui était chaud, en train de durcir. Il fit le tour de la maison en commentant ici et là le travail, comme un connaisseur.

— Tu t'en vas où avec ton chapeau de cow-boy ? l'interrompit Alain.
— C'est le Festival western de Saint-Léonce, Al. J'ai des billets pour le rodéo. On va en virer une tabarnac !

Il tendit à bout de bras une flasque de Jack. Alain eut une inclination vers la bouteille, mais se ravisa, alors que son esprit le ramenait à ses principales préoccupations et qu'il devinait à quoi il allait s'exposer dans ce festival en compagnie de Dean.

— Non, merci. Je vais travailler ce soir.
— Tu vas regarder ton béton sécher ?
— Oui, ça et autre chose.

Dean haussa les épaules, mais n'insista pas, cette fois. Il rangea la flasque à l'intérieur de son blouson de cuir sans même prendre une gorgée de son bourbon. Après avoir échangé quelques paroles et promis qu'il viendrait l'aider demain, ce dont Alain doutait bien évidemment — de toute façon il ne le souhaitait absolument pas —, il rembarqua dans sa Corvette.

Le gros 454, après un démarrage pénible, se mit à ronronner, mais avec un claquement douteux, laissant échapper une épaisse fumée bleue.

*

Dean parti, Alain se dit que c'était une excellente idée d'aller faire un tour au Festival western.

Ce qu'il ne voulait pas, c'était se promener là-bas en compagnie de son voisin. À la mi-juin, ils étaient allés prendre une bière au quai de Saint-Jean-Port-Joli. Ça s'était très mal terminé, avec Dean qui avait pris à partie quatre hippies qui dansaient pieds nus au coucher du soleil. Un pêcheur avait dit à Dean de se calmer les nerfs. Et très vite, pêcheurs, hippies et touristes se liguèrent contre les deux mottés de fond de rang – Alain avait adopté, de façon permanente, la barbe, la chemise à carreaux et les bottes à bout d'acier. Ils partirent sous l'insistance d'Alain, mais Dean s'attarda d'un pas lent, paradant sur le quai au milieu des gens qui l'invectivaient, les poings fermés et les majeurs levés haut dans les airs.

Pendant sa relation avec Audrey, Alain s'était rendu par deux fois au Festival western de Saint-Tite, en Mauricie. Ainsi, il connaissait assez bien cet événement annuel, et toute l'énergie qui y est déployée à fêter la culture du Far West américain. Bien qu'il ne partageât pas du tout l'amour du Stetson, des bottes Boulet et du rodéo, il appréciait ces affirmations collectives et cet attachement aux valeurs de liberté si cher à cette contre-culture, à travers les shows de Winnebagos, de danse en ligne et cette vie un peu bohème. Il savait qu'il existait d'autres événements du genre, au Québec : Festival du cow-boy de Chambord au Lac-Saint-Jean, Festival du bœuf d'Inverness dans les Bois-Francs. Mais il n'imaginait pas qu'il pût en exister une multitude. Et encore moins que la minuscule municipalité de Saint-Léonce pût en compter un d'une telle envergure.

Ainsi, lorsqu'il se présenta tout en haut de la rue Principale, dans le «champ à Balloune», comme l'annonçaient les affiches qui placardaient tous les commerces de la région, il sourit en voyant le spectaculaire déploiement des campeurs, des manèges aux couleurs flamboyantes, de la scène immense avec un cow-boy chantant accompagné de sa guitare, et de l'enceinte du rodéo avec ses estrades et ses fanions. Il descendit de sa voiture parquée au fin fond du grand terrain qui appartenait au dit «Balloune», un gros rougeaud qui était un peu l'*alter ego* de Dean Morissette à Saint-Léonce, mais en version plus civilisée.

Stéphane Gervais, de son vrai nom, tenait boutique l'été dans la rue Principale. Installé dans une remorque de quarante-cinq pieds, il vendait un peu de tout : des antiquités, parfois ; la plupart du temps des trucs parfaitement inutiles et sans valeur, mais toujours objets de curiosité. Sa remorque était décorée de lumières de Noël et toujours Balloune recevait ses visiteurs avec un sourire plaqué sur sa grosse face à trois mentons. Tout le contraire de Dean Morissette, chez qui personne n'aurait eu l'idée de s'arrêter comme ça en passant, rien qu'à voir le désastre qu'était son terrain rempli d'immondices sur des dizaines d'hectares. Pour y aller, il fallait avoir véritablement besoin de ce que l'on cherchait, et s'être assuré que ça ne se trouvait pas ailleurs. Débarquer chez Dean à l'improviste pouvait s'avérer risqué. Si on n'était pas dévoré vivant par son mastodonte de chienne à grosses tétines, on pouvait soit marcher sur un piège à ours oublié par hasard sur le terrain, soit être intoxiqué par une trop grande concentration de gaz carbonique dans une des granges, ou même prendre en feu dans une flaque de gaz alors que Dean, s'allumant une cigarette, jetait l'allumette à vos pieds.

Alain déambula nonchalamment sur le site de la fête, saluant de la tête quelques connaissances de Saint-Édouard : monsieur Blais et sa femme, de la quincaillerie Blais ; madame Arsenault, qui l'invita au souper spaghetti pour une fondation caritative de la région ; Denis et Annie, de la ferme laitière Denani. Bien qu'il aimât se retrouver au milieu de cette foule, il ne savait trop que raconter à ces gens qu'il ne connaissait à peu près pas, lui qui habitait la région depuis deux mois environ. Mais il était bon d'être reconnu et il l'appréciait.

Au souper spaghetti, il se retrouva à la table de la famille Arsenault, dégustant des pâtes trop cuites à la sauce tomate, tout seul au bout du banc, levant la tête et souriant lorsque quelqu'un faisait une blague, qu'il ne comprenait pas, et que tout le monde s'esclaffait. Une fois, on s'adressa à lui, à l'initiative d'un cousin Arsenault répondant au prénom de Pierre. Alain ne comprit pas ce que celui-ci lui dit, et tout le monde pouffa de rire. Et lorsqu'il haussa les épaules d'incompréhension, tout ce beau monde s'esclaffa de plus belle. Madame Arsenault, un peu mal à l'aise face à ce malentendu, chercha à le présenter en le questionnant sur ses projets à Saint-Édouard. Mais les réponses incertaines, un peu trop nuancées d'Alain ne trouvèrent aucun écho chez les membres de la famille qui, tous tournés vers lui dans un étrange moment de silence, sourirent poliment et reprirent chacun leur discussion en le laissant à lui-même. Il avait parlé de sirop d'érable, et tout le monde était demeuré muet.

Après ce souper un peu bizarre, il se dépêcha de se rendre à l'arène du rodéo. Malheureusement, il n'y avait plus de place dans les estrades. Il se contenta de boire quelques bières assis à une table sous un grand chapiteau en écoutant un groupe de jeunes musiciens faisant des *covers* de pop country. Le rodéo terminé, les spectateurs qui quittaient les estrades convergèrent dans sa direction pour un spectacle de Gilles Descôteux, à vingt-deux heures. Alain quitta l'endroit pour échapper à la foule qui se pressait sous la tente.

Il s'esquiva par une sortie opposée et se retrouva face à un grand hangar d'où provenait une lumière éclatante. À l'intérieur étaient exposées des bêtes parmi les plus beaux spécimens de la région : des vaches laitières holsteins gigantesques avec des pis disproportionnés, à la limite de l'indécence, et quelques magnifiques chevaux de race. On y trouvait aussi, dans un enclos aménagé, la ferme des animaux pour les enfants, avec ses distributrices à vingt-cinq sous pour une poignée de moulée.

Il était tard et les animaux paraissaient tous sommeiller. Dans cette salle d'exposition ne se trouvaient plus que quelques exposants et un groupe d'hommes, en plein centre, buvant de la bière et parlant très fort. Alain passa tout près d'eux en admirant deux gros percherons. Il reconnut le chauffeur de la benne à béton qu'il salua. Ce dernier ne répondit pas et détourna les yeux en portant à sa bouche sa canette de bière pour en avaler une longue rasade. Alors qu'il continuait sa promenade devant les boxes des chevaux, Alain sentit de nombreux regards posés sur lui. En observant attentivement ces hommes regroupés, il remarqua les signes distinctifs qu'ils arboraient sur leurs casquettes, leurs t-shirts ou leurs chemises : le F de Fortier Industries qui se déclinait en noir, en orange ou en *gold*. À voir leur dégaine, nul doute que ce n'étaient pas des enfants de chœur. Alain, qui sentait l'ambiance s'alourdir, préféra s'éloigner.

C'est alors qu'il entendit une voix le héler, en tranchant net cette atmosphère.

— Eille, le grand !

Sous la lumière blafarde des grosses lampes au sodium, tout le monde s'était tu et l'observait. Un silence inquiétant régnait. Alain, complètement figé par ce public hostile, ne savait quoi dire ou quoi faire. Il les questionna d'un haussement d'épaules sans que personne réponde ou même ne bouge.

Puis la voix qui l'avait interpellé résonna encore dans l'enceinte.

— Eille, mon chum, fit-elle à nouveau, tandis qu'un mouton se faisait entendre, plus loin, avec quelques bêlements frénétiques.

Trois gars baraqués, l'un avec un Stetson blanc et une grosse moustache, les deux autres avec des casquettes noires arborant le F orange, s'écartèrent. Un homme et une femme apparurent, déambulant en procession au milieu des hommes et des boxes à animaux.

L'homme, dans la soixantaine, était de petite stature. Il portait une moustache abondante et avait le crâne rasé. Il avançait avec difficulté, une canne à la main. Sa compagne, beaucoup plus jeune que lui, était accrochée à son bras. Elle était incroyablement maigre et grande, le dépassant de plus d'une tête. Elle était habillée d'une minijupe qui exhibait de longues cuisses rachitiques, couvertes d'ecchymoses, avec deux gros genoux, le tout vissé dans des bottes western. Elle avait des cheveux châtains, coupés court, mal peignés et gras. Son regard était flou et instable, comme si elle était complètement pétée sur la dope. Mais il y eut quelques soubresauts au fond de ses yeux, des éclairs de pugnacité qui émergèrent en clignotant dans ce vide, un peu comme l'atelier de Dean l'autre nuit, et qui n'échappèrent pas à Alain.

C'était sa première rencontre avec le maire Réal Fortier et sa compagne, la grande Sonia.

– Eh bien, fit le maire, qui avançait lentement vers lui, si ce n'est pas le nouveau résidant de Saint-Édouard !

Au fil de ses rencontres avec ce dernier, il allait toujours trouver le maire habillé de la même manière, comme s'il ne se changeait jamais. Fortier portait un pantalon de lainage gris et de vieilles bottes aux bouts usés, dont les semelles se détachaient. Il avait sur le dos une veste bourgogne ouverte sur une camisole blanche et un petit ventre rond, exposant un torse poilu, sur lequel s'entremêlaient quelques chaînes en or. Sa moustache grisonnante était jaunie par la fumée de cigarette.

Un rictus lui faisait contracter la moitié gauche de son visage, de sorte qu'on avait l'impression qu'il vous regardait toujours intensément de son œil droit.

– Très heureux de vous rencontrer, cher monsieur Demers, dit-il.

Puis il parla en élevant la voix et en s'adressant à la curieuse assemblée.

– Permettez-moi, au nom des résidants de Saint-Édouard, de vous accueillir dans notre belle communauté des Appalaches. Je suis Réal Fortier, votre maire, pour vous servir.

Il tendit la main en se penchant en avant. Cette scène avait ceci de particulier, outre son caractère surréaliste au milieu des bovidés et de toute cette cour atypique, qu'il restait plus d'une dizaine de mètres séparant Alain de Réal Fortier. Voyant son hôte toujours penché vers l'avant, immobile, la main devant lui, Alain s'avança sur le plancher de béton recouvert de paille. Il serra une main molle qui saisit la sienne du bout des doigts.

— Monsieur Demers, je vous présente Sonia, ma douce et tendre moitié. La femme de ma vie.

La grande Sonia, qui s'était allumé une cigarette entre-temps, tendit une main désintéressée, la gauche, qu'Alain serra de la droite. Cette main qui émergeait au bout d'un poignet délicat était plutôt grosse et épaisse. Elle aurait pu appartenir à n'importe quel bûcheron du comté. Les doigts étaient longs et repliés sur la dernière phalange à l'extrémité, un peu comme ceux des grands singes. Alain fut très intimidé en sentant sa main se perdre dans celle de la jeune femme. Sonia ne dit pas un mot tandis qu'il se déclarait stupidement enchanté de la rencontrer. Elle expira la fumée de sa cigarette pour toute réponse. Elle fit ensuite une légère moue, puis sourit en exposant un court moment une rangée de dents brunes. Elle tendit sa cigarette à Réal qui en prit une bouffée en fermant les yeux.

— J'aimerais vous inviter à prendre un verre pour en apprendre un peu plus sur vous, dit-il par la suite. Mais malheureusement, j'ai beaucoup à faire. Vous comprenez qu'un maire doit profiter d'un événement exceptionnel comme celui-ci pour se faire voir.

Il éclata de rire, accompagné par toute l'assistance restée muette jusqu'alors. Toute, excepté Sonia.

— Les élections, ça se gagne avec des poignées de main. Là, je suis attendu au bingo pour le tirage. Mais passez donc nous voir à la maison. On pourra discuter un peu. Je suis persuadé que notre communauté a tout à gagner de la présence d'un homme comme vous, monsieur Demers. Vous êtes rédacteur, c'est bien ça ?

– Oui.

– Très bien. Je vous attends lundi en début d'après-midi. On pourra regarder ce qu'on peut faire ensemble.

Le maire et son invraisemblable conjointe tournèrent les talons, tandis que les trois matamores reprenaient leur positon initiale, en se refermant sur cette scène comme l'aurait fait un rideau. Le conducteur de la bétonnière s'approcha d'Alain pour lui dire qu'il connaissait un excellent élagueur et qu'il allait passer chez lui s'occuper de son arbre.

– C'est mon beau-frère. Il travaille pour la MRC. Il connaît ça, les vieux arbres. Réal est au courant.

Alain accepta l'offre de l'homme, qui s'appelait René, apprit-il, tout en restant accroché sur cette dernière phrase : « Réal est au courant. » Comme si c'était une condition *sine qua non,* une bénédiction nécessaire. Il fallait que Réal soit au courant.

Alain salua discrètement tout le monde et sortit de l'enceinte de l'exposition, heureux de quitter cette lumière agressante qui l'exposait aux regards de tous pour retrouver un peu l'anonymat de la nuit. Il n'y avait presque plus personne à l'extérieur, les kiosques étaient pour la plupart fermés. On entendait la musique bruyante qui provenait du chapiteau.

Il venait à peine de s'engager dans le stationnement pour rejoindre sa voiture lorsqu'il entendit une voix derrière lui.

– Alain ! Alain !

Il se retourna et vit quelqu'un qui courait maladroitement dans sa direction. C'était une femme.

Elle était plutôt grande, avec une taille large, vêtue d'un tailleur de denim bleu avec aux pieds des bottes western et sur la tête un chapeau de cow-boy. Elle approcha le long de la bande de bois qui délimitait l'enceinte de rodéo, et Alain reconnut, dans la lueur du lampadaire, madame Lacoste, la femme du notaire.

– Oh, Alain, je suis si contente de vous voir!
– Moi aussi, répondit-il, étonné par cet enthousiasme.
– Vous allez bien?
– Oui. Vous-même, madame?
– Oui, très bien, dit-elle d'un ton soutenu, plutôt lent, qui laissait deviner qu'elle avait pris un verre. Je vous en prie, ajouta-t-elle, appelez-moi Jacqueline.
– Mais j'aime bien vous appeler madame.

Un bref éclair, qui n'échappa pas à Alain, passa dans les yeux de Jacqueline Lacoste.

– Alors ce sera madame, pour vous, dit-elle. Et que faites-vous ici?
– Comme vous, je profite de l'événement.
– Comme c'est agréable, n'est-ce pas? Jacques et moi, nous adorons les festivals western. Vous voulez m'accompagner pour un verre? Mon mari est à un rendez-vous d'affaires. Il ne devrait pas tarder à nous rejoindre.

L'ermite qu'il était, sans contact sensuel depuis des mois, fut aussitôt aux abois. La démarche de Jacqueline Lacoste, avec ses hanches bien hautes mises en exergue par sa jupe en denim, guidait ses pas. Bien qu'elle approchât la soixantaine, cette dame d'apparence plutôt sobre dégageait une sensualité

étonnante qui s'exprimait dans chacun de ses gestes, exacerbés
par le vin, sans nul doute. Alain n'aurait, en aucun cas, hésité
à se jeter la tête la première entre ses cuisses. Mais la mention
de son mari, ce petit homme chauve au col roulé, devant les
rejoindre, calma ses ardeurs. Il se vit, un court instant, prenant
madame Lacoste par-derrière avec le petit notaire s'excitant
derrière son bureau, et devint hésitant.

– Mais venez donc, Alain. Seulement un verre. Pour me
faire plaisir.

Jacqueline Lacoste roucoulait comme une poule. Il accepta
en se disant qu'il aurait toujours l'occasion de fuir si le petit
notaire de Montmagny apparaissait.

Il leur fallut retraverser le site du festival. Du grand chapiteau, on entendait les applaudissements du public qui saluait
la fin du spectacle. Dans le parc des motorisés et des roulottes,
Alain reconnut le véhicule aperçu en photo dans le bureau
du notaire à Montmagny. C'était celui vers lequel le guidaient
les hanches de Jacqueline Lacoste. En approchant, il put juger
toute la démesure de l'engin : un Prevost Royale Coach de
quarante-cinq pieds, noir et argent avec des lignes dorées.
Malgré la noirceur, il arriva à distinguer deux formes émergeant des fioritures or s'enroulant les unes sur les autres dans
un élan très stylisé et devina qu'il s'agissait de deux lettres J,
pour Jacques et Jacqueline, bien sûr.

La dame déverrouilla la porte, une botte sur le marchepied
et l'autre sur le sol, ce qui accentuait ce pli grassouillet et bien
distinct sur sa hanche gauche, au-dessus de sa cuisse. Elle prit
Alain par la main pour le mener à l'intérieur. En sentant cette
main dans la sienne, il se dit que ça y était. Avec la curieuse
tournure que sa sexualité avait prise ces derniers mois (il
avait maintenant l'habitude de se masturber au cours de ses

randonnées dans la montagne, le dos appuyé contre un arbre, l'écorce entre ses omoplates, avec le vert de la chlorophylle sylvestre comme seul stimulus visuel), la perspective d'un corps de femme fit monter en lui un tel désir qu'il se dit, en suivant Jacqueline dans le motorisé, que petit notaire voyeur ou participant, peu importe, il irait jusqu'au bout de cette soirée. Que c'était peut-être la seule occasion qu'il aurait de faire l'amour avant longtemps.

Mais le désir est une chose étrange. Et maintenant qu'il la suivait, le nez dans son derrière, Jacqueline devint fuyante. Alors qu'il voulut se rapprocher, elle préféra son verre et se retourna vers le petit frigo de la cuisinette duquel elle extirpa une bouteille de vin bon marché en format d'un litre. Elle remplit deux coupes et lui en tendit une qu'il porta à ses lèvres en les mouillant à peine, sachant que l'alcool était un piège. Il savait aussi qu'il se trouvait là devant un moment charnière de la valse du désir et qu'il devait jouer de prudence. Trop souvent, c'est une balle que se renvoient les amants ; une danse de la séduction, sans doute, mais aussi de la peur de l'autre, de soi, jusqu'à ce que tout soit finalement consommé, ou pas du tout. Il fallait essayer d'entretenir la flamme sans trop la consumer. Il fallait aussi éviter de se laisser entraîner dans une discussion trop banale qui ferait tout tomber à plat. Il avait devant lui une vieille dame chaude de vin avant tout, il ne fallait pas l'oublier. Mais quelque chose lui dit que, malheureusement, il n'irait pas au bout de ce qu'il anticipait. Il jeta tout de même un coup d'œil autour de lui, pour voir s'il n'apercevrait pas le petit notaire étendu sur un canapé ou sur le lit de la chambre, en caleçon léopard et bottes western en peau de serpent.

— C'est un modèle qui commence à dater, dit Jacqueline en l'invitant à s'asseoir dans un fauteuil pivotant en cuir blanc. Jacques aimerait en avoir un plus gros, en version plus moderne, bien sûr. Mais celui-ci est parfait pour nos besoins.

Elle avait dit cela comme quelqu'un de condition modeste faisant visiter son trois et demie près des centres commerciaux et du terminal d'autobus. Pour Alain, qui mettait les pieds pour la première fois dans un de ces motorisés, le contact était tout autre, et il était stupéfait que des trucs pareils puissent exister : plancher de bois franc au vernis cristal, boiseries somptueuses avec miroir et penderie, tout était meublé avec un certain goût, kitsch, il va sans dire. Cuisinière et poêle au gaz, réfrigérateur avec devanture en acier inoxydable et armoires de cuisine avec portes en chêne. Il y avait un écran plat de cinquante-deux pouces dans la première pièce, qui faisait office de salon et de salle à manger, et un autre dans la chambre à coucher.

Jacqueline se versa un deuxième verre, au grand dam d'Alain qui voyait ses chances s'amenuiser un peu plus à chaque lampée que la grande dame prenait en tachant son verre à vin de rouge à lèvres. Une fois devant le grand lit *queen size*, alors qu'ils faisaient le tour du propriétaire, il pensa que c'était le bon moment pour tenter quelque chose, surtout que ce miroir au plafond laissait une impression sans équivoque.

Madame Lacoste lui raconta l'histoire du motorisé, de ce premier voyage qui les avait menés, Jacques et elle, jusqu'en Arizona, où ils avaient trouvé la perle rare, il y avait de cela huit ans. Puis elle raconta leur traversée du Canada en 2008, lors d'une année sabbatique.

– Jacques croyait qu'il fallait le faire. Il ne semblait pas se soucier de sa clientèle. Moi, ça m'avait réellement coûté de fermer mon *bed and breakfast*. Mais je suis contente de l'avoir fait. C'est une chose que vous faites une fois dans votre vie...

– Bien sûr.
– Je ne suis plus très jeune.
– Oh... mais vous êtes toujours très séduisante, madame.

Elle rougit en baissant les yeux. Puis elle défit cette natte qu'elle avait sur la tête pour laisser tomber sur ses épaules ses cheveux gris, longs et soyeux. Alain pensa que ça y était. Il s'avança, mais elle se défila en se glissant sur le côté et sortit de la chambre en laissant derrière elle une odeur de parfum subtil, très élégant, genre N° 5 de Chanel ou Rive Gauche de Saint-Laurent. Il la suivit machinalement, le regard fixé sur ses hanches bombées qui se balançaient. Elle ne fit que quelques pas avant qu'Alain, ayant perdu toute forme de contrôle, fonde sur elle et l'enlace par-derrière. Sur le coup, elle se pencha légèrement en avant en s'appuyant sur le comptoir de la cuisinette et en se cambrant comme l'aurait fait une chatte. Puis elle se retourna vivement pour le fixer à son tour d'un regard concupiscent. Alain approcha son visage de la vieille dame pour l'embrasser. Elle allait s'offrir lorsqu'elle se retint et détourna la tête.

Cette technique du doigt qu'on enfonce dans le cul des filles avant même de les avoir embrassées, Alain avait eu l'occasion de la mettre à l'essai à plusieurs occasions dans les caves ou les chambres froides des bars à la mode de la Basse-Ville de Québec. Si les trentenaires habituées aux sensualités un peu agressives de la culture X s'y prêtaient avec enthousiasme, il n'en allait pas de même avec madame Lacoste de Montmagny. Alain aurait dû le savoir, et la dame en fut sans doute choquée. Du moins, quelque chose se brisa dans toute cette tension érotique qui disparut aussi soudainement qu'elle était apparue. Jacqueline le repoussa, en faisant mine de reprendre ses esprits, tandis qu'Alain s'accrochait à elle.

– Oh mon Dieu ! Je suis folle. Excusez-moi.

Alain balbutia quelque chose qui ressemblait à: «Mais non, mais non.»

– Quelle heure peut-il être? ajouta-t-elle.
– Je ne sais pas.
– Mon mari devrait être rentré depuis longtemps. Je ne comprends pas. Vous voulez un autre verre de vin?
– Non merci, dit Alain, agacé.

Il savait que c'était terminé et qu'il devait rentrer chez lui. Mais il persistait à garder une main dans la culotte de madame Lacoste, comme si une certaine magie pouvait encore opérer. Mais c'était plus inconvenant qu'autre chose.

On entendit la porte du motorisé s'ouvrir et Jacques Lacoste apparut sur le seuil. Il était vêtu d'une chemise à carreaux bleus et d'un Stetson blanc. En voyant Alain avec sa femme, il devint blanc comme un drap.

– Misère, dit-il sur ton cadavérique. Vous, ici!

Confuse, Jacqueline se précipita vers son mari.

– Oh, Jacques, ce n'est pas ce que tu crois. Monsieur Demers n'y est pour rien. C'est ma faute, j'avais pris un verre, je lui ai demandé de venir, et...
– Il ne s'agit pas de ça, grosse conne! fit Jacques Lacoste en repoussant sa femme. Tu peux bien te faire enculer par tous les garçons du comté, j'en ai rien à foutre. Quelqu'un vous a vu entrer ici? ajouta-t-il avec empressement à l'adresse d'Alain.
– Je... je n'en sais rien, répondit ce dernier.
– Bon, vous n'en savez rien..., soupira le notaire.

Il fila à toute vitesse vers la chambre arrière et commença à vider le contenu d'un placard sur le grand lit. Puis il revint avec un gros parka de fourrure et, sans même qu'Alain ne puisse protester, il le lui passa sur le dos.

– Tenez, dit-il. Portez ceci. C'est tout ce que j'ai trouvé qui puisse faire l'affaire. C'est du castor et ça vaut une fortune. Je m'attends à ce que vous me le rapportiez. De même que ceci...

Et il lui déposa son chapeau de cow-boy sur la tête. Puis il le poussa vers la sortie.

– Éloignez-vous vite. Rentrez chez vous. Et si on vous pose des questions, peu importe qui, dites qu'on ne s'est jamais rencontrés.

Alain dévala les marches du motorisé. À peine eut-il passé le seuil de la porte que celle-ci se referma avec fracas derrière lui et fut verrouillée à double tour. Il entendit Jacques Lacoste hurler de l'intérieur. Il détala au pas de course en se faufilant entre les roulottes et les Winnebagos. Il était hors de question qu'il retraverse la place de la foire dans cet accoutrement. D'ailleurs, il avait pensé s'en débarrasser aussitôt, croyant à une mauvaise blague du notaire qui cherchait à humilier l'amant de sa femme. Mais ce manteau était en castor véritable et ce Stetson d'un blanc impeccable devait valoir une fortune. Il fallait que quelque chose d'autre motive le notaire dans son empressement à le déguiser ainsi et à lui enjoindre de s'enfuir. Alain s'échappa du parc de roulottes en faisant le tour de l'arène du rodéo, par l'extérieur, dans la terre battue par le passage du bétail, tentant tant bien que mal d'éviter les bouses, du moins celles qu'il pouvait identifier dans le noir.

Il n'y avait plus grand monde au festival western. La plupart avaient filé et il ne restait plus que quelques fêtards qui traînaient épars sur le site. Au bout du champ à Balloune, Alain vit son auto dans l'herbe haute. Et c'est seulement lorsqu'il fut à sa hauteur qu'il réalisa que les roues avaient été retirées. Sa petite Honda reposait sur ses moyeux dans la terre battue. Il se mordit les lèvres, essayant de demeurer stoïque devant l'incident. Un désarroi et une grande inquiétude montaient en lui. Ça ne faisait aucun doute. Quelqu'un lui en voulait personnellement.

Il aurait dû retourner sur le site pour chercher de l'aide, mais ne savait pas à qui s'adresser. L'esprit embrouillé par toutes ces questions sans réponse, il abandonna sa voiture pour s'en retourner chez lui à pied.

Alain savait que depuis Saint-Léonce il y avait moyen d'emprunter un chemin de terre qui se transformait en un sentier devant déboucher sur son 6e Rang, du moins selon les cartes topographiques qu'il avait consultées. Mais il n'avait jamais eu l'occasion de l'emprunter et n'osait le faire une première fois de nuit. Même s'il avait une lampe de poche, prise dans le coffre à gants, il craignait de se perdre et avec raison. C'était une heure de marche, peut-être deux, qu'il allait sauver par le sentier, mais il n'arriva pas à se convaincre, si bien qu'il décida de rentrer par la route. Peut-être rencontrerait-il une bonne âme pour lui faire faire un bout de chemin ? Mais il traversa tout le village de Saint-Léonce, levant le pouce à chaque voiture qui passait sur la route de Saint-Édouard, sans que personne ne s'arrête.

Après une demi-heure de marche, il quitta la zone éclairée de Saint-Léonce. Il était minuit et demi. Alain évalua que, si personne ne le prenait à son bord, et qu'il devait faire tout le chemin à pied, il ne serait pas à la maison avant cinq ou six heures du matin.

Il avançait en marchant au milieu de la route, se déplaçant sur l'accotement quand une voiture se pointait. Chaque fois, il levait le bras, mais toujours sans succès, même s'il prenait soin de déposer sur le sol le chapeau de cow-boy et surtout le gros manteau en peau de castor.

Après le passage d'une section boisée plutôt sombre et dense, il retrouva au bout d'un tournant le paysage dégagé des champs cultivés avec ce grand ciel étoilé s'étirant comme un dôme au-dessus de sa tête. Il nota avec soulagement qu'il approchait du but. Il était une heure trente à sa montre. Il réévalua sa course et prévit arriver chez lui vers les quatre heures du matin.

Au-delà du croisement de la 286 qui menait vers la frontière américaine, il entama cette grande côte d'où on pouvait voir Saint-Édouard et son église. Il marchait d'un bon pas et respirait l'air vivifiant de cette nuit, accompagné par le chant des rainettes. Ses soucis de la soirée s'étaient quelque peu apaisés.

C'est alors qu'un bruit de moteur se fit entendre. Une camionnette apparut au loin. Elle s'arrêta un instant au coin de la 286, puis s'engagea dans la route de Saint-Édouard. À une heure pareille, c'était sans aucun doute sa dernière chance. Il se débarrassa du manteau et du chapeau, puis agita désespérément les bras.

Le camion passa en trombe, sans s'occuper de lui.

Abattu, incrédule même, Alain reprit ses affaires sur le gravier. En relevant la tête, il vit la camionnette qui s'était arrêtée tout en haut de la côte. Il l'observa, intrigué, alors qu'elle demeurait immobile avec son gros moteur qui grondait. Puis, en faisant crisser ses pneus, elle fit demi-tour.

Alain s'arrêta pour la première fois depuis des heures. Il laissa échapper un long soupir, agitant la tête de gauche à droite en réalisant à quel point il était épuisé. Ses jambes étaient lourdes, ses épaules, basses et ses bras reposaient le long de son corps. Cet énorme manteau de fourrure qu'il trimballait y était pour quelque chose. D'ailleurs, il était si emballé par ce véhicule qui approchait qu'il ne pensa pas à le retirer. Il se contenta de tenir le Stetson à la main gauche qu'il leva en guise de salutation.

Le camion stoppa à une dizaine de mètres. Le conducteur, ayant fait passer sa transmission au neutre, appuya à quelques reprises sur l'accélérateur et fit monter le régime du moteur. Alain allait s'avancer lorsque de gros phares juxtaposés sur des *roll bars* s'allumèrent pour l'aveugler complètement. Il camoufla ses yeux avec ses mains et tourna la tête, ne connaissant qu'une seule personne pouvant jouer à ce jeu idiot.

– Dean ? Qu'est-ce que tu fais ?!

Le conducteur poursuivait son manège et donnait des coups sur son accélérateur, le moteur grondant chaque fois de manière agressive. Puis la transmission embraya avec fracas et le monstre fonça sur lui en faisant crisser ses pneus sur l'asphalte. D'un geste désespéré, Alain se lança sur le côté de la route, tandis que le véhicule passait tout près de lui. Sous la force de l'impulsion, il ne put retenir son élan et dégringola au fond du fossé, à travers les quenouilles. Il se retrouva dans une eau boueuse, de quelques dizaines de centimètres de profondeur. Ce ruisseau servait de drainage au champ d'un cultivateur. Les eaux de ruissellement empestaient le fumier et le purin. Il lui fallut faire un effort surhumain pour s'extraire de ce marécage avec le manteau de castor complètement imbibé.

*

Il était hors de question qu'il traverse le village de Saint-Édouard dans cet accoutrement. Il avait l'air d'un vrai malade avec ce manteau de fourrure sale et dégoulinant, et le Stetson tout aussi souillé. Aussi, il décida de passer à travers les champs pour longer la lisière de la forêt et émerger plus loin sur le chemin de l'Immaculée-Conception. Lui qui était demeuré plus d'une demi-heure camouflé dans les roseaux, craignant le retour du maniaque qui faillit l'écraser, regarda sa montre : il était passé six heures. Le soleil était levé depuis un moment. Le chant des oiseaux accompagnait chacun de ses pas. Ses bottes détrempées faisaient un bruit de succion. Ce serait une très belle journée. Un vent frais en faisait la journée idéale pour travailler. Mais il était si épuisé qu'il lui serait impossible de lever le petit doigt aujourd'hui. Et puis, une certaine paranoïa commençait à l'envahir et il s'imagina passer la journée encabané, la porte fermée à double tour. Il avançait d'un pas rapide et titubait à la manière d'un fugitif, traqué.

Il n'avait plus que quelques kilomètres à faire avant le 6e Rang, lorsqu'il entendit un véhicule approcher. Il se lança dans le bois sans prendre la peine de voir qui approchait. À plat ventre dans l'herbe, il vit se pointer sur la route le nez orangé de la grosse Corvette déglinguée de Dean.

Alain sortit de sa cache et agita les bras comme un perdu. Dean l'aperçut et coupa le moteur pétaradant en laissant aller la Corvette qui roula quelques mètres sur le gravier avant de s'arrêter à sa hauteur.

Comme la veille, Dean avait sur la tête ce chapeau de cow-boy ridicule en peau de serpent. Il observa attentivement

Alain et son accoutrement, le dévisagea de la tête aux pieds. Le paramilitaire était lui-même dans un piteux état. À l'instar d'Alain, il semblait avoir connu une nuit difficile. Dean avait un œil au beurre noir et le visage enflé et rouge en dessous. De vilaines traces violacées apparaissaient sur son cou ainsi que d'horribles balafres sur ses bras et ses épaules, donnant l'impression qu'il venait de passer la nuit dans une prison de Kandahar avec une bande d'héroïnomanes barbus et sadiques comme geôliers.

– Ça va ? demanda Alain.
– Oh... Mets-en que ça va, fit l'autre en regardant au ciel. Ça va tellement bien. Je flotte sur un nuage.
– T'étais pas au festival ?
– Oui, mais j'ai rencontré deux chums de filles. Elles vivent dans un parc de roulottes proche de Montmagny. On a eu du fun en tabarnac !

À voir son allure, Alain voulut bien croire qu'en effet Dean s'était bien amusé.

– Mais..., fit le voisin. Tu rentres chez toi à pied, à six heures du matin, en manteau de fourrure avec un chapeau de cow-boy... As-tu rencontré des tapettes ?
– Non, non...
– Parce que ça me dérange pas, moi. J'ai déjà eu du fun avec les chummés dans le nord, je comprends ça.

Alain soupira, puis raconta sa soirée : le souper spaghetti, le rodéo manqué, sa rencontre avec le maire. L'épisode avec le notaire et sa femme dans le motorisé fit s'esclaffer bruyamment Dean. Après qu'Alain eut relaté comment il avait trouvé sa voiture et l'épisode de la camionnette sur la route, Dean parut songeur.

— Il y a des gens qui t'en veulent. Il n'y a pas de doute.

— Qui ? Le maire ?

— Réal Fortier ? Non, ce n'est pas son genre de niaiser comme ça. Si Réal décidait d'en finir avec toi, tu finirais coulé dans un pilier de viaduc ou déchiqueté dans un broyeur pour nourrir les cochons.

— Sympathique.

— T'étais dans le champ à Balloune, tu disais ?

— Oui.

— Il faut aller voir Balloune.

Alain n'avait pas du tout envie de retourner là-bas. Mais il y avait sa voiture. Aussi, il ne discuta pas, même s'il embarqua à reculons dans la Corvette. Dean passa chez lui chercher des jantes et des pneus 175/65/15. Ils remontèrent le chemin de l'Immaculée-Conception, tournèrent à gauche, tout en haut, face à l'église, puis empruntèrent la rue Principale, en route pour Saint-Léonce. Les quatre roues pour la Honda avaient été attachées sur la structure de la Corvette au gros devant jaune orange avec des éclairs. Alain, avec son chapeau de cow-boy et son manteau de fourrure tout crotté, et Dean, la figure déconfite par sa nuit d'amour : les deux énergumènes déambulaient dans Saint-Édouard, traversant le chantier routier au milieu du village, s'offrant aux regards de tous. Alain était maintenant convaincu que son projet d'intégration à la communauté venait de descendre de plusieurs échelons.

*

Balloune était un brocanteur qui ramassait à peu près tout ce qu'il trouvait pour le vendre aux touristes et aux rares promeneurs qui aboutissaient dans ce village perdu qui n'était sur aucun sentier touristique. Les affaires n'allaient pas du tout, mais c'était la vie de Balloune. On l'appelait ainsi à cause de son énorme bedaine entretenue assidûment à coup de petites bières qu'il enfilait chaque jour, du matin jusqu'au soir. Et, bien qu'il fût passé à la «light» depuis plusieurs années, son ventre ne cessait de gonfler.

– Bientôt, je vais m'envoler, disait-il fièrement en se passant une main sur le ventre.

Mais d'après l'avis de tous, il allait plutôt exploser.

Après la soirée bien arrosée de la veille, au festival, il cuvait son vin dans une chaise berçante, un chapeau de paille rabattu sur le visage. Il exposait ainsi ses allures pittoresques au milieu de sa marchandise, qui l'était tout autant que lui, sur cette terrasse de bois qu'il avait construite comme un grand balcon adjacent à la remorque de quarante-cinq pieds qui lui servait de boutique. Il attendait les clients, éternelle rengaine du brocanteur, et crut bien faire une affaire en ce beau lundi matin lorsqu'il entendit une voiture quitter la route pour s'engager sur son terrain. Il leva son chapeau pour voir qui approchait. Son visage changea du tout au tout, passant de sa bonhomie naturelle à un accès de panique. Il s'assit droit sur sa chaise en reconnaissant Dean Morissette qui descendait de son invraisemblable Corvette accompagné par un énergumène barbu en manteau de fourrure en plein été.

– Balloune, Balloune! Salut, ma grosse balloune! dit Dean qui monta les escaliers de la terrasse en faisant résonner les talons de ses bottes sur les marches.
– Oh, Dean! fit l'autre, d'une voix mal assurée. Comment ça va, collègue?

Ce n'était pas la première fois que Stéphane Gauvin avait affaire à Dean. Il avait traîné à quelques reprises dans sa cour à scrap de Saint-Édouard à la recherche d'un quelconque objet à retaper qui pourrait éventuellement intéresser sa clientèle. La première fois qu'il s'y était présenté, le berger allemand que Dean possédait à l'époque, quelques années avant Sammy-Jo, un chien nommé M1 Abrams en l'honneur des chars de combat américains de la guerre du Golfe, trouva que Balloune ferait un excellent repas. Malgré ses 300 livres, le gros Stéphane eut si peur, paraît-il, qu'il sema ce chien de police surentraîné en remontant au pas de course toute la côte de l'Immaculée-Conception pour trouver refuge au presbytère.

– Dis donc, Balloune, qu'est-ce qui est arrivé au char de mon chum? fit Dean en pointant du menton la Honda demeurée au fond du champ.
– Je le sais pas.
– Ah... tu le sais pas?

Alain, demeuré en retrait, voyait que Balloune jonglait avec quelques possibilités de réponses. Ce dernier hésitait entre deux options: gagner du temps en proposant quelques bêtises en guise de solution (des adolescents en mal de sensations fortes ou encore des amis d'Alain qui auraient voulu lui faire une bonne blague) ou dire toute la vérité malgré les risques inhérents. Dean avait adopté cette curieuse position qu'Alain avait identifiée à quelques reprises. Il plaçait ses deux pouces dans les ganses de son pantalon en écartant les jambes, le pied droit en avant, se balançant d'avant en arrière, le menton relevé, les paupières à moitié fermées et la bouche entrouverte. Lorsqu'il adoptait cette position, en général, c'était que quelque chose allait se passer et donnerait lieu à tous les excès. Et Balloune devait le savoir. Des deux possibilités, il choisit donc la deuxième. Visiblement, il croyait être plus en mesure de jongler avec les contingences de cette dernière. Parce qu'il connaissait bien celui qui se tenait devant lui, ce grand échancré de rockabilly paramilitaire, que tous abhorraient et craignaient des milles à la ronde : Dean Morissette. Aussi, après avoir considéré longuement son allure de zombie cyberpunk avec sa grosse coque sur la tête et les traces de sa nuit passée dans la chambre de torture des deux folles du parc à roulottes, il répondit :

— C'est Paul et son frère.

— Paul... ?

— Paul et André Manseau, ajouta Balloune en s'énervant comme si ça lui coûtait de devoir répéter.

— Tu leur as acheté les roues ?

— Non, non, mais non ! s'empressa de répondre Balloune.

— Je t'avertis, je lis les petites annonces de tous les journaux et des sites Web. Si jamais je vois les *tires* de mon chum Al passer, tu vas avoir affaire à moi.

Il semblait que Balloune n'en doutait pas, car il acquiesça à chacun des mots que prononça Dean.

Il y eut un long silence au cours duquel deux voitures, l'une derrière l'autre, passèrent dans la rue commerciale de Saint-Léonce. Paul et André Manseau... Ces deux noms résonnaient en Alain, faisant ressurgir ce malaise qui l'habitait quand il réfléchissait à cette montagne qu'il avait achetée pour une bouchée de pain à un pauvre hère en fin de vie.

— Ne vous inquiétez pas, avait dit le curé au cours d'une conversation au garage de Saint-Édouard.

L'homme faisait faire le plein de son Chrysler bourgogne par le gros Philippe. Un paquet de cigarettes apparaissait dans la poche droite de sa chemise bleue immaculée qu'il portait insérée dans un pantalon beige à plis français.

Chaque fois qu'Alain le rencontrait, c'est le curé qui amenait le sujet des fils Manseau sur la table.

— Ils sont passés vous voir?
— Non, dit Alain. Ils le devraient?
— Non. Ce sont de pauvres gens. Mais on ne sait jamais, des fois.
— Ils ont des raisons de m'en vouloir?
— Vous en vouloir?

Alain fixait la dalle de béton souillée à ses pieds, incapable de regarder son interlocuteur dans les yeux.

— Croyez-moi, cette terre est bien mieux entre les mains d'un jeune homme entreprenant comme vous, avec des idéaux et des projets, qu'entre les mains de ces désœuvrés. Paul et André sont des petits voyous de campagne comme on en voit souvent dans les régions. Mais ils sont bien inoffensifs. S'ils vous cherchent des querelles, venez me trouver. J'ai l'habitude d'entendre leurs confessions, je leur parlerai. Ils ont pleinement confiance en moi.

Dans cette discussion qu'il se remémorait, Alain reconnaissait bien toutes les raisons de son malaise. Certes, les mots du curé Prud'homme le rassuraient. Mais qui en ville ne croyait pas qu'il avait escroqué une pauvre famille dont les racines étaient plantées dans cette terre depuis plus de trois générations? Nier les liens grégaires qui unissent les gens d'une communauté isolée, aussi désunis peuvent-ils paraître, c'est nier une réalité propre à ces régions. D'un entendement commun et consensuel, l'étranger demeure toujours un étranger, et ce, jusqu'à ce que ses enfants aient eux-mêmes grandi sur la terre qu'ils pourront appeler la leur.

Les deux fils de Joseph seraient responsables de ce méfait au dire de Stéphane «Balloune» Gauvin. Et de combien d'autres? Si tel était le cas, s'ils avaient vraiment volé les roues de sa voiture, alors il ne fallait pas douter que ce fussent eux qui avaient tenté de l'écraser, sur la route, la nuit dernière.

– On va aller leur parler, ils habitent pas loin, avait dit Dean en l'arrachant à ses réflexions.

– Non, Dean. Laisse tomber.

– Non? Tu te fais voler par ces deux pas bons et tu ne veux pas leur parler?

– C'est un peu plus compliqué. Je pense qu'on est mieux de s'adresser à la police.

Dean y alla de son puissant rire qui fit reculer Balloune de quelques pas. C'était chaque fois une chose spectaculaire quand Dean éclatait de rire. Ça pétait comme un coup de fusil et ça remplissait l'espace complètement, comme si le ciel et la terre, l'Univers entier se mettait à rire avec lui.

– Oui... Tu iras voir Charles Marois. Ha! Ha! Ha! T'as encore des choses à apprendre, mon Al. T'es plus en ville, ici. Embarque, on va aller leur parler. Inquiète-toi pas. Quand ils te verront avec moi, ils vont chier dans leurs culottes.

*

L'excentrique Corvette et ses deux passagers quittèrent Saint-Léonce pour s'engager sur la 286. À leur gauche, il y avait le mont Manseau qui dominait le paysage. Sur la droite, plus loin, émergeant d'entre les arbres – on les apercevait aussitôt que l'on se trouvait au sommet de n'importe quelle colline du comté – , les grandes cheminées qui annonçaient le territoire du maire de Saint-Édouard et de ses Fortier Industries. Au bout d'un long virage, Dean pointa une maison en retrait de la route. Elle était déposée au milieu d'une terre immense qui se perdait dans le paysage et dont on ne voyait pas les contours, comme si à l'horizon ce fut la fin du monde, sauf pour cette partie qui donnait sur le mont Manseau qui surgissait comme une excroissance qu'on aurait voulu gruger et détruire en exploitant la carrière d'ardoise. Avec cette véritable mine à ciel ouvert, c'était exactement comme si on avait pris une bouchée de la montagne. Les paysages, quand on s'éloigne, se déforment. La réalité du territoire est tout autre pour celui qui regarde de loin, avec du recul, que pour celui qui le foule de ses pas. Si bien qu'Alain découvrait un point de vue sur son terrain qu'il ne connaissait pas.

Plus on s'approchait sur la route cahoteuse qui y menait et plus on réalisait à quel point cette maison était énorme. La famille Manseau avait dû être prospère autrefois. Mais aujourd'hui, à voir le champ boueux sur lequel la maison reposait et son état pitoyable de délabrement avancé, on ne pouvait que se désoler pour le destin de Joseph et de sa descendance. La toiture semblait percée, comme crevée à plusieurs endroits. Le revêtement de bois était complètement écaillé, gris et pourri. Les fenêtres étaient sales, avec de nombreux carreaux cassés. Et cette galerie magistrale, qui autrefois avait dû faire la fierté de la maison qu'elle encerclait, tombait littéralement en ruine. Derrière trois immenses bâtiments fermiers, deux granges s'étaient effondrées sous le poids des saisons et gisaient comme des tas de bois mort.

Il y avait quelques vieilles voitures et des carcasses de tracteurs, d'électroménagers et de machinerie agricole à travers lesquelles poussaient de longues mauvaises herbes. Alain chercha la camionnette aux gros phares, sans la trouver.

— Ils ne sont pas là, fit Dean en s'allumant une cigarette les coudes appuyés sur le volant. Il n'y a que la déficiente.

— La quoi?

— La sœur Manseau. Regarde, elle est sur la galerie. Elle ne fait que ça de ses journées. C'est à croire qu'ils la sortent au printemps et qu'ils la rangent à l'automne.

Drapée de la tête aux pieds dans une couverture de laine aussi grise que la maison, une silhouette se balançait sur une chaise de bois. Si Dean n'avait pas mentionné sa présence, Alain ne l'aurait jamais aperçue. Il sortit de la voiture pour la voir de plus près.

— Qu'est-ce que tu fais?

— Je veux lui parler.

— Al, c'est une pas fine, ça. Elle comprend rien. Tu vas lui faire peur.

— Pas grave. Comment elle s'appelle?

Dean coupa le moteur de la Corvette et réfléchit longuement sans trouver de réponse. Il ne s'en souvenait pas.

La dame les avait aperçus, à n'en pas douter. Elle continuait à se balancer d'avant en arrière, le regard perdu, droit devant, comme l'aurait fait une aveugle. Alain monta les marches réparées grossièrement avec des planches de particules gonflées par le ruissellement des eaux de pluie. Un murmure parvint jusqu'à ses oreilles, à mesure qu'il s'approchait de la femme, comme le couplet d'une chanson fredonnée. Il attendit un moment un geste, un signe qui ne vint pas.

— Bonjour, dit-il en esquissant un sourire.

Elle n'eut aucune réaction, poursuivant son manège d'une manière incessante. Une planche grinçait à chaque mouvement de la chaise berçante.

La sœur Manseau paraissait être une femme dans la mi-quarantaine, mais dont les soucis, la maladie peut-être, lui avaient fait subir un vieillissement prématuré. Des cheveux rêches, grisonnants, apparaissaient çà et là autour de son visage. Son regard était vitreux, ses lèvres, petites et effacées, bougeaient d'une manière extrêmement rapide, n'ayant rien à voir avec cette mélodie qui provenait du fond de sa gorge. Il y avait quelque chose de paisible dans ses yeux pâles et humides dont on distinguait mal les pupilles. Par contre, ce visage crispé et tourmenté allait marquer Alain longtemps. Surtout après que Dean, alors qu'ils reprenaient la route vers Saint-Édouard, se rappela son nom.

– Marianne, dit-il. Elle s'appelle Marianne.

Alain l'avait quittée sans pouvoir lui arracher un seul mot, un seul regard. De retour chez lui, il demeura longtemps devant sa maison, allant et venant dans toutes les directions. Celle-ci n'était toujours pas déposée sur sa fondation et flottait étrangement dans les airs, soutenue par les poutrelles sur les vérins. L'immense foyer en plein centre n'était plus solidaire du plancher et semblait appartenir à lui-même, avec sa cheminée qui s'étirait librement par l'ouverture dans le toit, au-delà de la cime des arbres, paraissant chaque fois plus grande au fur et à mesure qu'Alain s'enfonçait dans cette histoire.

Depuis son arrivée, il s'était fait une amie de cette cheminée et de son foyer. Alors qu'il tournait en rond la nuit, c'est avec elle qu'il discutait, allant même jusqu'à l'appeler Marianne, tout comme le faisait Joseph. Il hésita longuement avant de faire son feu, comme il le faisait chaque soir. Dorénavant, dans les flammes incandescentes qui brûlaient dans l'âtre, c'est le visage de la fille de Joseph qu'il verrait.

*

Alain avait stationné sa voiture devant la grande maison d'époque qui trônait sur un bout de gazon jaune au milieu d'un immense terrain de sable. Celle-ci, occupant un volume impressionnant, était à toit mansardé à quatre versants et ornée d'éléments décoratifs dans le goût victorien. Le toit était recouvert de feuilles de tôle à la canadienne dont le revêtement galvanisé avait complètement disparu et que la rouille grugeait. Chose étrange, ce toit était surmontée d'une grosse tourelle disproportionnée, postérieure à la construction initiale. En son centre coiffé d'un dôme conique noir, il y avait de nombreuses antennes de télécommunication. Le revêtement de bois vert pâle était défraîchi et sale, la peinture s'écaillait en de nombreux endroits. Les corniches sculptées, qui avaient dû être somptueuses autrefois, étaient brisées et certaines s'étaient détachées de la structure et pendouillaient dans le vide. Autre étonnement, outre cette maison délabrée qui appartenait à l'homme le plus riche du village, sitôt qu'on descendait la grande côte du chemin du Lac-Blouin, le regard était complètement absorbé par cette mine à ciel ouvert ; une plaie ouverte en pleine nature que cette immense carrière de sable qui avait bouffé tout le champ. Les camions chargés de sable ou de pierre, les camions de béton et les remorques de quarante-cinq pieds passaient tout à côté de la maison par une route en terre aux dimensions qui laissaient aisément deviner la densité du trafic qui circulait là. Le visiteur était accueilli par une enseigne couverte de sable où était peint en gros le fameux F orange, avec écrit en dessous : «Fortier Industries vous souhaitent la bienvenue.»

C'était une journée chaude, avec seulement quelques nuages, de petits cumulus qui persistaient ici et là. Le soleil plombait ferme à travers ce ciel empli de particules provenant tout autant des activités de creusage des mines de sable et de calcaire que de l'usine à ciment. Alain fut décontenancé par ce territoire stérile et ce climat étouffant. Il était difficile d'imaginer qu'un complexe industriel puisse exister, comme ça, au beau milieu d'une nature aussi paisible. Il n'y avait aucun doute à avoir, comme Dean l'avait mentionné, la moitié du village travaillait pour Fortier Industries, et l'autre moitié dépendait du salaire de ces travailleurs: épicerie, garage et autres commerces de services.

Il avança la Honda prudemment sur le chemin, puis se stationna près de la maison entre un vieux Jeep Cherokee et un Ambassador noir de la fin des années soixante, une voiture de collection recouverte par près d'un centimètre de poussière de sable. Un bruit de porte le fit sursauter. En s'approchant de l'arrière de la maison, marchant dans le gazon long et jaune brûlé par le sable, il vit Sonia, debout sur une petite galerie de bois. Elle était vêtue d'une camisole blanche et d'une jupe de jeans qui laissait voir ses longues jambes rachitiques avec de grosses veines bleues sur sa peau plus jaune que blanche. Elle portait un linge à vaisselle sur la tête en guise de foulard. Un panier en osier à ses pieds, une longue cigarette au bec, elle retirait les vêtements d'une longue corde à linge qui s'étirait sur une cinquantaine de pieds jusqu'à un poteau de métal rouillé, planté au bout du carré de gazon jaune qui encerclait la maison.

Elle vociférait en secouant chacun des vêtements avant de les mettre dans son panier.

— Crisse de sable!

Alain attendit qu'elle ait terminé sa tâche avant d'apparaître au bout du balcon.

Il voulut dire bonjour, mais en fut incapable, comme si sa gorge trop asséchée par l'air sec n'arrivait pas à émettre le moindre son. Il entrouvrit simplement la bouche et agita la main.

Elle le regarda un moment, comme si elle avait affaire à un abruti, cherchant à retrouver dans sa mémoire qui cet homme pouvait être, elle qui en voyait des dizaines passer tous les jours. Puis, elle acquiesça en marmonnant quelque chose et mâchouilla sa cigarette. Quelque chose d'incompréhensible, étouffé par le vent, et qui ressemblait à « Salut, salut... ». Elle saisit son panier de lessive et rentra à toute vitesse dans la maison en faisant claquer la porte. Alain monta sur la galerie et la vit passer comme une ombre derrière la moustiquaire. Il l'entendit hurler d'une voix rauque et impressionnante.

– Réal, il y a quelqu'un !

Les deux pieds dans cette poussière de sable qui recouvrait la galerie au point qu'on n'en voyait plus les planches, Alain attendit. Il observa les quelques mètres carrés de pelouse qui s'entêtaient à pousser dans ces conditions arides. Toute la maison du maire Fortier était recouverte de cette poussière rougeâtre. Une brise chaude soufflait sur ce grand terrain à découvert où les arbres n'existaient pratiquement plus, sauf deux pins aux épines jaunes et aux troncs tordus. Deux camions chargés de sable approchaient depuis la carrière. Ils passèrent l'un à la suite de l'autre en faisant trembler le sol et en soulevant un immense nuage de sable rouge.

Appuyé contre le revêtement vert pâle, à côté d'un plat à crème glacée en plastique contenant des épingles à linge,

Alain vit un fusil de chasse. Au même moment, la porte de la maison s'ouvrit et Réal Fortier apparut sur le seuil. Il se soutenait de la main droite avec sa canne, son corps penchant d'un côté, appuyé sur le cadre de porte. Il regarda l'arme de chasse :

– Encore un .12. Ma femme laisse traîner ses bébelles un peu partout. On finit par s'habituer.

Puis un grand sourire apparu sous sa moustache, sur son visage à la peau foncée.

On pouvait voir, sur son visage plissé et sur tout son corps, les stigmates des années passées à travailler dur dans cette industrie lourde. L'homme n'était plus jeune, la soixantaine avancée. Si depuis longtemps il ne faisait plus de travaux manuels, il surveillait minutieusement ses affaires depuis cette tourelle où il tenait bureau avec vue sur sa carrière. Tous ceux qui travaillaient pour Réal lui étaient entièrement dévoués. On aurait dit une sorte de club privé pour initiés seulement, fonctionnant selon des codes bien précis, mais secrets. D'ailleurs, le chalet du club de chasse de la cimenterie, sur le bord d'un lac en haut de Forestville, ne s'appelait-il pas L'Union ? Deux fois par année, tous les employés partaient pour une partie de chasse à l'automne et une partie de pêche au début de l'été.

– *Team building!* avait dit Réal Fortier en avançant avec sa canne, tirant Alain par le bras dans un corridor de la maison, lui montrant des photos de son immense camp en bois rond et des magnifiques *bucks* qu'ils tuaient chaque saison.

Fortier avait un œil plus grand que l'autre. Et ce dernier s'agrandissait encore plus lorsqu'il mettait l'accent sur une phrase, un mot. Il vous fixait toujours dans les yeux, de cet œil presque fou, jusqu'à vous mettre profondément mal à l'aise. Alain, qui n'était pas du genre à s'obstiner à ce jeu, détournait immédiatement le regard, faisant mine de s'intéresser à autre chose. Le maire s'avança vers Alain à qui il serra la main en lui présentant son domaine, le pit de sable, la scierie et, plus loin derrière, au bout de cette autoroute de sable, la cimenterie.

– Tu vois, dit Réal, les grosses cheminées qui boucanent là-bas ? C'est mon four à *clinker*. Le sol est bon ici, mon garçon, c'est pas croyable. Les Appalaches pour les meilleurs cailloux et les *eskers* pour du sable à n'en plus finir ! Et du bon grès dont on extrait la meilleure silice pour en faire le meilleur ciment. On ne peut pas rêver mieux !

*

Dean était passé la veille, à son heure habituelle, une fois les travaux terminés, comme s'il attendait pas très loin le dernier coup de scie ou de marteau pour s'avancer. Une des grandes satisfactions du travailleur de la construction, et Alain l'avait appris très vite, c'est de s'arrêter en fin de journée et de prendre son temps pour apprécier l'avancement des travaux. La maison était redéposée sur sa fondation. Alain était satisfait par tout le travail accompli au cours des derniers jours et soupira de découragement en entendant un véhicule, reconnaissant au bruit du moteur *straight pipe*, sans catalyseur ni silencieux, un pur produit du parc automobile Morissette.

Alain n'avait pu résister à l'invitation, cette fois, et la soirée passée à pêcher la truite dans un ruisseau avait été plutôt tranquille.

Les deux gars, un peu chauds, à quatre pattes sous un petit pont de bois enjambant le ruisseau, retournaient des pierres à la recherche de vers de terre.

– Tu le voyais souvent, le bonhomme ? demanda Alain, alors que Dean s'était avancé à parler de Joseph.

– Non. La dernière fois, c'est l'hiver dernier. J'ai vu très peu de pistes. Si je me baladais sur ses terres, je faisais tout pour l'éviter. Il y a quatre ans, je l'ai croisé alors que je pistais un *buck*. J'ai à peine eu le temps de lever les yeux que je l'ai vu me tenant en joue au bout du sentier. Je me suis dit : « C'est pas vrai ». Ben, crisse, oui. Il m'a tiré dessus, le vieux sacrament.

Et Dean se mit à rigoler en mettant une poignée de vers dans une canne à tabac.

En d'autres circonstances, quiconque aurait tiré sur Dean Morissette l'aurait payé cher. Alain n'avait aucune difficulté à imaginer ce dernier, par une nuit sans lune, surgir à travers la fenêtre d'un salon, habillé en commando, revolver en main et grenades autour de la taille, et venir régler ses comptes. Mais un ermite vivant seul dans le bois pouvait s'attirer sa sympathie, même si cela impliquait de se faire tirer dessus avec une .303. Encore qu'avec Dean, la réalité et la fiction étaient parfois difficiles à départager. N'importe qui aurait rapporté l'homme à la police. Dean, lui, trouvait ça drôle.

Quand il eut cessé de rire, il s'alluma une autre cigarette, prit une gorgée de bourbon avant de tendre la bouteille à Alain et dit :

– On a assez de vers. On envoie les lignes ?

Le soleil qui tombait était caché par les arbres. Quelques rayons trouvaient leur passage en s'étirant en de longs traits sur la forêt, la route de gravier et le ruisseau. Au-dessus de leur tête, le ciel de juillet était d'une franche couleur violacée. Quelques résidences éclairaient plus loin. Ils n'avaient peut-être qu'une demi-heure de clarté devant eux, et ils lancèrent leurs lignes à pêche en laissant les cuillères et leurs appâts flotter dans le courant.

– J'ai croisé Paul et André, régulièrement, sur le terrain, dit Dean. Ils chassaient. Mais ils semblaient craindre le bonhomme encore plus que moi, et ils se tenaient à la limite de la rivière, ne s'approchant jamais du mont Manseau. T'imagines? Ton père, que tu ne vois plus depuis vingt ans, est un fou et vit dans une cabane sur la montagne derrière chez toi !

Alain eut une pensée pour Marc, son père. Il réfléchit à ces étranges relations qui se construisent trop souvent entre un père et son fils, entre des hommes un peu durs, silencieux. Tout ce qui doit être vient par l'action et chaque mot est vidé de sa substance d'un seul regard. Un cynisme sans nom, sans doute, quand la désillusion est totale; le propre de bien des hommes à qui il ne reste plus que le travail comme unique refuge. À un moment de sa vie, alors qu'Alain était tout jeune, Marc s'était laissé posséder par l'alcool. Il avait ce défaut d'être capable de fonctionner malgré sa consommation excessive, ce qui fait que ce genre de types meurent au fond du baril avant que l'idée même d'en sortir ne s'impose.

Lorsque son père était de retour le soir, Alain s'enfermait dans sa chambre. Le pas lourd de Marc résonnait sur le plancher de la cuisine de la petite maison de la Côte-de-Beaupré, tandis que son fils repassait ses leçons. Alain ne croisait son père que très rarement, et le fuyait plus qu'autrement. C'est avec un extrême malaise qu'il allait le voir au garage, peu avant de se rendre à l'école, quand il avait besoin d'une signature ou d'un peu d'argent de poche. C'était le seul moment de la journée où le misanthrope était quelque peu parlable, avant la prochaine beuverie. Alain le croisait si peu qu'il en était venu à le craindre, et paradoxalement, il devait prendre soin de cette relation puisqu'il en avait besoin comme allié face à sa mère, à l'école et à son travailleur social. Marc était un peu comme cet ermite vivant dans la montagne, que l'on croise au détour d'un sentier, émergeant de la forêt telle une créature improbable et devant laquelle on fuit.

— Tu leur parlais?
— Oui et non. On parlait gibier. Ils travaillent pour Fortier, je me tiens loin.
— Tu n'aimes pas Fortier.
— Réal Fortier est le maire, je ne l'aime pas, c'est comme ça. Même si c'était le gars le plus sympathique du monde, je voudrais rien savoir de lui. L'expérience m'a appris qu'une fois que tu as accédé à une quelconque forme de pouvoir, t'es un trou de cul. C'est comme ça, c'est la loi de la nature.
— Comment tu fais pour vivre ici?

Dean n'avait pas répondu. Il avait haussé les sourcils, comme si cette question était sans importance. Ici ou ailleurs importait peu, il était en mission. La vie ordinaire du monde ne le concernait pas, sinon pour le mettre en colère et le convaincre de poursuivre sur sa voie.

Alain ne l'aurait pas formulé ainsi, mais il devait s'avouer qu'il pensait un peu à la manière de Dean. Il y a quelques années, il s'était vu offrir un poste de coordonnateur pour un projet de publicité. C'était la première fois qu'on lui faisait une telle offre et il avait accepté. Au fur et à mesure que le projet avançait, qu'il avait des attentes envers les rédacteurs, secrétaires, graphistes et fournisseurs de toutes sortes, il s'était mis à avoir des soucis: il avait des attentes envers les autres. Son succès dépendait d'une équipe qui lui était subordonnée. Ainsi nourri par cette dépendance pour son propre accomplissement, il devint exigeant, autoritaire, et se transforma à peu près en ce que Dean nommait un «trou de cul». Après le dépôt du projet, on le félicita pour l'excellence du travail accompli et on lui offrit un autre contrat. Il refusa en demandant à s'occuper de rédaction uniquement. Il préférait nettement être de la matière première, qu'on dépende de lui en quelque sorte. Ainsi il différait très peu de son père, si ce n'était par l'éducation. Marc avait passé sa vie tout seul dans son garage à débosseler des automobiles. Personne qui tenait les cordons de la bourse en dépendant de lui pour la sienne ; pas de ce genre de rapport malsain que les affaires font naître entre les gens. Alain se méfiait des dirigeants de toute sorte et leur accordait très peu de valeur. Sans doute ces derniers sentaient-ils très bien le mépris dont ils étaient l'objet quand ils le rencontraient. Ils l'utilisaient un temps, mais se faisaient un plaisir de le jeter à la première occasion.

– Ce gars-là est arrivé ici nu-pieds, dit Dean. Avec pas une cenne dans les poches. Aujourd'hui, c'est le *kingpin* de la région.

Dean relança sa ligne, puis se mit à raconter ce qu'il savait sur le maire de Saint-Édouard.

Réal Fortier était arrivé dans la région en 1981. Originaire de Saint-Hubert sur la Rive-Sud, il s'était amené avec quelques amis pour fonder une commune appelée «Entre ciel et terre». Il avait acheté la maison qu'il habitait toujours aujourd'hui. Contrairement aux autres communes qui avaient fleuri dans le Bas-Saint-Laurent à une certaine époque, celle de Fortier était prospère. Et elle ne fonctionnait sous aucun principe de liberté ou de démocratie, mais plutôt sous le diktat de son chef. À cette époque, le futur maire de Saint-Édouard était une sorte de gourou pour les âmes perdues, il combattait les maux de la société avec une vie alternative. Mais ses valeurs douteuses et son obsession pour les jeunes femmes eurent tôt fait de lui mettre à dos une partie de la communauté de Saint-Édouard.

Très vite, il fut pris à partie par quelques familles : les Joncas, les Landry et les Manseau, entre autres.

Isolé, Réal Fortier se referma de plus en plus sur lui-même. Le côté sectaire et la violence avec laquelle il mena sa commune firent fuir la plupart des membres. Seul et marginalisé, Réal abandonna l'agriculture et ses rêves d'autosuffisance. Il se mit à vendre des voyages de sable qu'on trouvait en quantité sur les terres de la commune.

Il traîna sa bosse pendant plusieurs années, vendant du sable et du caillou dans toute la région. Puis, avec étonnement, on le vit s'engager dans la construction d'un complexe industriel, une structure immense s'élevant au beau milieu de la forêt. À force de creuser sa carrière, Réal Fortier avait trouvé un important gisement de silice. Le minerai d'une grande pureté était vendu à fort prix à des usines de fabrication de silicium, puis avec la balance et le calcaire qu'on trouvait en abondance, il s'était mis dans la tête de se construire un four pour fabriquer son *clinker* pour le ciment. Vivant pauvrement, il avait accumulé beaucoup d'argent, et son influence grandissait dans les différents milieux politiques. Il n'eut aucune difficulté à trouver du financement pour son projet. En quelques années seulement, Réal Fortier devint l'homme le plus important de la région. Peu à peu, on vit la commune se reformer autour de l'ancien gourou. Mais cette fois, ce n'était plus des hippies, joueurs de guitares, ou autres utopistes désirant changer le monde, mais plutôt des hommes et des femmes travaillant pour Réal, qui l'entouraient constamment, telle une escorte, une famille. Parce que Réal Fortier ne menait jamais ses affaires proprement. Et du gourou naturaliste d'autrefois qui n'hésitait pas à aller faire son épicerie tout nu en ville, par principe – et par provocation, bien sûr –, il avait gardé cette emprise sur les autres et ne tolérait en aucun cas la confrontation. Si bien qu'il prenait toujours les devants en envoyant en visite ses chauffeurs de camion, cow-boys et autres types louches qui vivaient à ses dépens. Plus Fortier gagnait en importance, plus les familles qui s'étaient opposées à la commune Entre ciel et terre se dissolvaient, vendaient leur maison et leur terre – à Réal Fortier, bien sûr –, puis quittaient la région.

– Mais il s'est passé quoi avec Manseau, exactement ?

– Je ne sais pas. La même chose qu'avec les autres, j'imagine. Réal achetait des terres alors que l'agriculture s'effondrait dans la région. Il a mis la main sur tous les secteurs d'économie. Ceux qui ne marchaient pas avec lui, ou qui s'étaient opposés à lui, se sont vu couper les vivres, ont été asphyxiés tranquillement jusqu'à ce qu'ils soient contraints de vendre. Avec un peu de persuasion aussi, on imagine. Tu comprends ? Dans la vie, il y a trois choses qui mènent le monde. Tout d'abord, l'argent. Et l'argent, aussi fort soit-il, a besoin de deux choses pour faire son trou : la santé et la religion. Si tu veux savoir qui mène, pense à cette Sainte Trinité avec Réal Fortier tout en haut et ses deux acolytes, le curé Prud'homme et le docteur Couture. Le reste, c'est juste du monde ordinaire qui mange de la marde.

– Et la femme ?

– Sonia ? Elle vient de débarquer dans le paysage. Fortier a toujours eu une fille avec lui. Mais celle-ci est quelque chose. Avant, t'avais deux ou trois cow-boys qui venaient te rendre visite quand tu devais de l'argent au maire. Là, il paraît que c'est Sonia qui passe te voir. Moi, j'aimerais bien devoir de l'argent au maire pour qu'elle s'occupe de moi, ajouta-t-il en souriant de ses grandes dents de cheval.

*

L'image de Dean riant aux éclats en énumérant toutes les cochonneries qu'il aurait aimé faire à la grande Sonia s'effaça peu à peu pour laisser place à la jeune femme qui se défila sur ses longues jambes déformées, en passant de la cuisine au salon dans l'ancienne maison de la commune Entre ciel et terre.

Alain suivit Réal Fortier qui l'invita à passer à son bureau. Ils déambulèrent dans un couloir étroit, adjacent à la porte avant, jusqu'à un grand escalier qui les mena à l'étage. Tout était poussiéreux dans cette maison, comme si le sable poussé par le vent trouvait toujours son chemin vers l'intérieur. Le vieux tapis qui recouvrait les marches était couvert de grains de sable et usé jusqu'à la corde. Tout en haut, ils bifurquèrent vers la droite. Fortier mena Alain à un autre escalier, celui-là plus petit, fait de contreplaqué sans finition aucune. Tout ce chemin à travers la grande maison qui, curieusement, n'offrait nulle part de pièces dignes de ce nom. Ni grand salon, ni cuisine, ni chambre ou salle à manger, rien qu'une multitude de petites salles et de corridors exigus avec des divisions curieusement agencées créant un véritable labyrinthe. Lorsqu'ils aboutirent enfin dans le bureau, Alain se demanda s'il serait capable de retrouver son chemin.

La tour offrait une vue surprenante sur la région, avec ses grandes fenêtres qui en faisaient le tour sur 360 degrés. On pouvait voir Saint-Léonce au nord-ouest, Saint-Édouard à l'est et le mont Manseau droit devant. Au sud-est, il y avait La Félicité, mais qu'on ne pouvait voir à cause du pic à Mailhot qui s'élevait à cet endroit. Le sud, à la frontière, était entièrement boisé. Aussi, depuis le bureau de Réal Fortier, on avait une vue spectaculaire sur le pit de sable, immense cratère lunaire, comme si une bombe de plusieurs mégatonnes avait éclaté en plein milieu de la forêt. Derrière, la cimenterie, avec les deux grandes cheminées de son «four à *clinker*», comme l'avait appelé Fortier, pour la fabrication de son béton d'appellation « Fortier Premium ».

Malgré le caractère hors du commun de cette tour d'observation, le côté délabré de cette pièce surprenait moins, surtout lorsqu'on avait visité la maison au préalable et qu'on voyait le peu de soin qu'apportait Réal à ses biens comme à lui-même. Tout était sale, vieux, *cheap*, mal entretenu. Quelques dossiers et un ordinateur portable traînaient épars sur le bureau. Sur un mur, il y avait un écran où l'on voyait en permanence quatre images de caméras de surveillance. Des images de la cimenterie, de la carrière de sable, de la maison et de la guérite plus loin sur le chemin.

– Vous prenez quelque chose à boire ? offrit Réal en s'assoyant à sa table

– Non merci, répondit Alain, je ne bois pas.

– C'est bien, ça, dit Fortier. Moi non plus, je ne bois pas. La boisson, c'est la misère. J'ai commencé à faire de l'argent le jour où j'ai cessé de boire. On dirait que l'argent n'aime pas l'alcool.

– Ou la gueule de bois.

– Oui, c'est ça ! La gueule de bois ! fit le maire en éclatant de rire. Il n'aime pas qu'on sente le fond de tonne. C'est bon ça, je la retiens.

– Et il vous parle, aussi.

– Oui, fit sèchement Fortier qui cessa aussitôt de rire. Ça, oui, l'argent nous parle. Il nous dit tout, tout ce que nous avons à savoir sur le genre humain, si nous savons l'écouter. Vous le savez aussi, n'est-ce pas, mon cher ami ?

– Oui, je le sais. Mais moi, je ne l'entends pas.

– Ah bon ! Ces propos me surprennent, de la part d'un des plus grands propriétaires terriens de la région.

Cette pointe d'ironie n'échappa pas à Alain.

– Ou plutôt, non, poursuivit Réal. Peut-être ne devrais-je pas m'en surprendre compte tenu du prix que vous avez payé.

– Vous savez combien j'ai payé pour le lot?

– Bien sûr, oui. Qu'est-ce que vous croyez? Un maire connaît ce genre de chose. Je connais toutes les terres à vendre de la région.

– Vous n'avez jamais pensé acheter celle de monsieur Manseau?

– Non, non... Enfin, j'ai acheté la ferme il y a une vingtaine d'années pour faire plaisir à la belle Louise. Mais la montagne a toujours été sans intérêt pour moi.

Il mentait. Alain le sentait bien. En fait, il ne doutait pas que Réal Fortier s'était essayé à plusieurs reprises pour acheter la terre, et qu'à chaque fois Joseph l'avait envoyé paître. Du moins était-ce la lecture qu'il pouvait faire de la paranoïa du bonhomme Manseau qui voyait les hommes de main du maire partout, tapis dans la forêt, attendant la bonne occasion pour le tuer. La rencontre d'aujourd'hui était une confrontation, à n'en pas douter.

Fortier sortit un dossier qu'il déposa sur son bureau puis consulta l'ordinateur devant lui, mettant sur le bout de son nez attaqué par la roséole des lunettes de lecture aux verres si graisseux qu'on se demandait comment il pouvait voir à travers.

– Vous vouliez me rencontrer? dit Alain au bout de longues minutes où Réal ne s'occupait plus de lui et semblait figé devant l'écran.

– Oui, excusez-moi... Toujours ces courriels qui entrent à la minute. Avant, on n'avait pas ce genre de problème. On ouvrait les enveloppes le matin, on lisait son courrier, et on pouvait travailler tranquille. Maintenant, c'est: «Ding! ding! ding! Truc Machin-Chose a quelque chose à vous dire.»

Il fallait le temps pour écrire une lettre, il fallait que ça soit important. Maintenant, ça défile, les conneries. J'ai jamais rien vu de plus insignifiant qu'Internet.

– C'est quand même utile pour la recherche d'informations.

– Oui, dit Réal en clignant de l'œil. Je sens qu'on va bien s'entendre.

Cette dernière phrase ne voulait rien dire. Mais ce «oui» accompagné d'un clin d'œil laissait présager que Fortier avait fait toute la recherche nécessaire sur Alain.

– Saint-Édouard-des-Appalaches..., fit Réal. Jusqu'à tout récemment, la municipalité répondait au nom de Saint-Édouard-de-Colton. Mais j'ai pensé la renommer pour favoriser le tourisme. Vous vous plaisez chez nous?

Il avait de bonnes raisons de détester son séjour à Saint-Édouard-des-Appalaches depuis ces derniers jours. Mais il y avait la terre. Et le travail. Et bien sûr sa ligne électrique à 92 000 dollars... Il s'accrochait à cela, plus que tout : au nouveau sens qu'il donnait à sa vie, au péril même de celle-ci, s'il le fallait... Il devait trouver le moyen de passer le message, mais surtout ne pas tomber dans les mauvaises grâces du maire.

– Oui. Je suis très heureux ici.

– Bien, bien, fit Fortier en essayant de sourire avec son visage grimaçant.

Il se leva droit sur sa chaise, se retourna en faisant un pivot surprenant sur une seule jambe, puis s'avança de son pas boiteux jusqu'à la grande fenêtre derrière lui. On voyait le sable accumulé sur le rebord de bois. Derrière la cime des arbres, les grandes cheminées de la cimenterie crachaient au beau milieu de cette nature perdue une fumée blanche qui montait haut dans le ciel bleu parsemé de petits cumulus, jusqu'à ce qu'un courant d'air la fasse courber vers l'est, suivant le grand couloir naturel que formaient le fleuve Saint-Laurent et les Appalaches.

On voyait nettement le fond de culotte usé sur le vieux pantalon gris du maire Fortier. Sa veste de laine bourgogne avait des coudes plusieurs fois rapiécés. Un homme qui devait être si riche, avec toutes ces entreprises satellites qui gravitaient autour de lui, et qui s'habillait de la sorte, avec les cheveux gras et la barbe mal rasée, ne pouvait être qu'un affreux avare. Il avait tout du Séraphin de Grignon, si ce n'est cette intelligence, non seulement des affaires mais aussi des hommes. Un certain raffinement – Réal Fortier et raffinement, un oxymore ici – le poussait à des réflexions éclairées sur la vie et les hommes, mais toujours teintées d'un pessimisme noir et cynique. Cet homme avait beaucoup lu, on ne pouvait en douter. Il avait étudié aussi. En fait, quand Alain le regardait, il avait l'impression de revoir un peu Joseph Manseau, et sans doute lui-même aussi. À l'exception que Réal Fortier était immensément riche et puissant, et comme toute personne qui a un trop fort ascendant sur les autres, il était devenu obsédé par lui-même : gourou sectaire ou plénipotentiaire régional.

Sa grande force, celle qui lui faisait dominer tout le monde, était cette manière détournée qu'il avait de lancer les discussions avant même qu'elles ne soient avancées par la partie adverse, lui donnant l'air d'avoir une intuition hors du commun et un statut presque de devin – sa fortune et sa position de politicien lui donnaient un accès privilégié à l'information. Bon comédien, il le faisait de la façon la plus naturelle qui soit. Mais peu importe la nature des échanges, l'homme voulait vous faire savoir qu'il savait tout sur vous. On se soumet plus facilement lorsqu'on se sait ainsi exposé. Alain, lucide, observa ce manège distinctement lorsque le maire de Saint-Édouard commença à lui parler de l'érablière qu'il y avait autrefois sur ses terres et qu'il avait dû raser en entier pour pouvoir exploiter la silice et le sable.

— J'ai coupé les arbres moi-même au volant de l'abatteuse, et je vous jure, monsieur Demers, que j'en ai pleuré. Avec un territoire sablonneux comme le nôtre, on comprend l'importance que joue la matière ligneuse dans le renouvellement des sols. Jadis, les bûcherons coupaient tout à la main, on ne récoltait que le bois mature ou malade. Aujourd'hui, on piétine tout avec des machines, rendant le sol dur comme du béton. Ensuite, on récolte tout jusqu'à la moindre feuille pour faire des panneaux de fibres agglomérées, du papier, du gaz et même du tissu... Ici, un coup de vent, et il n'y a plus que le sable et plus rien ne pousse. La terre a besoin de la matière organique pour se régénérer.

Il avait dit cela en passant son doigt sur la vitre de la fenêtre comme s'il essayait nonchalamment d'en déloger la poussière de sable, de l'autre côté. Puis il fit un dessin qui ressemblait à un soleil et à un arc-en-ciel, un peu comme ce vieux panneau qui traînait sur le terrain de la maison et qui datait de la commune qui avait autrefois existé sous l'égide de Réal Fortier.

— À un moment donné, j'ai décidé de prendre mes responsabilités face à la communauté. J'ai vu mon entreprise fleurir et j'ai vu comment les gens sont devenus bons pour moi. L'économie est la responsabilité des gens comme moi. J'ai réussi en affaires, je suis un guide, un berger, un arbre. Je dois être florissant pour que ceux qui sont autour de moi récoltent les fruits. Je ne peux plus les abandonner. Les gens me voient comme un homme puissant, qu'ils devraient craindre, alors qu'en vérité je suis leur esclave, vous comprenez ? Je ne me bats plus contre la nature humaine. J'ai cru autrefois qu'on pouvait la changer. Maintenant, j'ai décidé de la célébrer, de la faire vivre. Voilà ce que ça donne.

Et il désigna par la fenêtre, ses deux mains ouvertes devant lui, telle une offrande, sa terre de sable et de poussière.

Ainsi, il se voyait comme un martyr, un arbre nourricier au pied duquel les citoyens venaient se sustenter. Tel était le destin du puissant. Ce discours ne surprit nullement Alain qui avait observé ce manège à tous les niveaux de la société. La mauvaise foi des gens riches, drapés dans leur vertu et leurs bonnes intentions, l'avait toujours dégoûté. Il en avait maintenant une expression poétique devant lui, en une vision glauque et noire de ce que sont les hommes. Réal Fortier était l'incarnation parfaite de cet individualisme nourri de mysticisme qui a quitté le terrain de la raison depuis longtemps.

Le maire s'était retourné vers Alain et l'observait de son regard d'illuminé, de cet œil plus grand que l'autre accompagné de ce rictus sur le côté gauche de son visage : une grimace autant qu'un sourire, sur ce visage mal rasé à la peau foncée.

— Ça ne vous semble pas un peu stérile pour le futur ? lui demanda Alain qui voulait couper court au malaise qu'il ressentait à se voir scruté de la sorte comme un garçon que voudrait dévorer un ogre.

— Foutaise ! Le futur n'existe pas, mon cher monsieur. L'histoire est une invention de socialistes : voyez Marx, Hegel et les autres. Il n'y a que le présent qui compte et c'est ce que l'on fait de notre présent qui fait la suite. Vous comprenez ? Rien d'autre.

— Oui, mais il y a bien une suite... Vous avez des enfants ?

— Je n'ai pas d'enfants. Je ne peux pas en avoir et j'en aurai pas. Mes enfants, ce sont mes contemporains. Mon héritage est dans ces piliers de béton encore frais qui s'érigent à la grandeur du pays et sur lesquels on inscrit mon nom : « Fortier ».

— Je ne voulais pas vous choquer. Désolé d'avoir amené le sujet.

— Ne vous excusez pas. J'aime ma vie.

Le maire ouvrit le dossier devant lui, le fit pivoter et le glissa devant Alain. C'étaient des photos prises dans une demi-obscurité : des machines dont on ne comprenait trop la nature de prime abord.

— J'ai toujours les bouilloires, dit Réal, la tuyauterie et l'équipement pour le vacuum. C'est un peu désuet, mais si ça vous intéresse, je peux vous les vendre pas cher. Sinon, je peux vous trouver un filtre à osmose inversé, mais ce sera plus cher.

— Euh... oui, je pense que ça m'intéresse.

— Très bien. J'enverrai René vous les porter. Vous le connaissez, je pense.

— René ?

— Mon chauffeur. Il a livré le béton chez vous, l'autre jour.

— Oui, oui... Sympathique.

Alain avait dit ce dernier mot par simple politesse. En l'entendant, Réal Fortier ne put retenir un léger sourire accompagné d'un spasme nasal suivi d'une forte expiration par le nez, comme si ce René pouvait être qualifié de tout, sauf de sympathique.

Alain ne se savait pas si près d'un achat pour la cabane à sucre, qu'il devait rénover bien avant d'y entrer un équipement pareil. Faire les sucres, il ne savait à peu près pas ce que ça voulait dire. Mais, en achetant la bouilloire, peut-être essayait-il de se faire un allié du maire, en quelque sorte, ou du moins d'acheter une certaine paix, lui qui avait été échaudé au cours des derniers jours ? Du moins, pensait-il, son acceptation par la communauté passait certainement par les bonnes relations qu'il entretiendrait avec le maire. Et surtout pas en fréquentant ce paria de Dean Morissette.

— Vous avez l'intention de contester ? demanda Fortier en relançant la conversation de nulle part, comme il le faisait toujours, avec une idée derrière la tête.

— Pardon ?

— Voyons, mon ami, ne me la faites pas à moi. Vous allez contester, n'est-ce pas ?

— Euh, oui, bien sûr, finit par répondre Alain qui comprit où le maire voulait en venir.

Après l'aparté sur le sirop d'érable, Fortier lui parlait de cette fameuse taxe de bienvenue.

Les 32 200 dollars que réclamait la Ville semblaient nettement exagérés à Alain. Le maire sourit en mettant ses lunettes sur le bout de son nez. Il avait déposé un nouveau dossier sur la table, étonnement volumineux. Il n'avait visiblement pas invité Alain pour rien et le prenait de court sur tout.

— C'est une terre zonée agricole, vous le saviez ? Dans la région, une bonne terre peut se vendre jusqu'à 10 000 dollars l'hectare. Nous avons évalué la valeur de votre terrain à 4 000 dollars l'hectare. Avouez que nous avons été conciliants.

— C'est nettement trop. C'est une terre à bois, à l'abandon.

— Peut-être... Peut-être... Mais les terres à bois se donnent de moins en moins. Il y a du beau bois à vendre là-dessus, vous le savez autant que moi. Il y a des arbres, en quantité, d'une valeur inestimable. Et la production de sirop d'érable ? Vous prévoyez une exploitation de quoi ? Ce sera 3 000 entailles demain matin, avec 10 000 potentielles à moyen terme et 25 000 à long terme. Sans compter ce qui pourrait se trouver en dessous.

– Je vois que vous connaissez bien le terrain.

– Oui, monsieur Demers, je connais chaque parcelle de cette municipalité. C'est mon devoir en tant que maire.

Alain aurait pu ajouter, rien qu'à voir le langage corporel de son interlocuteur, que ce dernier aurait bien aimé mettre la main sur chaque parcelle, justement. En quelques mots, Fortier s'était répandu. Et on savait tout de suite quels seraient les enjeux à venir. Alain eut un certain frisson en l'entendant parler de la terre Manseau, de ses arbres centenaires, et de ce qu'il y avait en dessous. Il n'était pas sûr d'avoir bien entendu.

– Vous savez, monsieur Fortier...
– Appelez-moi Réal.
– Vous savez, Réal, que la cabane à sucre n'a pas fonctionné depuis cinquante ans, à peu près...
– Quarante.
– OK... Quarante. Et elle est en totale désuétude.
– Je veux bien vous croire, mais vous venez tout juste d'acheter du matériel pour l'exploitation acéricole. On ne peut se tromper sur vos intentions. N'est-ce pas ?

Alain demeura parfaitement interdit en entendant cette dernière phrase. La vieille maison et le bureau du maire juché dans sa tour tremblèrent au passage d'une grosse bétonnière qui quittait la cimenterie. Le soleil se retrouva caché derrière la poussière de sable, et par les fenêtres, le paysage découpé par la crête des épinettes et les deux cheminées prit une teinte ocre agressive. Le maire venait-il de lui poser un piège aussi grotesque que ridicule ? Il n'aurait su le dire. Il recula sur sa chaise et Fortier éclata de rire en déposant ses lunettes sur son bureau. Il le fixa de nouveau d'une manière insistante, avec ce gros œil sur ce faciès crispé. On voyait la peau de ses coudes dépasser par les trous qu'il y avait dans sa veste bourgogne.

— Je vous taquine, l'ami. Faut savoir s'amuser dans la vie. N'est-ce pas ? Et à combien vous estimez la valeur de ce terrain à l'hectare ? fit-il en sortant une calculatrice et en pitonnant. Ça vous irait, 1000 dollars ? Ça nous ferait... 8 680 dollars de taxe de bienvenue, ce qui est autrement plus raisonnable, n'est-ce pas ? Pour une valeur de 562 000 dollars. On s'entend là-dessus ?

Après ce montant exorbitant que lui avait coûté l'électricité, son compte en banque s'était atrophié de façon spectaculaire. Lui qui, il y a quelques mois, regardait l'avenir avec confiance, voyait des problèmes monétaires se pointer à l'horizon. Il devait trouver un moyen de financer son projet. Il pouvait certainement acquitter le montant demandé par le maire. Mais il ne lui resterait plus qu'une dizaine de milliers de dollars pour survivre. Aussi, il affirma que l'évaluation du terrain lui paraissait encore exagérée et fit savoir à Réal Fortier qu'il n'était pas satisfait.

— Vous savez, monsieur Demers, le montant que vous avez payé pour le terrain de Joseph... Je m'en voudrais de vous taxer là-dessus. Ce serait injuste pour mes concitoyens. Nous sommes une petite communauté, pas très riche. Tout le monde doit faire sa juste part.

— Je comprends. Mais j'ai trop d'investissements à faire : la maison à refaire, l'érablière, des chemins à ouvrir. Cette terre ne peut valoir 500 000 dollars. Impossible.

— OK, OK, fit le maire en soupirant. Très bien alors. Nous tablerons sur une évaluation de 22 500 dollars. Ce qui vous ferait une taxe de 250 dollars. Ça vous irait ?

— Je n'en demande pas tant.

— C'est ce que vous avez payé, n'est-ce pas ?

— Oui, bien sûr...

— Alors, ça vous ira ?

— Oui, mais...

— Vous payez par chèque ?

– Oui.

– Voilà, dit Fortier, tandis qu'Alain signait son chèque au montant entendu. Si je le fais, c'est parce que j'ai confiance. Les jeunes comme vous, qui viennent s'installer en région, comme je l'ai fait à l'époque, avec de bonnes idées et de la volonté, nous avons le devoir d'encourager ça à Saint-Édouard. Notre économie en a besoin.

– Je vais faire tout en mon pouvoir pour être à la hauteur de cette confiance que vous me témoignez, monsieur le maire.

– Bien, très bien, fit celui-ci en jouant de son gros œil.

Fortier se saisit des photos du matériel acéricole, sortit un talkie-walkie du tiroir de son bureau, puis se leva de sa chaise. Il marcha de long en large, en tenant l'appareil d'une main et en agitant les photos comme un éventail.

– René? C'est Réal. Tu peux livrer l'équipement pour faire du sirop dans le 6e Rang? Oui, chez lui. Je sais pas, dépose-le devant la maison. La dernière fois que j'ai vu les *hoses* et le *boiler*, ils étaient dans l'entrepôt n° 3, derrière la cimenterie. Il devrait y avoir une pompe à vacuum, aussi. La canneuse doit pas être loin. Ça ne vous dérange pas s'il y a un peu de poussière? fit Fortier à l'adresse d'Alain.

– Non...

– Pas besoin de nettoyer, ajouta-t-il en poursuivant la conversation avec son chauffeur. OK, merci, René. Oui, je te tiens au courant s'il y a du changement.

Puis, Réal Fortier s'approcha d'Alain par-derrière et lui remit les photos.

– C'est à vous maintenant. Ça fera 5 000 dollars pour l'équipement. Vous payez toujours par chèque? En argent, vous sauvez les taxes.

*

Vers la fin de l'après-midi, Alain transféra ses outils de la cuisine au balcon. La consolidation du plancher autour de la cheminée avait été une activité laborieuse, avec ces planches qu'il fallait découper en suivant le contour des pierres et du mortier. Malgré l'heure avancée, et les mouches noires qui l'assaillaient par centaines, il s'était entêté à poursuivre le travail, jusqu'à la nuit tombée s'il le fallait. Non pas qu'il y eut la moindre urgence. Les échéanciers n'existaient pas dans le 6e Rang. Mais il trouvait dans le travail une manière d'amarrer son esprit qui divaguait un peu trop lorsqu'il s'arrêtait. En symbiose de corps et d'esprit avec ces bouts de planches qu'il fallait renforcer, cet ancrage qu'il fallait visser, ou cette pierre qu'il fallait tailler, il évitait ainsi de se laisser envahir par ses angoisses qui le prenaient sitôt que la dernière bouchée de son souper était avalée et que se pointaient ces longues heures qu'il aurait à passer tout seul avec lui-même.

Il besognait nonchalamment, laissant le temps filer et dégustant quelques Grolsch bien froides qu'il était allé chercher spécialement à Montmagny, incapable d'en trouver dans les épiceries du coin, et qu'il conservait précieusement sur la tablette du bas de son nouveau réfrigérateur. Le temps était humide, une pluie fine tombait en un léger crachin de ce plafond nuageux très bas.

Cette impression qu'il s'était fait avoir par le maire était difficile à chasser et le tourmentait même après plusieurs jours. Il se consolait en pensant qu'il avait fait baisser les enchères de 8 685 à 5 250 dollars, et qu'il était reparti avec un équipement complet pour amorcer sa première production de sirop d'érable le printemps prochain. Il s'était informé.

Une formation en acériculture se donnait dans le comté de Montmagny-L'Islet.

Il n'était pas malheureux de se retrouver ainsi au pied du mur. Vivement que toute cette saloperie d'argent soit dépensée, pensait-il.

– La vraie vie commencera le jour où j'aurai gratté chacun des sous de mon compte en banque et que je n'aurai plus qu'à compter sur moi et ma terre à bois pour survivre.

De toute façon, c'était inéluctable. Dans deux semaines, six mois ou un an.

Une fois le dernier dollar dépensé, le souvenir de son condominium au centre-ville et de sa vie avec Audrey serait aussi oublié. Il n'aurait plus devant lui que le défilé des choses qui étaient – et celles qui seraient – bâties sur les nouvelles fondations qu'il venait de faire couler avec du «Fortier Premium».

Il en était à sa troisième bière, des canettes de 500 millilitres, et sa tête commençait à dériver lentement. Mais le tourment qu'entraînaient les mouches noires était plus vif que celui qu'essayait d'imposer son esprit, et elles le ramenèrent très vite à l'essentiel. Il agita les bras, exaspéré, et en écrasa une douzaine sur son visage. Il soupira en regardant à ses pieds la vieille bouilloire, déposée à côté de la grosse génératrice diesel qui moisissait là depuis son arrivée à Saint-Édouard. Il y avait longtemps qu'elle n'avait pas vu la moindre goutte d'eau d'érable. Dean était passé la veille au volant d'un jeep militaire qui datait de l'époque de la guerre de Corée avec deux grosses étoiles blanches sur les portières comme dans un film de G.I. Joe.

– Tu t'es fait fourrer, en tabarnac, dit Dean en voyant la bouilloire.

– Merci.

– Ça se répare. Je vais passer avec la soudeuse, demain. On va s'occuper de ça, mon Al.

– Tu soudes l'inox ?

– Oui, oui... Pas de trouble. C'est du *stainless* ?

Alain l'invita à laisser tomber, mais Dean insista comme toujours. Mais pourquoi s'en faire, vraiment ? Puisque, de toute façon, il ne s'était pas présenté avec sa soudeuse et ne se présenterait probablement jamais.

La bruine avait fait place à une pluie véritable, qui gagnait toujours en intensité. Le toit coulait. La prochaine étape de ses travaux devait être impérativement la réfection du toit. Il faudrait sans aucun doute remplacer les vieilles planches sous le revêtement par du contreplaqué. Il y aurait peut-être des poutrelles attaquées par la pourriture qu'il faudrait changer. Il hésitait entre les bardeaux d'asphalte ou la tôle ondulée. Cette dernière était plus chère mais préserverait le cachet de sa chère maison. Et puis, il avait appris à aimer le bruit de la pluie sur la tôle.

Il se parlait à lui-même depuis un bon moment en se regardant dans ce vieux miroir qu'il avait appuyé sur le manteau de la cheminée. Il avait perdu du poids. Sans doute à cause de tout ce travail physique et de son alimentation un peu déficiente. Par contre, un petit ventre de bière avait poussé. Sa barbe, très foncée, était longue. Il enleva son t-shirt et massa ses épaules osseuses, mais à la musculature nerveuse. Il se trouvait bien ainsi, il aimait sa nouvelle gueule – même si n'importe qui l'ayant connu autrefois aurait pensé qu'il était devenu une loque. Mais déjà, Alain n'aurait su dire à quoi il ressemblait avant. Sur son épaule droite, il y avait une vilaine meurtrissure qu'il s'était faite le matin même.

Ce matin-là, très tôt, alors que le soleil était à peine levé, sa marche matinale l'avait mené jusque chez les enfants Manseau. Il s'était levé à l'aube avec l'intention de faire un peu de bois de chauffage avant de commencer ses travaux de menuiserie. Il avait emporté sa scie à chaîne pour couper un peu de bois mort qu'il débitait en chemin et qu'il empilait çà et là sur son terrain.

C'est un plaisir intense que procure la scie mécanique qui hurle au fin fond des bois, tandis que les dents de la chaîne qui roule à toute vitesse mordent dans un tronc d'arbre. À ce bruit du moteur se mélange le parfum des vapeurs d'essence, d'huile à chaîne et des copeaux de bois fraîchement coupés. Et tandis que le moteur ronronne, déposé sur le sol encore humide de la dernière pluie, vient aussitôt le fracas de l'arbre qui s'écrase lourdement sur la terre. S'ensuit la pluie des feuilles qui tombent lentement sur celui-ci, comme un dernier hommage funèbre. Puis il y a la scie qu'on arrête et le silence parfait de cette forêt encore sous le choc. On respire l'air frais en fermant les yeux. Puis, peu à peu reprennent le chant des oiseaux et tous ces petits bruits qui font la quiétude réconfortante des boisés.

Mais alors, après de longues minutes à attendre, la scie à chaîne éteinte entre les mains, Alain n'entendit pas les oiseaux. Il y avait seulement le bruit agaçant de quelques mouches à chevreuil qui lui bourdonnaient autour de la tête. Il tourna lentement sur lui-même en observant attentivement les alentours. Quelque chose capta son attention. À une cinquantaine de mètres environ, parmi un groupe de conifères qui formaient une masse opaque, il vit une ombre qui se déplaçait. Et entre les branches de sapin émergea un homme.

Celui-ci portait une casquette camouflage, comme celle des chasseurs. Il semblait chercher quelque chose et avançait en écartant brutalement les branches, en faisant beaucoup de tapage. Sur son épaule gauche, en bandoulière, il y avait une carabine. En le voyant marcher dans sa direction, Alain se jeta sur le sol, derrière un arbre, et heurta violemment son épaule contre une racine en saillie. Il serra les dents en contenant sa douleur, le nez dans l'herbe. Les pas lourds de l'homme résonnèrent contre le sol, écrasant branches et feuillages. Puis tout s'arrêta. L'homme avait tourné les talons et il disparut par où il était venu. Sans attendre, et sans égard au danger, Alain se remit sur pied et le suivit.

Il avait d'abord craint un milicien de la M.U.P. Mais à voir l'allure de celui qu'il traquait (trapu, épaules rondes, hanches plutôt larges – une silhouette qui rappelait certainement Joseph), et surtout cette barbe, il eut la conviction que ça ne pouvait être que Paul ou André Manseau. Il le suivit en marchant à pas feutrés, autant que faire se peut en forêt, en gardant une distance. Sitôt qu'il l'apercevait de trop près au détour du sentier, il se retirait dans le bois et attendait qu'il s'éloigne. Au bout d'une quinzaine de minutes de marche, il se retrouva en terrain découvert, devant la grande mine d'ardoise qui marquait la limite de son terrain et dont le cratère partait de la montagne pour former une immense brèche à même le champ en friche.

L'homme qu'il poursuivait avait traversé la carrière jusqu'à une saillie d'arbres, un petit boisé qui cachait la maison Manseau. Lorsqu'il fut hors de vue, Alain s'y glissa à son tour. Entre les petits troncs des faux-trembles, au loin sur la terre en friche, avançant sur un chemin boueux, il vit son marcheur qui rejoignait nonchalamment la grande maison délabrée dont il monta les marches quatre à quatre avant de disparaître par la porte.

Alain s'avança à découvert en marchant d'un pas incertain. Une grande nervosité montait en lui, à mesure qu'il approchait de la maison. Les sons distinctifs d'une chaise berçante et du craquement régulier des planches vinrent à ses oreilles. Il se dirigea vers le garage, seule dépendance de cette ferme qui fût encore debout, où il fut accueilli par un matou dans un sale état. L'animal se frotta affectueusement entre ses jambes en ronronnant tandis qu'il observait, appuyé contre un mur, la chaise qui allait et venait sur la galerie avant. Le chat le quitta pour longer le solage de pierres, avant de sauter sur la galerie d'un bond agile et de disparaître entre les deux bandes latérales incurvées de la chaise.

Il suivit les traces du félin. Sur le balcon, devant lui, Marianne Manseau se berçait, comme la dernière fois, donnant l'impression qu'elle n'avait jamais bougé de là. Sur sa robe de coton, elle tenait un foulard de laine bourgogne avec de larges bandes jaunes aux extrémités. Ses petites lèvres crispées bougeaient à toute vitesse. Elle prononçait encore ces mots incompréhensibles en faisant des petits sons aigus et des claquements de langue. Malgré ses yeux à moitié fermés et ses paupières enflées et rouges, Alain sentit qu'elle l'observait. Il grimpa et se glissa jusqu'à elle. Mais il la vit s'énerver et regretta son geste. Lorsqu'il voulut redescendre, il comprit clairement, à travers un défilement de mots :

– Il fait froid sur la montagne, mon papa.

Elle avait cessé son mouvement de balancier et s'était penchée en avant en tendant le foulard dans sa direction.

Incapable de répondre quoi que ce soit, il allongea seulement le bras pour prendre le foulard qu'elle lui tendait. Il sentit la vieille laine rugueuse du bout des doigts. Il aurait aimé parler, mais ne savait que dire. Et il sourit simplement.

Son regard se baladait sur ce qui avait dû être autrefois une ferme magnifique. Il essayait d'imaginer de quoi cela avait eu l'air, il y avait trente, quarante ou cinquante ans, avec les champs cultivés, les animaux, le verger rempli de fruits, le tracteur, les enfants sur la charrette à foin et les feuilles rougissant sur le mont Manseau derrière.

Il était agenouillé à côté de la chaise berçante de Marianne lorsque la porte avant s'ouvrit. Un homme apparut sur le balcon en faisant résonner ses bottes à bout d'acier. Ce n'était pas celui qu'il poursuivait tout à l'heure. Celui-ci était plus grand, mais toujours avec ces hanches larges distinctives. Sa chevelure était noire, semi-longue et lui descendait sur le cou. Son teint était foncé et il portait une moustache. C'était Paul, l'aîné.

En voyant Alain agenouillé près de sa sœur, il figea. Sa bouche s'entrouvrit lentement tandis qu'il dévisageait le résidant de la montagne. Puis il dit sèchement :

— Qu'est-ce que tu fais là ?
— Je... Je marchais et j'ai abouti dans la mine derrière. J'ai pensé venir me présenter.

Paul Manseau sourcilla.

Il devait avoir une dizaine d'années de plus qu'Alain. Il avait une pilosité forte. Sa barbe, qu'il rasait, lui montait presque sous les yeux. Son front haut était surmonté par de gros sourcils qui se rejoignaient au-dessus de son nez. Il s'assit sur un banc, près de sa sœur, sortit une pochette de tabac et se roula une cigarette.

— Je m'appelle Alain Demers.

Paul alluma sa cigarette et acquiesça de la tête comme pour signifier qu'il le savait. Puis il fuma sans dire un mot.

Le silence s'éternisa.

Mal à l'aise, Alain se laissa glisser sur le sol et salua discrètement de la tête. Il n'avait pas fait deux pas qu'il entendit Paul lui dire :

— T'es venu avec le grand Morissette, l'autre jour ?
— Oui. Je me suis fait voler les roues de mon auto.

Paul Manseau détourna le regard, sans rien dire. Mais son silence était éloquent. Alain ne lui demanda pas qui avait tenté de l'écraser l'autre nuit : il venait de voir, à côté du garage, le gros pick-up avec des *roll bars* surmontés de phares antibrouillard.

*

Juillet fut très sec.

Alain avait commencé les divisions de la salle de bain et les travaux de plomberie allaient suivre. Une fosse septique, trouvée dans le dépotoir de Dean, était prête à être installée. Il ne manquait que le trou. C'est pourquoi il avait prévu, en avant-midi, une visite chez le maire de Saint-Édouard. Il en profita pour faire un stop à l'épicerie ramasser quelques provisions.

La jeune caissière n'était pas là, ni Martin Duchesne qu'on voyait d'ordinaire en tout temps. C'est monsieur Duchesne père qui se leva de son La-Z-Boy et qui traversa la pièce de la maison adjacente à l'épicerie pour venir servir Alain. Le vieil homme, dont la vue était déficiente, ne le reconnut pas tout de suite. Lorsqu'il leva la tête pour annoncer le montant à payer, l'expression placide sur son visage changea et ses yeux s'écarquillèrent.

— Tu es le nouveau résidant de Saint-Édouard, celui qui a acheté la montagne de Joseph ?
— Oui
— Je le connaissais bien, Joseph. On dit que tu es en train de refaire la maison ?
— Oui.
— De gros travaux à ce qu'on raconte.

Alain acquiesça de la tête. Il se sentit rougir comme un gamin. Ça lui faisait plaisir qu'on sache et reconnaisse ce qu'il faisait.

— J'ai connu Joseph avant ses malheurs et sa maladie. C'était un homme qui avait un bon cœur. Il aurait apprécié ce que tu fais.

Alain acquiesça de nouveau, en soupirant cette fois. Il ne savait que dire, quoi exprimer. Mais cette discussion lui faisait le plus grand bien. Cette bénédiction de Joseph, que lui assurait monsieur Duchesne, faisait disparaître un poids énorme de ses épaules et il en remerciait le vieil homme du regard. Un sourire se déploya sur son visage d'habitude impassible et taciturne, et ses yeux devinrent tout humides. Une trop longue solitude l'accablait, il s'en rendait compte. Et la moindre sollicitude le mettait dans tous ses états. Cela n'échappa pas à monsieur Duchesne qui sourit à son tour en ajoutant d'un ton bienveillant :

— Et où en es-tu avec ces travaux ?

– J'allais chez Réal Fortier louer une pelle mécanique, dit Alain.

– Ah! Réal..., fit monsieur Duchesne. Difficile de passer à côté, n'est-ce pas?

– Oui. Il semble impossible à éviter, quoi qu'on fasse.

– Tu me fais penser à lui.

– Réal?

– Non. À Joseph. Méfie-toi de Fortier, mon ami.

Monsieur Duchesne souriait toujours, mais son regard était devenu d'une gravité troublante. Il allait ajouter autre chose, mais se tut. Un client venait de faire son entrée. Ce dernier, en reconnaissant Alain, passa par le tourniquet qu'il poussa vivement, puis contourna la caisse d'un pas alerte. C'était Claude Prud'homme, l'étonnant curé de la paroisse.

– Bonjour, tout le monde! dit le curé. Monsieur Demers, c'est un plaisir de vous revoir!

Il tendit une main qu'Alain serra. La poigne du prêtre était énergique et sa grande bouche souriait démesurément sur sa petite tête ronde.

– Comment ça va, Albert? fit-il à l'adresse du vieil épicier.

Le vieux grommela quelques mots incompréhensibles puis se retira par la porte de la maison adjacente au commerce.

– Pauvre Albert, fit le curé. J'ai l'impression que les nouvelles ne sont pas très bonnes.

Alain le questionna du regard, mais Claude Prud'homme enchaîna:

– Comment se passe votre séjour chez nous, jusqu'à présent?

– Très bien.

– Tant mieux! Si vous avez besoin d'un coup de main pour vos travaux, n'hésitez pas à me le demander. Je ne suis pas très habile avec les outils, mais je ne rechigne jamais devant l'ampleur de la tâche.

– Je ne dis pas non.

– Je suis content de vous croiser, Alain. Justement, j'avais à vous parler. Vous avez un instant?

– Oui.

– Aimez-vous le jeu de fer à cheval?

– Pardon?

– Le jeu de fer. Chaque année, il y a un important tournoi de fers à la Fête de l'automne. J'aimerais vous inviter personnellement à participer.

– C'est gentil, mais je ne connais pas assez le jeu.

– Passez au presbytère demain, en fin de journée. Nous serons quelques-uns à nous exercer. Ça me fera plaisir de vous montrer quelques techniques de base.

– Je vous remercie, mais je ne crois pas avoir le temps...

– Allez, monsieur Demers, j'insiste. Vous allez vous éreinter à travailler sans arrêt. Il faut vous détendre un peu. Un curé doit voir au bien-être physique et mental de ses paroissiens.

Et Alain accepta par politesse, persuadé qu'il n'irait pas.

*

Après avoir stationné sa voiture sur le terrain sablonneux et observé de nouveau cette terre désolée et aride, il se dirigea vers la maison en regardant le régiment de camions qui approchait et cet épais nuage de sable qu'ils soulevaient derrière eux.

Ce fut un des hommes de Fortier qui l'accueillit à l'intérieur. Il était assis au comptoir de la cuisine, un journal ouvert devant lui et mangeait un sandwich. L'homme essuya ses mains avec un essuie-tout, lui fit signe d'attendre, puis disparut dans le couloir. Alain alla vers la porte adjacente à la cuisine, à côté de la cuisinière à gaz. De l'autre côté, il vit ce qui devait être une salle à manger plutôt banale, mais dont la grande table, couverte de paperasse, devait plutôt servir de salle de réunion. L'homme au sandwich revint bientôt et lui signala que Réal l'attendait dans son bureau.

Alain se dirigea vers le grand escalier qui menait à l'étage, cherchant à se remémorer le chemin. Dans une pièce avoisinante, il vit un grand téléviseur qui diffusait un *morning show* sur un poste américain. Une franche odeur de cigarette lui monta au nez, se faisant plus insistante à mesure qu'il grimpait les marches. Après quelques hésitations, il finit par rejoindre cet escalier de contreplaqué qui menait à la tour d'observation : le bureau du maire.

Réal l'attendait debout, les bras croisés derrière le dos, observant son territoire par la grande fenêtre. Il le salua sans même se retourner.

— Comment allez-vous, mon cher Demers ?
— Très bien, merci. Vous-même ?
— Non, pas très bien. Le chantier en ville a été dévalisé cette nuit. Vous avez lu les journaux ?
— Euh... non.
— De la dynamite. Pas grand-chose, mais quand même. C'est la deuxième fois que ça m'arrive en quinze ans.

Alain fut traversé par un malaise. Il essaya de demeurer impassible. Heureusement, Fortier lui tournait toujours le dos, le regard perdu par la fenêtre.

— Je ne me souviens pas d'un été tel que celui-ci, ajouta le maire. Mes puits et mes bassins sont à sec. La rivière n'a jamais été aussi basse. Vous avez remarqué ?

Alain acquiesça, même s'il n'était pas allé de ce côté depuis quelques semaines. Ses balades en forêt si nombreuses lors des premières semaines à Saint-Édouard se faisaient de plus en plus rares. Le travail prenait toute la place.

— Votre érablière, ça avance ?
— Oui, quand même.
— Vous serez prêt à temps pour le printemps prochain ?
— Oui, je le pense.

Réal s'était retourné. Il sourcilla à cette dernière affirmation d'Alain. Le résidant du 6e Rang n'avait passé qu'une journée à l'ancienne cabane à sucre. Il avait fait un peu de ménage, des plans pour la reconstruction. Comme toujours, tel un devin, le maire de Saint-Édouard semblait au courant de tout.

— Si j'étais vous, dit Réal, je délocaliserais la cabane. À l'époque, on faisait les sucres avec un cheval. Aujourd'hui, vous aurez besoin d'un accès par la route.
— Oui. Je pensais peut-être ouvrir un chemin.
— En effet, c'est possible... Il faudra prévoir les frais d'abattage en plus de la remise à niveau. Vous prévoyez combien d'entailles ?
— La première année, 3 000.
— Il est difficile de rentabiliser une érablière de moins de 5 000 entailles. Si vous n'êtes pas prêt pour la transformation, vous pouvez toujours vendre l'eau.

– Vous semblez vous y connaître.

– Un peu. J'ai des parts dans une grosse exploitation du côté de L'Islet. On a 112 000 entailles. C'est pas très payant. Mais bon... Si ça peut aider du monde. C'est ma contribution à la culture québécoise.

Alain ne doutait pas que si cette activité commerciale pouvait aider quelqu'un, c'était bien le maire en personne. Avec son investissement dans cette immense exploitation acéricole de la Côte-Sud, il s'achetait du capital politique. Les tentacules de son organisation semblaient toucher à tous les secteurs d'activités. Si certains, comme la construction, étaient clairement payants, d'autres étaient avant tout des vitrines.

– Vous avez besoin d'une pépine ? Rien que ça ?
– Oui. C'est combien ?
– C'est 250 piastres de l'heure. Si vous avez besoin d'une abatteuse pour votre chemin, j'en ai une. Ça vous fait tout un ménage dans une forêt. Je peux vous faire un bon prix si vous me laissez le bois.

Réal sourit à pleines dents.

*

Alain avait laissé le maire à sa tour et à ses affaires. Après s'être glissé d'un pas feutré sur le vieux tapis sale du corridor de l'étage, il descendit l'escalier principal qui menait au rez-de-chaussée. C'est alors que lui vint au nez une forte odeur de marijuana. Au pied de l'escalier, il risqua un regard dans la pièce de gauche et vit, dans un vieux divan, Sonia, avachie, une robe jaune remontée haut sur les cuisses jusqu'à un gros sous-vêtement blanc peu élégant, découvrant ses jambes noueuses. Elles étaient blanches comme du lait, parcourues de grosses veines saillantes et d'ecchymoses. À la télé, au volume éteint, il y avait une course de Nascar sur une chaîne sportive.

Il était onze heures du matin. Quelques bouteilles de bière vides traînaient sur la table. Les deux pattes de Sonia étaient croisées l'une sur l'autre et le talon de son pied gauche était appuyé sur le bord de la table. Elle faisait claquer ses gougounes orange fluo à l'aide de son gros orteil d'une dimension impressionnante.

Alain demeura immobile, sans se laisser voir, fasciné par ces jambes rachitiques, tordues presque comme les racines d'un arbre. Sa présence fut remarquée, ou ressentie, car Sonia se pencha légèrement en avant et l'aperçut contre le cadre de la porte. Elle eut une moue intrigante avant de s'écraser de nouveau dans le divan, replongeant ses yeux livides dans cette immense télé plasma pour écouter la course de dragsters tournant inlassablement, hypnotiques, autour d'un grand anneau tri-ovale du sud des États-Unis. Elle demeura parfaitement impassible, comme s'il ne se passait strictement rien dans son cerveau affecté. Elle étira un long bras, tira un joint d'une boîte de cigarettes et l'alluma.

Gros fumeur à une certaine époque, Alain ne touchait plus à la drogue depuis sa séparation. Audrey, qui lui reprochait tellement son apathie quotidienne et son désintéressement, l'avait intimé maintes fois de cesser sa consommation. Bien évidemment, il n'en avait rien fait, jusqu'à ce qu'elle le quitte et que lui, dépressif, ne soit plus capable d'en tolérer les effets qui le poussaient alors dans un abîme existentiel insoutenable. Les rares fois où il s'était laissé aller à la tentation de retrouver ces états d'esprit si singuliers, lorsqu'on a l'impression de voir scintiller des étoiles dans chaque idée, il avait fini en position fœtale dans son lit à attendre que passe le mauvais moment. Ainsi, chaque fois que Dean lui avait offert une *puff*, il avait décliné, et avec raison. L'extravagance et le non-sens sans équivoque de son voisin auraient eu raison de sa santé mentale.

Sans doute parce que c'était Sonia, et aussi parce qu'il se sentait si confus devant cette fille étrange, il accepta et s'avança vers elle. Le joint était énorme. À l'odeur seulement, il pouvait deviner qu'il s'agissait d'un *skunk* épouvantable. Il le saisit, inhala une courte bouffée, s'étonna de son goût puissant de citron, avant de s'étouffer. Sonia éclata de rire et il put voir de près ses dents mauvaises.

Elle prit plusieurs touches du joint avant de le laisser tomber tout bonnement au fond d'une bouteille de bière. Sans plus s'occuper d'Alain, elle se replongea dans le téléviseur, alors qu'on interviewait un pilote de course ayant abandonné en raison d'un bris mécanique. Alain, comme si on l'eut poussé, recula de plusieurs pas en sentant l'effet de la marijuana se propager à grande vitesse dans chaque partie de son corps.

C'est parce qu'il avait été un grand consommateur autrefois que son corps réagissait de la sorte : comme une trop grande absence qu'on voudrait tout à coup remplir maladroitement, sans égard. Les émotions surgissaient de partout, incontrôlables, et il crut un instant s'évanouir sous la pression qu'elles exerçaient sur son esprit. Il vit la pièce, éclairée par la lumière agressive et blafarde de la télé, se déformer en s'étirant de bas en haut, en s'allongeant, filiforme comme la grande Sonia qui riait en l'observant. Il sortit du salon pour s'engager dans l'étroit couloir avec l'intention de prendre l'air. Mais il dut prendre une pause et se retrouva appuyé contre ce mur avec les photos des orignaux morts et des chasseurs triomphants.

La porte arrière s'ouvrit. Deux costauds, dont l'homme au Stetson blanc et à la grosse moustache, apparurent sur le seuil. En apercevant Alain, ils traversèrent la cuisine et s'avancèrent jusqu'à lui. Le gros cow-boy lui demanda d'une voix à la basse imposante si tout allait bien.

La tête toujours emportée par la bouffée démente qu'il venait d'inhaler, il répondit que oui, tout allait bien, et qu'il s'en allait chez lui. Puis, sans s'occuper d'eux, il s'éloigna d'un pas incertain, cherchant toujours son équilibre, jusqu'à la cuisine. En émergeant du corridor, avec la lumière du jour qui passait par les grandes fenêtres, il se sentit un peu mieux. Les premiers effets passés, s'habituant peu à peu au *buzz*, son pas devint plus assuré. Il sortit en poussant la porte à deux mains et se rendit jusqu'à sa voiture.

L'air sec et poussiéreux le prit à la gorge. La lumière du soleil était éclatante et l'aveuglait. Il ouvrit la portière et s'assit sur la banquette en cherchant laborieusement ses clefs, qu'il ne trouva qu'après un long moment, dans sa poche avant. Incapable de démarrer sa voiture, la clef refusant de trouver le commutateur, il décida de prendre une pause de quelques minutes. Une bétonnière passa sur la route de la cimenterie, et la poussière de sable remplit sa voiture par la fenêtre ouverte.

Il y eut un long silence où Alain n'entendit que le croassement de quelques corneilles en vadrouille, puis le chant d'une cigale qui montait en un long crescendo. Les mouches noires lui tourbillonnaient autour de la tête, mais il n'y portait guère attention, perdu complètement dans ses rêveries. Le bruit d'une porte qui claque le réveilla. Il entendit des pas sur le sol et, par le rétroviseur de la portière, il vit passer Sonia. Il se retourna pour la voir déambuler sur ses jambes déglinguées, sa robe de coton jaune s'agitant dans le vent. Elle avait sur l'épaule une carabine, et dans son autre main, tenue seulement par un doigt enfoncé dans le goulot, une bouteille de bière. Elle jeta un bref regard vers Alain en pompant une cigarette entre ses lèvres, puis elle traversa la route des camions vers un pit de sable.

Alain sortit de sa voiture. Il la suivit tandis que deux bétonnières rentraient du chantier de Saint-Édouard. Elles passèrent en soulevant un nuage rouge, qui les fit disparaître tous les deux, tandis qu'ils s'enfonçaient dans un sentier qui les mena sur un champ de tir. C'était un grand terrain sablonneux, à découvert, avec des cibles montées sur des structures de bois déposées aux quatre coins. Derrière l'une d'elles, à l'orée d'une forêt de sapins, dévorés par les mouches noires, ils s'étendirent au sol : Alain sur le dos, et Sonia le chevauchant, avec ses longues jambes écartées, ses pieds sur le sol et ses gros genoux sales pointant vers le ciel. Elle allait et venait en frappant son bassin de ses fesses osseuses, son vagin s'agrippant nerveusement à sa queue comme une main.

Sitôt l'acte consommé, Sonia s'était relevée et avait saisi son fusil. Alain gisait à moitié nu, encore envoûté par les effets de la marijuana et de cet orgasme à l'arraché. Elle se retourna, sa robe jaune tenant à peine sur ses épaules, laissa son sous-vêtement de coton blanc dans le sable à côté de lui, et s'en alla au centre du terrain d'où elle se mit à tirer des balles vers les cibles de l'autre côté.

Il retrouva très vite sa voiture, démarra le moteur, et s'éloigna alors qu'approchait un autre convoi de camions. Sur la route qui le ramenait au village, il entendait encore le bruit des moteurs diesels et des coups de feu.

*

La pluie était arrivée pendant la nuit, se présentant sous la forme d'un gros orage qui gronda pendant de longues heures. Obsédé par cette baise avec la femme du maire, Alain ne dormit pratiquement pas, se revoyant sans cesse en train de jouir, le nez enfoui dans ce long cou reptilien et dans la forte odeur de transpiration qui s'en dégageait.

Le lendemain, il travailla nonchalamment à l'intérieur de la maison, sablant le plancher de la salle de bain et regardant la pluie perler sur les vitres sales des fenêtres. Lorsqu'il vit le soleil de retour, il fut envahi par le désir de voir du monde. Peut-être était-ce cette baise soudaine et inattendue qui réveilla la bête sociale en lui. Il décida de répondre à l'invitation du curé Prud'homme et d'aller jouer au fer.

Lorsqu'il arriva au centre communautaire derrière l'école, à côté de l'église, il ne vit que le curé, les bras croisés, appuyé contre la bande de bois de la patinoire extérieure. Il n'y avait personne d'autre, sauf quelques jeunes adolescents à bicyclette qui jouaient plus loin.

Claude Prud'homme était habillé d'un pantalon gris et d'un chandail polo rouge. Impassible, avec toujours ce sourire énigmatique sur son visage, il regarda Alain stationner sa voiture. Quelques rayons de soleil perçaient des nuages insistants. Ces derniers ressemblaient à trois bras qui émergeaient de l'horizon et enlaçaient la forêt, la montagne et les collines verdoyantes. L'un deux s'étendait sur l'église de Saint-Édouard. Celle-ci, de style éclectique, bâtie à la fin du XIXe siècle, était construite d'une brique rouge qui donnait l'impression d'avoir pris feu sous l'action de cette lumière de fin de journée. Le toit de tôle martelé au-dessus de la sacristie était éclatant, comme si le soleil était reflété par un miroir. Alain se mit une main devant le visage pour se protéger de la lumière. Le curé, en contre-jour, n'apparaissait plus guère que comme une ombre sur la bande de la patinoire.

– Bonjour, fit Claude Prud'homme de sa voix calme et enjouée.

– Bonjour, répondit Alain.

Le visage souriant du curé Prud'homme était parsemé de moustiques. Et même s'il subissait les assauts répétés d'un nuage de maringouins, il demeurait parfaitement stoïque, avec sa petite tête ronde sur son grand corps élancé, comme si le divin le protégeait des morsures.

– Vous êtes seul? lui demanda Alain.

– Oui, oui... Malheureusement, personne ne s'est présenté. Sauf vous. Je vous en suis très reconnaissant. Vous voulez faire quelques lancers?

Il suivit le curé jusqu'au terrain de fers à cheval, de l'autre côté de la patinoire, adjacent au stationnement du centre communautaire, sur un promontoire gazonné. Il y avait deux poteaux dans des bacs à sable éloignés d'une douzaine de mètres environ, quarante pieds pour être plus précis. Le curé lui expliqua brièvement les règlements : trois points pour un encerclement et un point pour les fers à moins de six pouces de la tige. Le calcul se faisait par substrat. Un fer encerclé annulait celui de l'équipe adverse, etc. On comptait les points restants.

Puisque c'était un premier contact pour Alain avec le jeu, le curé proposa de pratiquer le lancer des fers, en se faisant face, d'un bout à l'autre du terrain.

Alain alla se placer sur son bout de carré de sable et lança à deux reprises. Le premier fer parcourut la moitié de la distance pour s'écraser sur le gazon. Le deuxième, lancé avec force, se retrouva quinze pieds au-delà de la tige de métal.

– Ne vous en faites pas, lui dit Claude Prud'homme. Vous allez vous faire la main bien assez vite.

Puis le curé, fers en main, s'engagea de quelques pas. D'une rotation impressionnante de son bras droit, qui partit sèchement de l'arrière vers l'avant, le fer quitta sa main avec une précision et une vélocité telles qu'il frappa la tige avec fracas. Le bruit puissant du métal qui s'entrechoque surprit Alain qui se jeta vers l'arrière comme si quelque chose venait d'éclater. Le grand bonhomme releva de nouveau son bras étonnant, puis lança le second fer. Il manqua la cible, mais le fer atterrit avec autorité dans le sable, en levant un nuage de poussière.

– À vous, monsieur Demers, lui cria avec enthousiasme le curé.

À n'en pas douter, l'homme était un vrai amateur de fers.

Le soleil était maintenant caché derrière les montagnes à l'ouest. Le paysage versait lentement dans l'ombre, excepté le crâne dégarni de Claude Prud'homme qui semblait irradier de lui-même.

– Ne forcez pas, poursuivit le prêtre. Laissez l'inertie faire son travail. Vous ne devez servir que de balancier pour le fer qui bénéficie de son propre poids.

Alain lança, cette fois en suivant le conseil du curé. Son fer eut une belle vélocité, mais s'écarta complètement de la trajectoire désirée.

– Beau lancer! s'exclama le curé.

Alain réévalua ce dernier jet. Puis s'essaya de nouveau. Dès que le fer quitta sa main, il sut que ce lancer avait du potentiel. Et comme de fait, il avait eu tout juste : force et précision. Son fer résonna contre le métal de la tige quarante pieds devant, avant de tomber lourdement sur le sol.

— Encerclement ! cria-t-il avec fierté, en se passant la main dans la barbe et en réajustant sa casquette.

Le curé Prud'homme ne souriait plus. Ses yeux s'étaient froncés, tout comme s'était plissée sa bouche, le faisant ressembler à un rapace. Visiblement, il avait pris ce dernier lancer comme un défi. Il devint parfaitement concentré, son esprit analysant et contre-analysant la force et la vélocité nécessaires, ainsi que la trajectoire à adopter pour le point de chute parfait. Il avait l'air d'un oiseau prêt à fondre sur sa proie, penché légèrement vers l'avant, avec ses deux jambes collées et ses genoux légèrement fléchis. Puis il eut cette improbable motion. Alain eut nettement l'impression que le bras du curé s'était allongé vers l'arrière, comme l'aurait fait celui de l'homme élastique. Le fer quitta sa main comme lancé par une fronde. Il vint frapper directement le poteau dans un encerclement violent qui vit le fer tourner plusieurs fois autour de la tige avant de s'écraser au sol. Le deuxième tir partit sans attendre, d'un mouvement sec et vif, et connut le même destin que le précédent. Seulement, il frappa directement la tête de la tige de métal, puis fit un rebond accompagné d'un bruit sourd alors qu'il frappait de plein fouet la jambe gauche d'Alain. Ce dernier hurla de douleur en tombant au sol, puis roula sur la butte de gazon jusque dans le stationnement de gravier plus bas.

Claude Prud'homme accourut.

— Doux Jésus ! Mon ami. Je suis désolé.

Il s'agenouilla près d'Alain et l'aida à remonter son pantalon. Son tibia était serti d'une immense ecchymose et d'une grosse bosse rougeâtre. Alain marcha dans le stationnement en boitant péniblement.

– Je vais rentrer chez moi, dit-il.
– Venez plutôt vous reposer au presbytère. Il y a des moustiquaires sur le balcon. Nous pourrons discuter et profiter un peu de cette belle soirée en dégustant un verre de vin.

Il laissa le curé le mener par le bras en lui parlant du bourgogne qu'il voulait lui faire goûter, un 2005, un superbe millésime, disait-il.

Tandis que le curé était parti chercher une bouteille à la cave, Alain s'affala dans une chaise et étendit sa jambe endolorie. Sur la rue Principale, déambulant entre les tas de gravier et les tuyaux d'égout de béton déposés sur le sol, il vit une jeune femme. Il l'avait aperçue à plusieurs reprises depuis son arrivée à Saint-Édouard. Elle lui souriait toujours de façon très engageante. Lui répondait par un sourire poli, s'éloignant le plus loin possible de cette étrange créature qu'était Mireille, l'infirmière du docteur Couture. Il se cala dans sa chaise en espérant que dans la pénombre elle ne le reconnaîtrait pas.

Cette coupe de cheveux au carré avec cette teinture orangée flamboyante était reconnaissable dans tout le comté. Et Mireille l'était encore plus en ce soir de juillet, avec son survêtement de sport rose à lignes mauves et ses souliers de course. Compte tenu de ses formes extravagantes, ça en faisait un spectacle hors du commun. La vitesse à laquelle elle marchait rendait le spectacle encore plus surréaliste. Cette paire de hanches démesurées auxquelles étaient attachées ces énormes fesses s'agitaient d'une manière indécente en raison de leur volume.

Jamais on ne se serait attendu à une telle vivacité de la part d'une personne bardée d'autant de tissus adipeux.

Le bruit des verres s'entrechoquant sortit Alain de ses réflexions. Il vit se déposer sur une petite table une bouteille de bourgogne. Claude Prud'homme remplit un grand ballon qu'il tendit d'un de ces gestes nerveux et précis qui le caractérisaient.

— Vous connaissez Mireille ? demanda-t-il.
— Non. Mais nous nous sommes croisés, ici et là.
— C'est une brave fille, arrivée chez nous l'an passé. Le docteur Couture n'en dit que le plus grand bien. Travaillante et créative.
— Tant mieux.
— Vous êtes seul ?
— Oui, oui, depuis deux ans, déjà.

Alain observa Claude Prud'homme assis à sa droite. Il était calé complètement dans sa chaise, et on ne pouvait voir son visage. Il tenait devant lui son verre de rouge qu'il avait déjà siphonné presque en entier. Il semblait perdu dans ce lampadaire de la rue Principale et dans la multitude de papillons de nuit qui voletaient autour.

— Je ne voulais pas vous indisposer, dit le curé.
— Vous ne m'indisposez pas. Vous avez quelqu'un dans votre vie ?
— Moi ? Mais non, voyons.
— Vous avez fait vœu d'abstinence. Vraiment ?
— Vraiment.
— C'est douteux.
— Ah bon ? poursuivit Prud'homme. Dans ce désir d'élever son âme, de suivre son berger le Seigneur et de lui consacrer sa vie, vous voyez là une perversion de l'esprit ?

Alain aurait répondu volontiers oui. Mais il se retint par politesse. Pour ne pas froisser son hôte et parce qu'il sentait qu'il y avait risque de dérive. Surtout que, de prime abord, il avait voulu blaguer un peu, sans plus. Mais le curé l'avait pris comme une attaque personnelle. Avec le passé peu reluisant de certaines institutions catholiques, on pouvait le comprendre de prendre le mors aux dents à la moindre allusion, au moindre doute sur la valeur de son engagement.

— Sachez, monsieur Demers, que la méditation de la prière nous apporte beaucoup, sans doute beaucoup plus que votre génération ne peut le faire ou même l'imaginer à l'aide de sa technologie.

— Je n'en doute pas un instant.

— Les jeunes d'aujourd'hui vivent dans une socialisation intense, tous azimuts, avec des amitiés très futiles qu'on ne rencontre qu'au détour des écrans tactiles.

— Oui.

— Quand avez-vous pris la main d'un ami pour la dernière fois, monsieur Demers ?

— Il y a longtemps, il me semble.

— Sachez que la mienne vous est toujours offerte.

— Merci...

Il acquiesçait de façon détachée, par politesse encore, sachant qu'il n'y avait plus rien à discuter, qu'il était en plein conflit générationnel, face à des perceptions irréconciliables. Il voulut s'en aller mais le curé lui reversa du vin dans sa coupe, et Alain dut s'avouer que le bourgogne était effectivement délicieux, et que ça valait peut-être ce petit sermon sans importance du prêtre. Si bien qu'il demeura vissé sur sa chaise. Il lui fallut s'avouer encore qu'en cette soirée de juillet, sur ce grand balcon vitré, il faisait bon. Lui dont la cabane était pleine de trous, au fond des bois, devait vivre constamment avec les mouches noires et les brûlots qui trouvaient leur chemin jusque dans son lit. Par temps de canicule, comme les dernières semaines, c'était particulièrement pénible.

Depuis son arrivée à Saint-Édouard, il n'avait pas bu une seule goutte de vin, lui qui était grand amateur de rouge; seulement de la bière et du fort.

— Vous excellez au jeu de fers, dit-il avant que Claude Prud'homme n'eût le temps de se lancer dans un autre dithyrambe.

Et cela eut exactement l'effet voulu. Le curé perdit aussitôt son air de prêcheur douteux, faussement charismatique, et retrouva cet œil de faucon si caractéristique dès qu'il approchait d'une tige de fer plantée dans un carré de sable. Il se tut et réfléchit avant de parler lentement en appuyant sur ses mots.

— Le jeu de fers à cheval est un jeu qui demande concentration, force et souplesse. C'est aussi le jeu du peuple, du vrai, celui que tout le monde connaît mais dont on n'entend jamais parler. Vous n'avez certainement jamais vu une partie de fers à cheval à la télévision.

— C'est vrai.

— Je joue aux fers depuis que je suis tout petit. C'est une tradition chez nous. Papa était un grand champion. Il a gagné de nombreux tournois à la grandeur de la province. Je suis l'instigateur du tournoi de Saint-Édouard-des-Appalaches, qui aura bientôt vingt-cinq ans.

— Vingt-cinq ans de fers à cheval.

— Oui, enfin... La Fête de l'automne aura vingt-cinq ans cet été. Le tournoi de fers en est la plus vieille activité, avec l'homélie aux chasseurs, bien sûr.

— Vous faites une homélie pour les chasseurs?

– Oui, la Fête de l'automne souligne le début de la saison de la chasse, à la fin de septembre. Je dis une messe pour les chasseurs. C'est une vieille tradition par ici. Jusqu'à tout récemment, je la faisais avec les chasseurs et leurs armes d'épaules. Mais un reportage à la télévision a passablement terni l'image de la région et nous avons décidé que nous n'accepterions plus les armes dans l'église. C'était d'ailleurs la recommandation de mes supérieurs du diocèse.

Sur ces mots, le curé Prud'homme s'éclipsa un instant par la porte et revint avec un album photo des éditions passées du tournoi. Alain reconnut quelques visages : les Duchesne, les Arcand et les autres, qu'il croisait lors de ses visites au village. Certaines photos dataient des débuts du Festival : partie de balle-molle, danse en ligne sous les lampions dans la cour du centre communautaire, course de ski-doo en costume de bain dans un champ de mauvaises herbes, derby de démolition. Les douze dernières éditions de cette dernière activité avaient été remportées, au dire de Claude Prud'homme, par Dean Morissette. Depuis son arrivée à Saint-Édouard, en fait.

L'attention d'Alain fut surtout retenue par les photos où apparaissait Réal Fortier. Le maire était chaque fois entouré de sa garde prétorienne de chauffeurs de camion et de travailleurs de la construction riant aux éclats, tandis que Réal, la canne sous le bras, lançait son fer. Il y avait des photos où l'on voyait le maire, plus jeune, le teint foncé, presque noir, avec une moustache abondante. Il se tenait bien droit, le torse gonflé, et il semblait en effet qu'il avait été un sacré gaillard. Il lançait les fers avec désinvolture, vêtu d'un pantalon blanc et d'une chemise blanche, pieds nus dans le sable. À ses côtés, Alain crut reconnaître René, le conducteur de la bétonnière, apparaissant dans les habits typiques d'une bande de motards : bottes noires, jeans *chaps* et veste de cuir avec un *crest* dans le dos. On ne pouvait identifier le logo brodé parce que le bonhomme se tenait de côté.

– Il y a des motards dans la région ?
– Il y avait les Devil's Crew à une certaine époque. C'était plus un club social pour hommes au chômage, si vous voulez mon avis. Ils organisaient des courses de bicycles, ça trafiquait un peu. Avant l'arrivée de Réal Fortier, les gens en arrachaient dans le coin. L'industrie forestière était au point mort, l'agriculture étouffait sous la pression des marchés. Il y avait de la criminalité, des problèmes de drogues, tous des phénomènes sociaux dus en grande partie à la pauvreté. Maintenant les gens ont du travail à la cimenterie, dans les carrières de sable, dans les diverses compagnies de construction et de voiries. Ça change tout. Les gens ont retrouvé leur fierté. La dignité humaine, c'est ce qu'il y a de plus important. Vous ne voudriez pas les voir retourner d'où ils sont venus, n'est-ce pas ?

Cette dernière question du curé avait laissé Alain plutôt confus, ne comprenant pas pourquoi il s'adressait à lui de cette façon.

Tout en l'écoutant et en se questionnant, son attention fut captée par une autre photo du maire Fortier. C'était un portrait récent, puisque cette fois la grande Sonia était à ses côtés. Toute l'audience n'avait d'yeux que pour le maire lançant son fer. Tous excepté Sonia, qui était la seule à fixer l'objectif pendant cette prise de vue, de sorte qu'elle donnait la nette impression de le regarder droit dans les yeux.

Puis une photo glissa sur le sol. Alain la ramassa avant le curé. Avant même qu'il ne puisse dire ou faire quelque chose, Claude Prud'homme la lui retira des mains.

– Si ça vous intéresse de participer au tournoi en septembre, enchaîna-t-il, je peux vous y entraîner. Ce sera un plaisir. Vous avez un réel potentiel. Et sachez qu'un bon joueur de fers est un homme respecté à Saint-Édouard.

Alain rit doucement.

– Riez, riez, monsieur Demers. Mais il est de ces petites convenances en apparence anodines qui font que l'on se sent soudainement chez soi ailleurs.
– Comme en allant à la messe.
– Entre autres, oui. Ça, c'est indéniable. Si vous allez à la messe, ils vous respecteront. Mais si cela vous répugne trop, vous pouvez toujours vous mettre à la chasse, au VTT, ou apprendre le jeu de fers et participer à la Fête de l'automne.
– Je choisis les fers, alors.
– Excellente décision !

Une fois son deuxième verre de vin terminé, Alain voulut s'en aller. Le curé Prud'homme insista à plusieurs reprises pour lui servir un autre verre, mais il refusa. Le prêtre l'accompagna à sa voiture.

– J'ai finalement rencontré les enfants de Joseph, dit Alain en embarquant dans sa voiture.

Le curé Prud'homme passa sa tête par la fenêtre entrouverte. Il avait l'air autant surpris que soucieux.

– Ah bon ? Et comment ça s'est passé ?
– Très bien. Ils n'étaient pas très engageants, je l'avoue... Mais j'ai pu parler à Marianne.
– Elle vous a parlé ?!
– Oui...

Le curé Prud'homme se renfrogna et recula de quelques pas. Dans la nuit, avec la lumière blafarde du lampadaire, il prit un aspect presque éthéré, comme s'il allait s'effacer. Alain n'ajouta pas que sa rencontre avec la fille de Joseph s'était résumée à quelques borborygmes et paroles sans réel sens.

Il roula dans le 6e Rang et passa devant chez Dean qui travaillait dans son garage. Une fois à la maison, il alluma un feu. Il rumina devant le foyer, son esprit crépitant comme les flammes. Il revoyait le geste empressé de Prud'homme. Alain était persuadé d'avoir reconnu Marianne Manseau sur cette photo tombée au sol, plus tôt.

*

Il y avait un petit restaurant à Saint-Édouard. L'établissement était situé à même un bungalow des années soixante-dix au revêtement d'aluminium maintes fois peint. L'affiche lumineuse, au bord de la route, annonçait «La Bonne Fourchette» et offrait le menu du jour avec une cuisine dite canadienne – hamburger steak, *hot chicken*, pâté chinois – et italienne – pizza et pâtes.

Son côté taciturne, plutôt asocial, avait empêché Alain de s'y arrêter, jusqu'alors. Il y avait toujours beaucoup de monde dans ce restaurant qui était un point de rencontre pour les gens du village. S'il voulait un peu de reconnaissance, sortir de l'isolement dans lequel il s'enfermait, il fallait bien qu'il s'y présente un jour. Ce jour-là, on annonçait sur l'affiche lumineuse le *fish and chips* au menu du midi. Alain braqua le volant de sa Honda et s'engagea dans le stationnement de gravier. Il faut ajouter qu'il était trois heures de l'après-midi et qu'il n'y avait à peu près personne.

Il mangea son repas de frites et de poisson surgelé, passé au four, accompagné d'une sauce tartare maison (relish-mayo), en feuilletant le journal. Qu'il s'agît de politique, des arts et spectacles ou de sports, il n'y comprenait plus rien. Après tout ce temps passé dans la montagne, préoccupé essentiellement par ses rénovations, il se sentait très loin de ça. Il observait les manchettes, lisait quelques paragraphes distraitement, comme si c'étaient des objets de curiosité, sans plus.

La serveuse et propriétaire, Lyne, lui réchauffa son café alors qu'il attaquait un morceau de tarte au sucre. Si les repas principaux de l'établissement étaient tout ce qu'il y avait de plus ordinaire, purs produits de l'industrie de la distribution alimentaire dans ce qu'elle a de plus détestable, les desserts, par contre, faits à la main par la propriétaire, étaient simples et délicieux. Tarte au sucre ou aux pommes, pudding chômeur ou au riz, gâteau au chocolat ou au fromage, voilà sans doute ce qui attirait les villageois nombreux à La Bonne Fourchette.

La porte s'ouvrit avec un son de cloche. Sur le tapis de l'entrée, le policier Charles Marois essuya de grosses bottes couvertes de boue. Son acolyte en fit autant. Tandis que ce dernier allait s'asseoir sur une banquette près des cuisines, Marois s'avança au-devant d'Alain et prit place à table devant lui, sans demander la permission.

L'agent de la SQ avait croisé les doigts et regardait par la fenêtre. Il y eut un long silence.

– Va falloir passer au lave-auto, dit-il finalement en désignant sa voiture du menton.

La voiture de police était souillée d'une boue noire. Puis Marois enchaîna:

— As-tu vu ton copain, dernièrement?

— Mon copain?

— Morissette.

— Non... J'ai vu de la lumière dans son garage, hier soir.

— Qu'est-ce qu'il fait dans son garage?

— Il répare des chars.

— Sinon il fait quoi?

— Bah... Il se promène, il ramasse de la scrap.

— On connaît bien Morissette. Je suis allé faire un tour chez lui tout à l'heure.

Et il désigna de nouveau sa voiture toute sale.

— J'en reviens pas qu'il ait pu amasser autant de vidanges sans que personne ne s'en rende compte. J'ai téléphoné à l'Environnement. Ils vont passer voir ça. D'après moi, notre Dean est mûr pour un sacré ménage et une christie de grosse amende. Rien qu'à voir les dégâts sur son terrain, il va finir dans la rue.

Marois sourit à pleines dents, incapable de cacher son plaisir.

— Ça fait un bout qu'on est sur son cas.

— Ah...

— Et sur le tien aussi.

— ...

— J'ai vu que vous aimiez vous promener le soir, les gars. Vous allez loin, des fois. Tu es bien dans ton rang, là, non? Tu as fait une bonne affaire. J'ai vu que tu travaillais fort. La maison avance bien. Ce serait de valeur de tout échapper pour des niaiseries. Tu ne penses pas? Mais tu sais, Alain, la paix ça peut s'acheter. Si tu as de quoi à me dire, tu m'appelles. Ça marche?

– ... Ça marche, répondit Alain en prenant une dernière gorgée de café, d'une main tremblante.

Traqué par les Maine's United Patriots, les frères Manseau, et maintenant Charles Marois et la Sûreté du Québec, Alain, les traits tirés, ne dormait presque plus. Il passait ses nuits dans d'éternels palabres en compagnie de la cheminée. Le jour, il travaillait sur la maison, inlassablement, jusqu'à épuisement total. Le soir, après quelques bières, il s'effondrait sur son divan pour ronfler quelques heures, jusqu'à son réveil plus tard en soirée, et l'interminable nuit qui suivait.

*

Alain était retourné s'entraîner aux fers avec le curé.

Ces sessions s'étaient déroulées dans une ambiance bizarre, très lourde, où un Claude Prud'homme tantôt pédagogue et affable pouvait se transformer en un véritable tyran. On aurait dit dans ces moments qu'il cherchait littéralement à écraser Alain. Ses lancers agressifs n'apparaissaient alors que comme de réelles séances de défoulement, afin d'humilier son invité. Le curé lançait avec force, *ringers* sur *ringers*, tandis qu'Alain s'enfonçait dans une spirale de médiocrité, chaque lancer plus mauvais et imprécis l'un que l'autre, n'ayant plus du tout le cœur à la Fête de l'automne et à ses pauvres espoirs de s'intégrer à la communauté.

– Mais qu'est-ce que vous faites? Appliquez-vous un peu! hurlait Prud'homme à l'autre bout du terrain.

Et chaque fois que les fers d'Alain cognaient brutalement contre les tiges de métal, le curé exprimait une joie exagérée en serrant le poing d'une main et en pointant Alain de l'autre. Sinon, il s'approchait de son élève et lui enlaçait l'épaule, lui prodiguant ses conseils de pro.

– Votre épaule est trop basse. L'équilibre est maître en toute chose. Il faut penser inertie, Alain.

Après quelques jours de ce traitement, Alain n'y était plus retourné.

Sa plomberie terminée, la fosse septique installée après la venue de la pelle mécanique de Fortier qui y avait passé la journée à cause de la roche qu'il avait fallu casser au marteau piqueur – la facture s'était élevée à 1 800 dollars –, il se préparait pour la réfection du toit.

La tôle et le contreplaqué étaient arrivés le matin depuis Saint-Georges. Le conducteur du camion avait tourné en rond plusieurs heures avant de s'arrêter au village pour des indications.

– Mon GPS le trouvait pas, le maudit 6e Rang.
– Possible. C'est un chemin privé.

Depuis qu'Alain avait fait sa fondation lui-même, il semblait n'y avoir plus rien à son épreuve. Il attaquait chaque nouvelle tâche avec une conviction tout ordinaire, comme si c'était là son pain quotidien depuis de nombreuses années. Il était fin prêt pour son toit. Par contre, on annonçait de gros orages dans la journée. La chaleur accablante de cette matinée ne laissait planer aucun doute. Il se grattait la barbe, en tirant sur les nœuds, évaluant l'état des choses. Il replaça sa casquette sur sa tête et préféra attendre quelques jours de beau temps avant de se lancer dans cette entreprise. Il ne savait pas à quelles surprises il s'exposait en défaisant la tôle. Ce serait un travail de plusieurs jours, surtout si, en plus des planches, il y avait des poutrelles à remplacer.

Il se préparait à monter dans la montagne, attendant un message de Laurent qui devait passer dans quelques jours. Alain avait hâte de voir son vieil ami, mais il craignait cette rencontre. Sans doute parce qu'il se rendait compte de combien il avait changé. Il suffit parfois de peu pour que des univers autrefois si cohérents se retrouvent tout à coup diamétralement opposés.

Un concert de pétards remonta le chemin. C'était Dean à bord d'un gros panel GMC Vandura tout rouillé, avec deux hublots teintés noirs en forme de gouttes. À travers la corrosion qui attaquait ce véhicule d'un bout à l'autre, on pouvait deviner une peinture originale violet métallique. Des marchepieds le long de la carrosserie, dont il ne restait que quelques plaques de chrome, tenaient en suspension par des tiges de métal, et se balançaient au rythme des trous sur la route. Ce devait être un véhicule qui faisait bien des envieux dans les années quatre-vingt, avec son petit bar capitonné et son tapis mur à mur. Sauf que ce n'était maintenant qu'une vieille loque finie, dévorée par la rouille, et dont le moteur à bout de souffle faisait des retours de feu hallucinant. Elle s'étouffa en grimpant la côte qui menait jusqu'à la maison pour mourir aux côtés de la vieille génératrice diesel et de la grosse bouilloire à sirop d'érable, avec une puissante détonation et un épais nuage de fumée noire qui s'échappa du capot.

Dean sortit de la camionnette torse nu, vêtu d'un bermuda camouflage dans des teintes de blanc et de gris. Il portait aux pieds des gougounes bleues. À chacun de ses pas dans le gravier qui roulait, on pouvait voir ses grands orteils qui s'accrochaient désespérément aux sandales de caoutchouc bon marché. Il avait de gros mamelons rouges à l'auréole très large sur ses pectoraux couverts de cicatrices malsaines et un peu de poil qui remontait en une mince ligne depuis son pubis jusque sur son ventre. Alain remarqua à quel point le grand Dean avait d'énormes bras pour sa stature élancée.

– Salut, mon Al. Comment ça va ?
– Pas mal, toi ?
– Parle-moi-z-en pas. Je venais te chercher pour t'amener à la plage du lac Long. Il y a un barbecue ce soir.
– Ah...
– Mais là, il faut oublier ça. Ma toutoune vient de crever. J'ai plus un char qui marche dans la cour.

Dean avait ouvert le capot et observait, en les roulant entre ses doigts, les fils qui menaient du cap distributeur aux bougies.

– Le feu court partout sur le moteur. Il y a un méchant *ground* quelque part. Il manque ses explosions. Ça se remplit de gaz et « pow ! » ça pète. Mais là, je comprends pas. Il se passe plus rien. T'entends l'électricité qui saute sur la machine ?

Il était retourné dans le véhicule et jouait avec la clef du contact.

Malgré l'insistance de Dean qui affirmait qu'il fallait avoir la tête à quelques pouces du moteur pour espérer entendre le feu courir sur la culasse, Alain n'osa pas s'approcher de peur que l'engin lui explose en pleine face.

Même s'il n'entendit rien, il acquiesça.

– C'est bien ce que je pensais, fit l'autre. Ça ne te dérange pas si je la laisse ici ? Je vais emprunter la remorqueuse d'un de mes chums. Je viens la chercher demain.

La camionnette allait traîner là encore longtemps. Elle semblait bien à sa place aux côtés de la génératrice et de la bouilloire, devant le chalet à moitié pourri, à moitié défait, avec les matériaux de construction qui traînaient partout.

Lorsque Dean apprit qu'Alain devait aller sur le versant ouest pour se connecter au réseau 3G, il proposa de l'accompagner, lui qui n'avait jamais mis les pieds sur ce côté de la montagne.

— Bonne idée. Comme ça, on pourra évaluer l'emplacement du prochain mirador, dit ironiquement Alain.

— Oui, absolument ! fit l'autre qui le prit au pied de la lettre. On va faire ça.

Alain prenait de l'avance tandis que Dean avec ses sandales de caoutchouc suivait péniblement sur le sentier. Le voisin lui expliquait comment il avait aménagé la tour sud-est : avec un toit recouvert d'un filet camouflage, des provisions et des outils dans une caisse métallique cachée à vingt pas du pied de l'échelle, en direction du 215e degré. Il y avait un *waypoint GPS*, mais il ne l'avait pas mémorisé. Il y avait de l'eau en bouteilles, aussi. Mais il faudrait utiliser les sachets de stérilisation après un certain temps.

Dean découvrit ce nouveau point de vue avec enthousiasme. Il marchait de long en large, en marquant le sol avec un bâton. Il affirma qu'il n'y avait pas assez d'espace pour élever une tour comme celle sur l'autre flanc de la montagne. Par contre, on pouvait très bien en faire un poste d'observation à même le rocher. Il suffirait d'une planque pour quelques outils et le matériel de survie.

Le grand rockabilly, torse nu en plein bois avec un nuage de mouches autour de lui, en gougounes et en bermuda, les mains sur les hanches, contemplait la vue exceptionnelle qu'offrait le mont Manseau sur la vallée de la 286. Il acquiesça longuement en se parlant à lui-même. Puis il dit à Alain :

– *Man*... J'étais jamais monté jusqu'ici. D'après moi, on voit Québec avec une bonne lunette d'approche. Qu'est-ce que t'en penses ? Les Pats vont être contents... Je vais en glisser un mot à Nighthawk. Je t'en reparle. Il hésitait à te rencontrer, mais là je pense que tu viens de marquer des points et que c'est ta chance, mon Al.

Alain leva le pouce comme s'il était véritablement heureux à l'idée d'aller rencontrer le grand patron des Patriotes du Maine pour la liberté. Mais l'oreille appuyée sur son téléphone cellulaire, il était surtout satisfait de pouvoir écouter ses messages vocaux.

Sa joie fut vite ternie par trois messages de Laurent. Celui-ci qui croyait pouvoir passer, le week-end dernier, avait remis sa visite, faute de nouvelles d'Alain. Sur l'autre message, il annonçait qu'il allait passer tout de même la semaine suivante. Sur le dernier, il se disait désolé de ne pas pouvoir passer, il avait plein de choses à faire et ça ne pouvait attendre. Il pensait pouvoir se libérer vers la fin d'août. Il espérait que tout se passait bien pour lui, et il intimait à son ami l'ordre de donner des nouvelles au plus vite. Ce qu'Alain fit aussitôt en rappelant, pour tomber sur la boîte vocale de Laurent. Il laissa un message laconique, saluant son ami, et lui disant que tout allait très bien, qu'il n'y avait aucun souci à se faire.

Son air abattu n'échappa pas à Dean.

– Mauvaise nouvelle, mon Al ?
– Non, répondit-il. Un de mes amis devait passer pour me donner un coup de main. Mais il ne sera pas là.

– T'en fais pas, mon homme, je vais t'aider.

Ça tombait bien, pensait Alain. Il n'avait besoin de personne pour faire sa toiture et savait que Dean n'allait jamais se présenter.

Ils allaient partir lorsque ce dernier l'invita à s'approcher du cap. Il croyait avoir aperçu un sentier plus bas dans la forêt. Les arbres matures aux feuillages fournis en rendaient la détection difficile, mais il semblait y avoir un chemin forestier au pied de la montagne. Alain, qui n'avait jamais rien remarqué de ce côté, fut très intrigué, lui qui était passé par là il y avait quelques semaines.

Une ligne de grains approchait rapidement depuis l'ouest. Le ciel était complètement bouché par de lourds nuages. Les coups de semence du tonnerre se firent de plus en plus pressants et ils coururent tant bien que mal. Ils arrivèrent sur la galerie d'Alain avec les premières gouttes de pluie. Ils observèrent l'orage, en dégustant quelques bières et en discutant de techniques de réfection des toits. Le vent puissant souffla les feuilles et le sable avant qu'une pluie torrentielle s'abatte sur le paysage. En quelques secondes à peine, on ne vit plus qu'à quelques mètres devant soi.

La chaleur accablante fut balayée en un instant. Dean roulait des épaules et du cou. D'ordinaire, il y avait toujours un territoire à courir quelque part, un objet d'intérêt pour le grand rockabilly prisonnier de la pluie qui avait l'air d'un lion en cage. Il marchait de long en large avec ses gougounes mouillées qui claquaient sur le bois.

– Sinon, tu fais quoi de ta journée? demanda Alain qui cherchait à lui changer les idées.

– Je le sais pas, dit Dean qui en était à sa troisième cigarette en moins de cinq minutes. On pourrait prendre ta Honda pour aller au BBQ.

– Non... Je ne peux pas. Je commence mon toit, demain. Je veux être en forme.

– Tu savais que j'ai changé mon nom. Fini, Beaver Tail.

– Ah bon... Et c'est quoi maintenant?

– Tu le sauras en temps et lieu.

– OK...

– Dis donc, Al, je me demandais... T'as rencontré la SQ, dans le rang?

– Euh, non... Qu'est-ce que tu veux dire?

– Je sais pas. Je dis ça de même. Ça fait deux fois que je vois l'auto de Marois sur le chemin de l'Immaculée. Je me demandais ce qu'il cherchait là.

– Je ne sais pas.

Dean le dévisageait tout en acquiesçant de la tête. Son visage était humide et blême. Il avait un regard insistant et vide, sans émotion. Dès que le plus fort de l'orage fut passé, et qu'il ne resta plus qu'un léger crachin, il salua laconiquement, puis sauta en bas de la galerie pour disparaître dans la brume en courant.

Mais ce n'était qu'une courte accalmie et la pluie reprit aussitôt en battant le vieux toit de tôle de la maison. Alain calait une autre bière écrasé dans le vieux fauteuil disposé sur le balcon lorsqu'il vit une chose surprenante, une chose qu'il n'avait jamais vue depuis qu'il habitait là : une camionnette redescendait depuis le haut du rang. C'était un pick-up noir. Il passa très lentement, le son du moteur se mêlant à celui de la pluie. Alain reconnut distinctement sur la portière le F orange de Fortier Industries.

*

Le lendemain matin, Alain remonta le rang à pied. Il était tôt. La pluie était tombée toute la nuit et le temps était demeuré lourd avec un petit crachin persistant, accompagné d'une bruine épaisse. Il avait enfilé ses bottes de pluie et son imperméable avant de s'engager sur la route. Il était allé à quelques reprises tout en haut du rang. Celui-ci se terminait à une centaine de mètres de sa maison pour n'être plus qu'un sentier pour VTT. Il s'y était aventuré à quelques reprises, mais sans jamais aller plus loin que l'orée du bois. La forêt de conifères y était dense et peu invitante. Mais avec ce camion de Fortier aperçu la veille, il était bien décidé à aller au bout du chemin, quitte à se rendre jusqu'à la 286, comme semblaient l'indiquer ses cartes topographiques.

Le sentier remontait sur quelques dizaines de mètres tout au plus. Puis, les grands conifères laissaient place à un terrain dégagé, une ancienne coupe, qui donnait vue sur Saint-Édouard et son église. Les broussailles épaisses rendaient la marche difficile. Le chemin était boueux et laissait entrevoir les pistes de la camionnette. Celle-ci semblait avoir cheminé avec difficulté, à voir les trous profonds qu'elle avait laissés à certains endroits.

Alain ne voyait aucun signe de la limite de son terrain, et pensait peut-être l'avoir quitté. Mais comme c'est souvent le cas lorsque l'on est en forêt, il avançait en se disant qu'au prochain repère, un arbre, un rocher, une courbe ou une butte, il retournerait sur ses pas. Cette démarche, bien sûr, le menait toujours plus en avant. Il y eut ce bruit singulier, s'élevant d'abord sourdement, puis toujours plus clairement, comme une longue complainte sur ce paysage brumeux et fantomatique, qui suscita encore plus sa curiosité et le poussa davantage en avant.

C'était un bruit étouffé, accompagné d'un curieux sifflement strident qui grandissait un peu plus à mesure qu'il s'en approchait. Il mena Alain jusqu'à une intersection. Le sentier devant lui avait les allures d'un véritable chemin forestier qu'on avait ouvert en abattant grossièrement les arbres. La machinerie lourde avait profondément labouré la terre d'une façon désolante. Et leurs traces convergeaient toutes vers cette petite route inusitée qui s'enfonçait sur la gauche vers la montagne, ce sentier que Dean avait relevé la veille.

Alain s'y engagea en marchant dans les labours laissés par une énorme chenille. Au bout d'une dizaine de minutes, le bruit était devenu à la limite du supportable et Alain déboucha sur une clairière immense. Devant lui, trois pick-up des Industries Fortier, ainsi qu'une énorme foreuse et un camion-citerne. Il y avait là des têtes qu'il n'avait jamais vues. Mais il reconnut sur le terrain, avec de grandes bottes de caoutchouc noires, André Manseau. Le fils cadet de Joseph, dans une salopette imperméable verte, avait l'air encore plus gros et trapu. Il s'affairait autour d'une machine avec une pelle, dégageant les chenilles de la boue accumulée. Alain aperçut ensuite le grand cow-boy à moustache et au Stetson blanc. Celui-ci était en compagnie de deux hommes avec des casques bleus. Appuyé sur son pick-up, il observa impassiblement Alain s'avancer jusqu'à lui.

Le cow-boy devait dépasser Alain d'une tête. Il avait une grosse moustache en fer à cheval jaunie par la fumée de cigarette. Il s'appelait André. Certains l'appelaient Dédé, mais Le Dré était l'appellation la plus commune. Il donnait l'impression de ne savoir sourire que de manière malveillante, comme s'il se moquait de vous. Du moins, est-ce l'impression qu'eut Alain, lorsqu'il fut à sa hauteur et qu'il lui serra la main.

– Qu'est-ce que vous faites ?

– On creuse. Du forage.

– Vous cherchez quoi ?

La foreuse émit un son strident qui força Alain à se boucher les oreilles. L'autre avait parlé. Il pensait l'avoir compris, mais comme s'il voulait en être sûr, il lui fit répéter une autre fois.

– Du gaz ! répéta Le Dré de sa grosse voix.

Alain repensa à cette cabane de tôle, de l'autre côté de la montagne, découverte par Laurent. Il fallait que ce soit une tête de puits de forage. Ainsi ce n'était pas de son bois dont il était question. Mais de ce qu'il y avait dans le sol. Que ce soit le sable, la silice, l'ardoise et maintenant le gaz, il n'y avait rien pour arrêter ces gens. Tout devait leur appartenir.

– Vous savez que vous êtes chez moi ? dit Alain au grand cow-boy.

Le gros costaud eut de nouveau ce sourire insolent.

– Non, je ne sais pas. Moi, on me dit qu'il faut surveiller un chantier, je surveille. C'est tout.

En voyant le regard qu'Alain lui rendit, il ajouta :

– Le boss s'en vient. Il devrait être ici d'une minute à l'autre. Tu t'expliqueras avec lui.

Puis le grand cow-boy détourna les yeux pour fixer à nouveau la foreuse. La discussion était terminée. Ça ne servait à rien d'ajouter quoi que ce soit avec ce gars-là. Un des hommes avec un casque bleu et une chienne orange sauta en bas de l'engin et s'approcha du grand André. Celui-ci décroisa les bras puis quitta la position dans laquelle il semblait figé pour aller à sa rencontre. Alain s'éloigna.

Il n'eut pas à tourner en rond bien longtemps en ressassant ses idées noires. Il vit approcher un pick-up avec une cabine en fibre de verre noire, tout neuf. Il arrivait à toute allure sur ce chemin cahoteux, propulsant à chaque coup de gaz que donnait son conducteur de grands jets de boue ligneuse plusieurs mètres en arrière.

Le véhicule s'arrêta devant Alain. Le pare-brise fumé, tout aussi noir que le camion, empêchait de voir quoi que ce soit à l'intérieur. Alain ne pouvait faire autrement que ressentir une grande anxiété face à cette impression de déjà-vu. En un coup d'œil, il avait analysé le terrain tout autour pour identifier les meilleurs endroits pour se jeter au sol si le camion cherchait à l'écraser. Mais le moteur s'arrêta, puis le conducteur descendit. En voyant le petit gros moustachu qui en sortit, il reconnut René, le conducteur de la bétonnière. Celui-ci avait sa vieille casquette de Fortier Industries. Celle-ci, par son design, appartenait à la première génération des casquettes de l'entreprise, comme une relique témoignant de son ancienneté. Il s'avança vers Alain et lui serra la main chaleureusement. Ce dernier n'offrit qu'une poignée de main en demi-teinte.

– Salut, Alain, dit René. Ça va?
– Non, répondit-il. Pas du tout.
– *Good*, je suis content de l'entendre. Je te laisse avec le patron. Vous avez des choses à jaser.

Il lui donna trois tapes sur l'épaule, puis alla rejoindre André le cow-boy. Les deux hommes de Fortier se donnèrent une poignée de main virile avant de s'allumer chacun une cigarette. Cette scène rappelait à Alain quelques photos aperçues chez le curé Prud'homme.

Alain attendit une longue et insupportable minute avant de voir finalement la porte arrière, côté passager, s'ouvrir. La tête de la grande Sonia apparut. Puis elle se déploya de ses six pieds deux pouces en étirant ce long cou si mince qu'on se demandait comment il pouvait supporter une tête pareille. Elle ne regarda pas Alain. Elle portait dans les pieds, montant sur ses longues jambes osseuses et jusqu'aux genoux, de grosses bottes de bûcheron recouvertes d'un embout caoutchouté orange. Ses longues cuisses blafardes et bleutées s'étiraient ensuite jusqu'à un short salopette de denim qu'elle portait sur un t-shirt noir. À son épaule, un fusil noir. Un télescope impressionnant occupait la moitié de l'arme. La jeune femme aida Réal Fortier à descendre.

Le maire avait de la difficulté à bouger. Et plus que les dernières fois où ils s'étaient rencontrés. Il s'appuyait lourdement sur Sonia qui le mena d'un pas lent jusqu'à Alain, toujours sans porter un seul regard sur celui-ci, faisant comme s'il n'existait pas.

Réal s'appuya contre le devant du gros camion, la main gauche sur sa canne. De la droite, il tapota le cul de Sonia.

— Merci, ma grande.

Elle s'éloigna de ce pas lent distinctif, à grandes enjambées, qui la faisait se déplacer rapidement sur ses jambes élancées, avec ce déhanchement cassé qui donnait l'impression que l'os de sa cuisse allait sortir du moyeu de ses hanches. Elle s'enfonça dans le bois, et aussitôt une série de coups de feu retentit dans la forêt. S'ensuivit très vite une odeur de poudre insistante, portée par l'air humide, accompagnée des émanations de diesel de la grosse foreuse. Réal, de ses yeux perçants, dévisageait Alain avec ce rictus perpétuel qui prenait forme dans chacune des rides profondes de son visage à la peau foncée.

– Câlice de tabarnac! finit-il par s'écrier. C'est pas le Kwébec icitte, esti. C'est l'Arabie Saoudite!

Alain ne répondit pas. Les coups de feu continuaient à retentir en un court écho vite ravalé par les bruits de la foreuse. Mais cette fois la rafale initiale était passée, et le fusil semi-automatique retentissait lentement, de manière saccadée et métronomique. Réal Fortier reniflait comme un chien.

– Le sens-tu?
– Quoi?
– Le gaz, mon homme. La montagne de gaz!
– Non, je ne le sens pas.
– Tu vas le sentir bien assez vite. Et l'argent qui vient avec, je te le garantis.

L'argent, le mot même, a un pouvoir étonnant qui peut remettre en question les plus fortes convictions. Très vite, il s'immisce comme un ver dans un esprit. Il déforme la réalité et fait miroiter des possibilités infinies à son hôte. Avoir manqué une occasion de s'enrichir peut hanter toute une vie, la gâcher même. Et pour peu qu'on s'en fasse une raison, elle demeurera toujours là comme une tache noire, une ombre tapie, un doute perpétuel. Cette ombre qui passa dans les yeux d'Alain n'échappa pas à l'ancien gourou de la secte Entre ciel et terre, maintenant richissime patron de Fortier Industries, qui avait fait de l'argent et du pouvoir sa principale nourriture spirituelle et un objet d'adoration. Un sourire satisfait apparut sur son visage, comme quelqu'un qui se sent proche de conclure une affaire.

– Ça fait longtemps que vous creusez? demanda Alain.

– C'est notre troisième puits. On a commencé à creuser l'automne dernier. T'as trouvé les deux autres, j'imagine ?

– Un seul.

– Du côté de chez Paul et André ?

– C'est ça.

– Il y en a un autre, si tu traces une ligne droite entre ici et là-bas. À 500 ou 600 pieds environ.

Alain imagina une autre petite cabane de tôle trônant au centre d'une clairière de boue et de débris forestiers avec des troncs d'arbres abattus et empilés grossièrement sur le pourtour, et les traces profondes des chenilles de l'équipement forestier et minier qui avaient tapé la terre jusqu'à la saturer complètement.

– Et vous allez jusqu'où, comme ça ?

– Je ne sais pas, fit Réal en reniflant. Pour l'instant, ce ne sont que des coups de sonde. On cherche. Mais on aime ce qu'on voit. D'après les géologues, il n'y a aucun doute à avoir, cette montagne est un véritable réservoir de gaz.

Les ombres terrées à la lisière de la forêt, qui tourmentaient Joseph Manseau nuit et jour, prenaient forme. Alain, qui les ressentait aussi depuis son arrivée, n'avait plus qu'à fermer les yeux pour les voir nettement, claires et limpides, à son tour.

Dans d'autres circonstances, il aurait détourné les yeux. Mais sans doute poussé par cette colère et cette indignation qu'il sentait monter en lui, il défiait le maire de Saint-Édouard en soutenant son regard froid, aigri et cynique. Il le fixait, impassible, tout aussi froid, tandis que ronronnait de plus belle la foreuse et qu'on sentait sous la terre osciller les pieds, comme si le sol voulait s'en aller.

– Écoute, mon ami... On n'en est qu'au stade préliminaire. On cherche, c'est tout. Je ne suis qu'un tout petit joueur, ici. Mes associés sont issus des différents conseils d'administration de sociétés d'État québécoises. Ces gens-là sont à la solde de ceux qui font et défont les gouvernements. Ils savent aller chercher exactement ce qu'ils veulent. Il n'y a personne qui va les en empêcher. Moi, je ne suis que le maire d'un trou perdu nommé Saint-Édouard-des-Appalaches. Les régions se meurent. On refait des routes, des égouts. On construit un centre sportif. Un parc avec un sentier pour les randonneurs. C'est bien, tout ça. Mais on peut pas tenir une économie régionale à bout de bras avec l'argent des subventions.

Un éclair passa dans les yeux de Réal Fortier, non pas de doute ou de convoitise, cette fois, mais ressemblant plutôt à du mauvais génie. Le maire n'avait pu empêcher cet éternel rictus incrusté dans son visage de se contracter un peu plus, ne laissant aucun doute sur la nature de sa fortune récente. Les fonds publics étaient une manne sans fin pour qui avait les pieds bien ancrés dans les infrastructures, et encore plus un maire possédant une compagnie de béton et tous ses satellites : construction, essence, machinerie lourde, etc.

– Il faut développer l'économie de façon durable, poursuivit Réal. Et ça va passer par le gaz de schiste. Il faut que nous soyons là, présents dans notre région, sinon ils le feront sans nous. Et si ce n'est pas eux, ce sera une multinationale américaine, russe ou indienne, et nous perdrons tout.
– Nous ?

Réal ne répondit pas. Il se contenta d'éclater de rire. Très fort et d'une sincérité étonnante. Fortier savait, comme toute personne ayant de l'ascendant de par sa position dans l'échelle sociale, placer une barrière entre lui et son interlocuteur : dans son attitude, le choix de ses mots qui vous faisait toujours sentir comme un larbin. Cette fois, ce «nous» lancé nonchalamment par Alain frappa le maire directement dans ce cynisme bien ancré dans son esprit. Et le dérida tout à fait. Ce «nous», dans ce contexte, était d'une absurdité sans nom. Il n'y avait pas de «nous». Il n'y avait que «eux».

Réal rit très fort et longuement. Alain réalisa alors que la machinerie s'était arrêtée. On n'entendait plus dans la forêt brumeuse que les coups de feu de Sonia. L'écho de la montagne donnait l'impression qu'ils venaient de toutes les directions à la fois. Le Dré et René étaient appuyés sur le camion de la compagnie et les observaient en silence. Alain était trempé de la tête aux pieds, ce qui accentuait cette lourdeur insoutenable qui l'accablait, au point de lui donner l'impression qu'il allait disparaître dans le sol. Deux types en chienne orange et au casque bleu s'étaient approchés, tout en gardant leurs distances.

Réal acquiesça à leur attention, puis poursuivit à l'adresse d'Alain.

– D'après les ingénieurs, il faut voir la montagne comme un immense réceptacle, une grosse balloune de gaz. En forant à divers points autour, on pourrait arriver à en extraire une quantité faramineuse. Maintenant, tu vas m'excuser, mais je dois leur parler. Ils attendent après moi. Rien qu'à les observer, je peux dire que les nouvelles sont bonnes, excellentes même. Aussi, je vais te demander de réfléchir à une offre raisonnable que je pourrais te faire pour la terre de Manseau. Prends bien le temps d'y penser. Tu pourrais avoir un retour raisonnable sur ton investissement. Dis-toi que les habitants du village verraient d'un mauvais œil qu'on s'oppose à une occasion unique pour le bien-être de tous. Et dis-toi aussi que personne, à part moi, sait combien tu as payé pour la terre de Joseph. Je sais aussi combien tu as payé pour la ligne électrique puisque la compagnie d'électricité est une division de Fortier Industries. Alors tu comprends très bien ce que je veux dire par raisonnable, n'est-ce pas ?

Réal n'en ajouta pas plus. Il scruta Alain avec son gros œil. Tout était dit. Il sourit, puis alla rejoindre ses ingénieurs.

Les coups de feu avaient cessé. On n'entendait plus que le rire gras de Fortier qui serrait la main des types en chienne jaune orange. Alors qu'Alain s'éloignait, Sonia émergea du bois avec son fusil qui traînait sur le sol derrière elle en traçant un sillon dans la boue. Elle sortit une longue langue étroite, jaunie par la fumée de cigarette et de marijuana, puis eut un sourire mauvais qui dévoila au passage ses dents pourries. Elle passa à côté de lui en le frôlant. Et il fut aussitôt avalé par le brouillard qui la suivait.

-III-

Dean, assis sur une botte de foin, un genou relevé, pompait une cigarette qu'il tenait entre son index et son pouce. Les volutes de fumée montaient en se mélangeant à la poussière ambiante jusqu'aux poutrelles de la vieille grange illuminées par la lumière du jour qui filtraient par les nombreuses ouvertures dans les murs et le toit.

L'esprit d'Alain vaquait entre la poussière, la fumée et ce brouillard dense dans lequel il avait toujours l'impression de s'enfoncer, avec Sonia tout juste derrière lui. Dean parlait, mais sa voix se mêlait à celle du maire Fortier.

– La liberté, ça n'existe pas, mon grand. On peut tout prendre, avec les taxes, les amendes. Tous tes avoirs, on peut les saisir du jour au lendemain, le jour où l'on décide que tu ne sers plus à rien. Fonds de pension, héritages, placements, biens : tout nous appartient.

Et Alain avançait dans la brume, sur ce chemin défriché qui lui paraissait maintenant immense, comme si toute la forêt autour de lui avait été rasée. Il cherchait désespérément un moyen de retrouver sa maison, ne sachant plus dans quelle direction aller.

– Tu t'occupes de quoi ? demanda-t-il en levant ses yeux troubles et confus.

Son oreille brûlait comme du feu. De sa main, il tâta un épais bandage qui faisait le tour de sa tête en écrasant son arcade sourcilière gauche. Il avait une migraine atroce.

– Il faut que tu restes caché, Al. Réal est sur ton cas.
– Sur mon cas?
– Oui. C'est grave.

Alain cherchait à remettre de l'ordre dans son esprit. Il se revit sur le toit de la maison, posant une vis à tête hexagonale. Puis il y eut ce coup de marteau, cette chute et ce black-out. Une autre vision accapara son esprit, dans le magasin de chasse et pêche, cette fois: le visage tordu de Sonia qui hurlait au-dessus de lui alors qu'il croyait mourir.

Dean écrasa sa cigarette, enfila son blouson militaire et mit une tuque noire.

– Je vais partir en expédition du côté de chez Fortier. Je vais essayer de trouver la grande salope et lui tirer les vers du nez.

Alain l'écoutait, ne sachant que croire. Il pensa qu'avec tous ces accidents qui s'enchaînaient, on cherchait effectivement à le tuer. Une main sur la tête, comme si ça pouvait calmer cette migraine qui l'assaillait, il encouragea Dean à s'en aller prestement, impatient de le voir partir afin de quitter à son tour cette cachette glauque qu'avait confectionnée le rockabilly avec de vieilles bottes de foin, de gros classeurs de métal et des appareils électroménagers empilés les uns sur les autres. La seule issue se faisait à travers deux faux tiroirs d'un classeur dont le fond avait été coupé au chalumeau. Il fallait s'y glisser à quatre pattes. Ce que fit Dean en s'accroupissant comme un félin.

– Si t'as faim, dit-il avant de disparaître, il y a des biscuits dans un plat Tupperware. Ils ont plus d'une semaine, j'ai pas eu le temps d'en faire une nouvelle *batch*, mais ils sont encore bons.

– OK, merci.

– Ça va aller, vieux?

– Oui, oui.

– T'en fais pas, fit Dean. Tu vas te faire oublier pour un temps. Et ensuite, on va te ressortir tout frais, tout neuf, quand la poussière sera retombée.

Cette empathie étonna Alain. Dean paraissait sincère, mais Alain doutait de ce psychopathe dont l'expression des émotions semblait toujours se faire par pur mimétisme, comédien dans le théâtre de sa vie pas croyable, plutôt que par réelle sensibilité. Dean Morissette pouvait raconter n'importe quoi, plongé dans ses délires où l'incohérence et la conviction formaient un tout étonnant. Et s'il travaillait pour Réal Fortier et qu'il cherchait à le tenir à l'écart, dans cette grange, le temps que la montagne soit siphonnée? Après cet accident sur le toit, tout était possible.

– Dean? fit Alain.

Le voisin avait disparu par l'improbable issue, après avoir remis les tiroirs en place. Alain entendit sa voix nasillarde, derrière lui, de l'autre côté des balles de foins qui formaient une muraille à la tête de son lit de camp.

– Oui?

– C'est toi qui m'as soigné?

– Non, c'est Mireille, à la clinique. C'est là qu'ils t'ont conduit après le coup de feu.

*

Dean parti, Alain s'étendit sur le lit de camp une quinzaine de minutes en espérant calmer la migraine. Mais à bout de patience, malgré la douleur, il se glissa par le classeur.

Le fenil était un bordel sans nom, jonché d'objets de toutes sortes empilés jusqu'au plafond. Il se faufila à travers un couloir exigu avant de descendre un escalier bancal. Sous de grosses bâches noires, il découvrit, alignés les uns à côté des autres, trois véhicules militaires : deux jeeps ainsi qu'un vieux camion blindé pour le transport de troupes déposé sur des blocs de ciment. Suspendus à des crochets, le long d'un mur de planches derrière, il aperçut ce qui ressemblait à des combinaisons et à des masques à gaz, ainsi que des gilets pare-balles.

Il se trouvait dans l'une des deux granges derrière la maison de Morissette. Aussitôt qu'il mit les pieds à l'extérieur, la lumière du jour, qui brillait d'un soleil éclatant, lui fit fermer les yeux. La migraine se mit à l'élancer de plus belle. Un premier coup d'œil vers le garage, plus loin, lui rappela que Sammy-Jo devait monter la garde quelque part. Aussi, il préféra s'enfuir par les bois sans attirer son attention. Il emprunta la route à travers le labyrinthe des voitures.

La tête lui tournait toujours et son oreille lui élançait de manière démentielle. Quand il serrait les mâchoires, il sentait du liquide qui voyageait dans son conduit auditif ou dans la trompe d'Eustache. Son centre d'équilibre était complètement désaxé. Il marchait en titubant. L'horizon se courbait sans cesse sur sa droite, et les montagnes de voitures donnaient l'impression de s'étirer pour tomber sur le côté.

Il marcha ainsi, comme au milieu d'un cauchemar, jusqu'à la vieille cabane à sucre. Il la trouva défaite, empilée en ballots, avec toutes les planches, les poutres et tout ce qui en faisait la structure numéroté, prêt à être transporté et rassemblé au bord du 6e Rang. Il avait fait tout ça, comme le lui avait suggéré Réal, qui se proposait de lui acheter une hypothétique production d'eau d'érable. La défricheuse était passée et avait ouvert un chemin sur près de cinq mètres de largeur. On lui avait facturé 3 000 dollars pour ouvrir un espace et niveler le terrain avec un bulldozer.

*

Ce soir-là, Alain marcha de long en large dans la grande pièce, passant et repassant devant la cheminée. Il s'appuya contre cette immense pièce de bois qui constituait le manteau. Il ferma les yeux pour entendre la voix de Marianne, ses murmures chuchotés qui s'entremêlaient au crépitement du feu et à sa douleur à l'oreille dont les élancements battaient le rythme de ses pensées. Il se demandait ce qu'il y avait à faire lorsqu'on était dans un cul-de-sac. Et toujours le même constat : il fallait sauver sa peau. La seule solution viable, même si ça le répugnait, était de vendre à Réal. Avec un peu de profit, il pourrait racheter ailleurs et commencer autre chose. Une fois sa décision prise, il se calma un peu. Il sentit le quitter les tourments, les ombres et les chimères qui l'assaillaient toujours un peu plus depuis son arrivée. Il calcula rapidement qu'il avait investi *grosso modo*, incluant le prix de la terre et l'acheminement de l'électricité, 134 000 dollars. Il allait démarrer les enchères à vingt pour cent au-dessus, 26 800 dollars de plus-value. Il espérait une entente à quinze pour cent, soit une vente de 150 000 dollars. Une fois le dernier chiffre apparu sur la calculatrice, un coup de vent inhabituel descendit par la cheminée et éteignit les flammes, ne laissant plus que des braises rouges qui crépitaient.

*

Il fut réveillé par des bruits de pas sur la galerie. Il se leva à toute vitesse et se glissa le long du mur du salon. Il jeta un œil discret par la fenêtre adjacente à la porte. Dans un ensemble de jogging en coton bleu pâle, un sac de cuir en main, se tenait Mireille l'infirmière. Alain se plaqua contre le mur tandis qu'il la voyait tendre le cou par cette même fenêtre pour regarder à l'intérieur. Il l'entendit cogner à nouveau, puis d'une voix forte, aiguë et criarde, dire :

— Monsieur Demers, je viens changer votre bandage!

Son pansement était souillé, humide, et une odeur désagréable commençait à s'en dégager. Il n'avait pas eu le courage d'y toucher la veille. En tirant légèrement sur le tissu, il pouvait sentir les chairs collées au coton fromage par les sécrétions séchées. Aussi, il se décida à ouvrir. En voyant Alain sur le palier de la porte, l'énorme Mireille, toujours aussi légère, eut un petit rebond qui fit trembler la galerie. Ne voulant pas manquer sa chance, elle fonça dans la maison en faisant reculer Alain de plusieurs pas.

— Je suis contente de vous voir! dit-elle. Oh, ça avance, les travaux! ajouta-t-elle en regardant le bordel tout autour.

Elle avait dit cela en regardant les deux électroménagers, le poêle et le frigo en inox, qui juraient dans ce décor de pouilleux en chantier avec des deux par quatre, du contreplaqué, des boîtes de vis et des outils partout.

– Allez-vous installer la télé ?

– Peut-être quand j'aurai terminé les travaux. Pour l'instant, je ne veux pas me laisser distraire.

– Oh, là, que vous êtes sérieux !

Elle avait repoussé le tas d'immondices sur la table à dîner : la vaisselle sale, les restants de nourriture périmée, les outils, le tube de graisse et la quincaillerie, pour y déposer sa valise noire.

– Je suis passée hier, mais vous n'étiez pas là. Où est votre automobile ?

– Oh, fit Alain en s'assoyant sur une chaise, j'étais chez mon voisin. J'ai trop bu et j'ai décidé de rentrer à pied.

– Vous avez trop bu ? ! Monsieur Demers, vous prenez de la morphine et des antibiotiques très forts.

– De la morphine ?

– Mais oui.

– Je ne savais pas ça.

– Pourtant, je lui avais expliqué tout ça. Dean Morissette est un idiot.

– Je ne vais pas vous contredire.

Mireille éclata d'un rire assourdissant, à intervalles serrés, qui claquait sec comme l'aurait fait une grosse crécelle. Sa bouche s'était ouverte tout grand et elle avait renversé sa tête aux cheveux rouges vers l'arrière en mettant ses deux poings sur ses énormes hanches. Quand elle eut fini, elle approcha ses deux mains potelées aux doigts courts de la tête d'Alain, lequel se mit à craindre le pire en repensant à ses dernières prises de sang.

Mireille y alla délicatement, et tout se passa bien. Sauf au moment où, le bandeau enlevé, elle lui dit de retenir son souffle pour retirer le dernier morceau du pansement, celui qui était cimenté dans les croûtes de pus.

Alain ne broncha pas et serra les dents, même s'il se sentit défaillir lorsque la douleur devint nettement insupportable.

– Vous êtes un dur, monsieur Demers, dit Mireille. J'en connais plus d'un qui aurait hurlé. Ça va aller ?

Elle avait dit cette phrase en minaudant, s'était penchée vers l'avant et avait appuyé ses mains sur ses deux jambes serrées, en approchant son visage du sien. Il acquiesça en prenant un peu de recul.

– Bien ! dit-elle, avec cette voix toujours un peu trop forte qui résonnait dans sa tête. Il y a de l'eau propre, ici ?

Mireille se dirigea vers le comptoir qui était dans le même état, sinon pire, que la table. Elle regarda à gauche et à droite, considéra un moment la pompe à main dans le vieux lavabo, jaugea quelques bols qui n'avaient pas été lavés depuis des semaines, puis se convainquit que le liquide antiseptique suffirait. Après s'être tiré une chaise sur laquelle elle ne put asseoir que l'extrémité de ses fesses tellement elles étaient énormes, elle nettoya l'oreille d'Alain. Les élancements s'étaient atténués, comme si l'oreille retrouvait un peu de liberté et qu'elle se mettait à respirer au contact de l'air frais.

– Je vais être sourd ? demanda-t-il.
– Non, je ne pense pas. Il n'y a que le pavillon qui est atteint. Le docteur Couture devra vous observer de nouveau, mais lors du premier examen le tympan ne paraissait pas attaqué. C'est plutôt le souffle de la détonation qui est venu frôler votre tête et qui a emporté une partie de votre oreille. Vous voulez voir ?

Mireille lui tendit un petit miroir. Il se leva et alla au-devant du grand miroir sur le manteau de la cheminée. Il fut, comme chaque fois qu'il se mirait, étonné de cette allure et de sa mine, qui cette fois, après cette dernière aventure, était plus déconfite que jamais. Sa barbe et son visage étaient sales, et ses yeux étaient cernés et rouges, alourdis par la morphine. Avec le miroir de Mireille, il put s'observer un instant. Le haut du pavillon était arraché. Il lui restait un tiers de son oreille. Le conduit auditif et le lobe n'avaient pas été touchés. Il ne se reconnaissait plus et avait la nette impression de voir quelqu'un d'autre. Comme si ce coup de feu qui avait failli le tuer parachevait sa transformation.

Il alla se rasseoir et l'infirmière lui refit un pansement. Quand elle eut fini, elle sortit une pochette noire qu'elle ouvrit sur la table. Alain vit des seringues et voulut se lever. Mais la main droite de Mireille, debout à côté de lui, se déposa sur son épaule et l'en empêcha, le plaquant solidement sur sa chaise.

– Ne vous inquiétez pas. C'est votre morphine.
– Non, merci.
– Mais, Alain... C'est pour vous aider à supporter la douleur.

La lourde main quitta son épaule et il en profita pour s'esquiver. Il se dirigea vers la porte en reculant de quelques pas. Mireille fit une moue désolée en contractant ses lèvres charnues et en roulant des yeux. Sa tête pencha vers son épaule gauche. Ce geste gonflait les replis de gras dans son cou, lui faisant un visage tout rond, énorme.

– Comme vous voulez, dit-elle. Je vous laisse des comprimés d'acétaminophène. Attendez-vous à en avoir besoin très bientôt. Et surtout pas d'alcool. Passez à la clinique demain, le docteur Couture vous examinera.

Après avoir ramassé ses affaires, elle sortit. Alain la suivit du regard. Puis, mû par un instinct plus fort que lui, il partit à sa suite, les yeux fixés sur ce derrière incroyable qui défiait la gravité, semblant appartenir à un autre monde et répondant à des lois physiques différentes des nôtres.

Son esprit tout obnubilé par ces hanches qui balançaient ces grosses fesses enveloppées de coton bleu molletonneux, il fut surpris de la voir se retourner pour le saisir par la barbe. Sans qu'il puisse l'en empêcher, il vit s'approcher la grosse face bardée de fard à joues, de mascara et de rouge à lèvres rose étincelant. Les lèvres de Mireille se fixèrent à sa bouche comme l'aurait fait une ventouse. Il ressentit une succion, tout d'abord légère, puis qui alla en s'intensifiant jusqu'à en devenir insupportable. Une espèce de mouvement péristaltique inexorable auquel il ne put résister et qui lui fit ouvrir les mâchoires, qui se tendirent vers l'avant. Une langue gigantesque s'introduisit avec force dans sa bouche en la fouillant de partout, faisant un bruit qui, si on l'eut amplifié, aurait ressemblé au travail d'un débouche tuyau en caoutchouc au fond d'une cuvette.

Lorsque Mireille relâcha son emprise, de longues coulisses de bave visqueuse coulèrent sur son menton. Le reste, il l'avala. Un goût piquant de bonbon à la cannelle descendit dans sa gorge.

– C'était notre rendez-vous, aujourd'hui. T'avais oublié, mon bonhomme ? Repose-toi, on fera ça une autre fois.

Et Mireille s'éloigna en sautillant en bas des marches, le laissant pantois sur le balcon. Elle descendit la grande côte qui menait à la route, plus bas, où elle avait laissé sa voiture. Elle allait d'un pas léger, ses fesses s'agitant de toutes parts, avec de petits pas de gambade, ici et là, comme une gamine toute fière de son espièglerie.

*

Ça y était. Ce gros cul surnaturel était maintenant imprimé de manière indélébile dans sa fantasmagorie. Il le hantait, apparaissant à tout moment, rond et énorme, lourd et léger à la fois, toujours démesuré, comme une planète géante accomplissant une éternelle ellipse et qui surgissait chaque fois de l'infini sidéral de son esprit, dansant devant lui.

Le maire ne lui ayant pas donné d'ultimatum, il acheva la réfection du toit. Le travail était sa seule échappatoire, devenait presque une raison de vivre, et ce, malgré toutes les douleurs. Malgré la migraine et les étourdissements, il posait la tôle neuve en terminant de la fixer avec les vis hexagonales, anticipant déjà le prochain projet, une fois qu'il aurait l'argent en poche. Il se promit d'aller de l'autre côté du fleuve, le plus loin possible de cet endroit, peut-être du côté du Saguenay ou de la Haute-Côte-Nord.

Dean n'avait pas donné signe de vie. Ça ne l'étonna pas. Comme toujours, il devait être passé à autre chose dans son délire, suivant à la lettre sa rhétorique inconséquente. Il débarquerait certainement au volant d'une vieille bagnole ou d'une grosse souffleuse à neige et lui parlerait d'un autre de ses projets sans queue ni tête. Mais après une dizaine de jours sans nouvelles, Alain commença à s'inquiéter. Dean avait dit qu'il irait chez Fortier demander des comptes à Sonia. Il se mit à imaginer le pire. Il enfourcha un vieux vélo abandonné par son voisin depuis des semaines sur son terrain et descendit le 6e Rang.

Il s'arrêta un peu plus haut, pour observer, plus bas, le terrain de Dean qui se déployait au pied du flanc est du mont Manseau telle une décharge qu'aurait vomie la montagne. Il cherchait Sammy-Jo, le mastodonte aux mamelles, et reconnut avec étonnement le Chrysler 300 argenté, stationné tout près du garage, celui-là même que conduisait la conjointe du maire Fortier.

Il marcha aux côtés de sa bicyclette, jusqu'au garage. Puis, il s'arrêta de nouveau, se cramponna à son guidon et entendit distinctement les sons peu ordinaires d'un homme et d'une femme en train de baiser. À entendre les grognements et les halètements qui sortaient de l'atelier, il fallait que ce soit Dean et Sonia. Et bien sûr, il y eut cette question qui vint immédiatement à l'esprit d'Alain : comment se faisait-il que ces deux maniaques ne se fussent pas trouvés plus tôt ?

Il aurait dû s'éloigner, mais la passion, l'ardeur surtout, qui provenait de l'intérieur, était aussi dérangeante que fascinante. Il avait beau essayer – peut-être parce que lui aussi avait goûté aux charmes de Sonia –, il n'arrivait pas à s'arracher à ces sons gutturaux, étouffés mais expressifs. Son ouïe était bien ancrée, en équilibre entre la pudeur l'enjoignant à partir pour laisser les deux amants tranquilles et le désir concupiscent qui le faisait tendre toujours un peu plus en avant, jusqu'à jeter un coup d'œil par l'entrebâillement de la porte.

Il n'entendait plus que Dean marmonnant des insanités de sa voix d'âne. En passant la tête, il vit Sonia à quatre pattes en train de dévorer le sexe du grand rockabilly. Il ne voyait que sa tête aux cheveux châtains, coupés ras, aller et venir devant le pelvis de Dean, nu et en sueur, le torse blanc parcouru de quelques plaies sanguinolentes, le dos appuyé contre son établi, les yeux fermés. Son profil de bourricot avec son grand nez et ses grandes dents allait de gauche à droite.

Contre un montant de charpente, à quelques mètres d'eux, il y avait deux fusils appuyés l'un sur l'autre, ceux de Dean et de Sonia, qui se lovaient à leur manière. Sur son coussin, Sammy-Jo, le gros rottweiler, qui en d'autres temps aurait sonné l'alarme à l'approche d'un intrus, semblait tout aussi fascinée qu'Alain par le spectacle bestial ayant cours dans l'atelier. Elle haletait comme si elle participait aux ébats et se léchait les grosses mamelles avec délectation.

Alain observait le cul maigre et osseux de Sonia. On voyait distinctement les os des hanches qui se détachaient. Ainsi accroupie, avec les jambes écartées, s'appuyant sur ses bottines noires, elle ne laissait voir que cet anus qui ressortait, au pourtour bien défini, nervuré et sombre, comme un œil noir occupant tout l'espace entre ses fesses quasi inexistantes.

Lorsqu'il entendit Dean commencer à râler, comprenant ce qui allait se passer et convaincu qu'il n'avait absolument pas envie d'assister à cela, il se retira en vitesse pour enfourcher son vélo. Alors qu'il s'éloignait, le spectacle étant terminé, Sammy-Jo, qui ne devait attendre que ce moment avant de retrouver ses instincts, s'élança à toute vitesse à l'extérieur du garage en hurlant tel le monstre enragé qu'elle était. Sur la vieille bicyclette, pédalant tant bien que mal dans le gravier, la boue et les hautes herbes, Alain fuyait en cherchant désespérément à changer les vitesses. Mais le vieux dérailleur était encrassé et la chaîne bougeait à peine sur les plateaux. Il se jeta par terre, saisit un morceau de bois au bord du chemin et se prépara à affronter le monstre qui s'arrêta devant lui et se mit à japper furieusement en se déplaçant de gauche à droite.

C'est alors qu'un cri puissant retentit. On dit des ânes qu'ils font les meilleurs gardiens de troupeau. S'ils peuvent s'élancer à la chasse aux prédateurs, allant jusqu'à les affronter en se cambrant et en les frappant de leurs pattes, c'est avant tout le braiment, ce cri violent et si caractéristique, qui fait fuir les loups. Le cri de Dean montait dans les mêmes intonations, commençant pas une ingestion massive d'air suivie d'une expulsion brutale par pulsations successives.

Sammy-Jo, saisie par le cri de son maître, cessa immédiatement de japper, baissa les oreilles, rentra la queue entre ses pattes, et se dirigea piteusement jusqu'à Dean qui se tenait devant la porte de son garage, torse nu, le jean à moitié détaché. Il botta le cul du chien qui passait à côté de lui, puis salua chaleureusement Alain, en souriant à pleines dents, et l'invita à s'approcher. C'est alors qu'elle sortit.

Sonia passa furtivement à côté de Dean. Celui-ci tenta une tape sur son derrière, mais elle était déjà loin et le geste passa largement dans le vide. Elle était vêtue d'un jeans et d'une camisole noire. La moitié supérieure de son visage était camouflée par de grosses lunettes fumées. Elle embarqua dans son Chrysler qu'elle fit démarrer le pied à fond sur l'accélérateur. Après avoir fait virer ses pneus dans la garnotte, elle disparut à toute vitesse sur le chemin de l'Immaculée-Conception dans un nuage de poussière, avec le son puissant du moteur 250 chevaux qui se fit de plus en plus sourd jusqu'à disparaître complètement. Il ne restait plus que le silence parfait de cette campagne et, devant, Dean Morissette qui souriait d'un air satisfait.

– Quelle bonne femme ! dit-il.

Ils se dirigèrent vers la petite terrasse annexée au garage. Dean sortit une bouteille de bourbon de la pharmacie, en cala une grande lampée, puis remplit un verre pour Alain. Ils s'assirent l'un à côté de l'autre sur des chaises faisant face au sud, avec comme paysage le dépotoir qui s'étendait sur plusieurs hectares.

Dean regardait cela en pâmoison, les yeux humides, comme devant le plus beau des tableaux. Il soupira à plusieurs reprises.

– *Man*, je sais pas ce qui m'arrive, finit-il par dire. J'ai jamais vécu ça avant.
– Quoi ?
– Al, mon chum... Je pense que je suis en amour.

Alain se passa nonchalamment la main dans sa longue barbe toute sale et acquiesça sans détourner le regard. Il sentait les yeux de Dean posés sur lui, comme attendant une réponse de sa part.

– Ç'a l'air sérieux, qu'il finit par dire.
– Mets-en que c'est sérieux. Ça me rend heureux, *man*.
– Dean, c'est la femme de Réal Fortier. Elle m'a tiré à bout portant.
– Ça, c'était une erreur. Elle me l'a dit. C'est le gros cave de commis qui a chargé le *gun*. T'aurais dû la voir, Al... Je suis débarqué chez Fortier en passant par le bois. Des coups de feu m'ont attiré jusqu'à un champ de tir. Quand je l'ai vue au milieu, en train de plomber une cible avec deux Beretta, un dans chaque main, je suis sorti de ma cachette, j'ai marché jusqu'à elle et je l'ai frenchée.
– OK... Oui, c'est sûr. Mais penses-tu que Réal le saura pas que tu vois sa femme ?

Dean fut piqué à vif et se redressa sur sa chaise en faisant résonner les talons de ses bottes sur les planches de la terrasse. Il saisit le paquet de cigarettes qu'il avait à l'épaule, l'ouvrit pour s'en allumer une et la pompa agressivement en faisant un gros *show* de boucane autour de sa tête.

– *Man*, je vais avoir bientôt quarante ans et c'est la première fois que ça m'arrive. Il y a personne qui va se mettre au travers des amours de Dean Morissette ! C'est-ti assez clair ?!

Alain acquiesça de nouveau. Il observait la construction dans le champ, devant lui. Ce labyrinthe pharaonique fait de vieilles voitures se dressait tout d'abord comme un mur, avec ces deux entrées sur la gauche et sur la droite. Il s'étirait ensuite en se déployant chaque côté de cette route qui cheminait au milieu, et jusqu'à cette montagne d'immondices, tel un monstre chaotique en son centre, autour duquel gravitait l'univers morissettien. Alain ne savait comment se l'expliquer, ni quelle tournure cela allait prendre, mais avec le cul de Sonia dans le décor, la donne avait changé. Il avait l'impression qu'il avait trouvé, bien malgré lui, une arme dans son combat contre le maire Fortier.

*

Il rangeait son vélo dans la grange lorsqu'il entendit s'approcher le son d'un véhicule lourd. Il eut la surprise de voir apparaître, au détour des arbres, un immense motorisé noir qui s'engagea dans son entrée puis se retourna avec des manœuvres fastidieuses. Il connaissait cet engin. Il l'avait vu tout d'abord en photo, puis au Festival western de Saint-Léonce. Une fois le moteur éteint, un bruit de décompression se fit entendre, la porte de côté s'ouvrit et madame Lacoste en descendit.

Elle remonta la côte en courant, un paquet entre les mains, ramené sur sa poitrine. Elle était vêtue d'un jeans, remonté un peu haut sur sa taille, et d'une chemise lilas. Ses cheveux étaient attachés et formaient cette éternelle natte sur sa tête. Elle ne l'aperçut pas tout de suite, comme s'il se fondait parfaitement dans le paysage de vieilles planches de sa grange. Elle appela :

– Alain ! Alain !

Il finit par attirer son attention d'un geste de la main.

Jacqueline resta bouche bée en le voyant. Elle l'observa des pieds à la tête : son jeans aux genoux sales, sa vieille chemise à carreaux, ses cheveux gras, sa barbe mal taillée. Il avait maigri, encore plus que depuis leur dernière rencontre. Avec sa casquette Labatt 50 et son oreille... Il s'était débarrassé de son bandage, mais son ouïe lui paraissait grandement affectée.

Elle agitait la tête de gauche à droite, avec désolation.

– Mon doux Seigneur, Alain... Mais qu'est-ce qu'ils sont en train de vous faire ? On... On dirait Joseph.

Elle parut intimidée et regarda derrière elle en désignant le motorisé.

– Nous partons.
– En voyage ?
– Oui, si on veut. Nous n'en pouvions plus. Nous avons vendu la maison de Montmagny. Nous partons aux États-Unis et nous passerons l'hiver en Arizona. Alain, il fallait que je vous parle. Jacques ne voulait rien entendre, mais j'ai fini par le convaincre de faire un détour par ici. Je ne peux pas rester longtemps. Il a peur et avec raison. J'ai entendu parler de ce qui vous était arrivé, de ce coup de fusil qui a failli vous tuer. Alain, quittez cet endroit au plus vite. Ne vous obstinez pas. Tout est arrangé. L'acte de cessation de vos terres est

déjà préparé. Jacques l'a signé hier soir sous la menace d'un revolver. Sauvez votre peau, c'est tout ce qu'il y a à faire, croyez-moi!

Elle lui tendit le paquet qu'elle tenait. Après maintes hésitations, elle le salua de la main avec un sourire désolé. Elle aurait voulu le serrer dans ses bras. Jacqueline n'avait jamais eu d'enfants. Son notaire de mari avait toujours été résolument contre, préférant se consacrer à sa vie professionnelle, à sa vie de couple et à leurs activités en société. Elle n'avait jamais, non plus, ressenti ce désir qui peut se faire si pressant chez certaines femmes. Toute sa vie, elle avait apprécié sa liberté, ce pouvoir d'aller où bon leur semblait, Jacques et elle, sans avoir à se soucier de rien d'autre qu'eux-mêmes. Mais avec l'âge, elle ressentait un attachement vif pour n'importe quelle jeune personne. Malgré elle, elle ne pouvait s'empêcher de tisser des liens affectifs qui se fixaient définitivement. Elle pensait beaucoup à Alain. Ce garçon, dès leur première rencontre, elle l'avait tout de suite aimé.

Un coup de klaxon autoritaire se fit entendre derrière. Elle se pencha et embrassa tendrement Alain sur la bouche avant de tourner les talons, pour descendre le chemin de cailloux. Le moteur du gros motorisé se mit à gronder. Sitôt Jacqueline Lacoste montée à bord, le mastodonte de villégiature disparut à son tour au détour des arbres. Alain attendit sans bouger jusqu'à ce qu'il n'entende plus rien et que le nuage de poussière sur la route soit complètement retombé.

*

Il n'y a rien de plus contagieux que l'amour. Les jours passaient et le mois d'août était bien entamé.

Dean était en train de développer une véritable obsession pour la femme de Réal Fortier. Si Alain ne se déplaçait pas pour écouter ses dithyrambes sur le rectum de Sonia, c'est Dean qui remontait le 6ᵉ au volant d'une vieille Triomphe, d'un tracteur Oliver des années soixante-dix, ou encore d'une vieille camionnette sortie d'on ne sait où. Ses virées quotidiennes, il ne les faisait plus avec Alain, mais chaque fois avec Sonia.

Bien qu'Alain cherchât par tous les moyens à changer de sujet, il semblait n'y avoir rien à faire pour empêcher Dean d'exprimer son enthousiasme.

— C'est une Brayonne. C'est des cochonnes, ça.
— OK. Bravo.
— Merci.
— Ne lui fais pas un petit.
— Pourquoi ? Ce serait la femme parfaite pour élever mon fils.

Que serait ce garçon, fruit des entrailles de Sonia et de la semence de Dean Morissette ? Le produit de la catharsis amoureuse ultime ? Le Terminator, certainement. Du moins, sa destinée serait clairement tracée par sa génétique.

Ainsi, oui, l'amour est contagieux. Après le départ de Dean et la fin de ses conversations sexuelles malsaines, Alain entreprit de faire sa toilette en y mettant plus de conviction que d'habitude. Il coupa et peigna sa barbe et ses cheveux, ce qui lui donna un air à peu près soigné, mais tout de même douteux. Vêtu d'un jeans et d'une chemise propre qu'il n'avait jamais enfilée depuis son arrivée, il sortit avec l'intention d'aller se faire examiner à la clinique.

Dean lui avait laissé le vieux pick-up, un S-10 vert forêt, un cadeau, avait-il dit. Alain, qui pensait à son déménagement prochain, accepta, même s'il avait de sérieux doutes sur la condition du véhicule. Il allait le tester en allant au village. En cours de route, il descendit pour cueillir quelques fleurs au bord du chemin.

C'est au pied des marches de la maison centenaire, d'un blanc impeccable, servant de clinique au docteur Couture, qu'il fut interpellé :

– Bonjour, Alain.

Avec sa petite tête ronde au bout de son long cou, Claude Prud'homme avait surgi en descendant agilement le talus de gazon depuis le presbytère situé plus haut. Il tendit la main avec son sourire de toujours, une main qu'Alain serra, méfiant.

– Ça fait un bout de temps qu'on vous a vu.
– Oui. Depuis l'accident, j'ai pris du repos.
– Pourtant vous continuez à travailler sur votre maison.
– Comment savez-vous ça ?
– On me l'a dit. Un curé sait tout, vous vous en doutez bien. Le Festival de l'automne commence dans quelques semaines, ajouta-t-il. Il y aura le tournoi de fers. Vous étiez doué, c'est malheureux que vous ayez cessé votre entraînement.
– Je n'ai jamais eu l'impression d'avoir été très bon, l'interrompit Alain.
– J'ai peut-être été dur avec vous. Mais c'est parce que je sais reconnaître le véritable potentiel quand je le vois et j'ai décidé de vous confronter un peu. Vous avez tort de vous comparer à moi, mon cher Alain. Je viens d'une famille de champions et je joue depuis ma plus tendre enfance. Je peux vous assurer que vous aviez l'élan, la gestuelle appropriée, pour devenir un excellent joueur. Si vous aviez continué vos exercices, je vous aurais certainement pris comme équipier pour le tournoi de cette année.

– Parce que vous n'avez pas d'équipier, d'habitude?

– Oui, j'en avais un. Nous faisions une équipe redoutable, depuis plusieurs années. Depuis 1992, aucun tournoi ne nous a échappé. Malheureusement, il n'est plus disponible. J'ai bien l'impression qu'on ne le verra pas de sitôt, mon Jacques.

– Votre Jacques?

– Jacques Lacoste, le notaire de Montmagny.

Le curé le regardait avec un immense sourire, les mains dans les poches de son pantalon. Alain le quitta avec une drôle d'impression. Comme si Claude Prud'homme se moquait clairement de lui, de toutes les façons possibles.

*

– Votre oreille guérit bien, dit le docteur d'un premier coup d'œil. Malheureusement, ajouta-t-il après examen à l'otoscope, j'ai peur que vous soyez atteint de surdité partielle. Votre tympan est affecté. Peut-être vous faudra-t-il consulter un spécialiste? Si ça vous intéresse, nous pouvons prendre un rendez-vous à Québec. Mais n'attendez rien avant quatre ou six mois.

Le vieux médecin, après avoir jeté ses gants de latex stérilisés dans une petite poubelle, s'était assis à son bureau pour annoter un dossier. Dans un coin, debout, à l'affût de la moindre demande du docteur Couture, il y avait Mireille, qui ne cessait de faire des sourires et des clins d'œil complices à Alain. Elle s'était montrée une assistante dévouée, répondant avec exactitude et empressement à chacune des demandes du docteur. Elle baissait toujours les yeux lorsque le vieillard levait les siens sur elle. Un signe de soumission qui intrigua Alain. Chaque fois qu'il faisait une recommandation, ou qu'il prononçait même la parole la plus anodine, elle acquiesçait excessivement, les mains jointes devant elle et inclinant la tête.

– Je vois qu'il est noté à votre dossier que vous avez refusé la médication. C'est exact ?

– Oui, fit Alain, alors que Mireille acquiesçait de même dans son coin.

– Et vous consommez de l'alcool ?

– Bof...

– Ça doit être douloureux, votre oreille ?

– Oui et non, je ne sais plus.

En effet, il ne savait plus. Les tourments montaient en lui, lentement, sournoisement, se faisaient de plus en plus oppressants. Et la douleur semblait faire partie de cette triste condition qui l'accablait et dont il ne se rendait même plus compte, tout se jouant comme une nécessité de cette existence troublante qui était maintenant son quotidien.

– Vous m'inquiétez, cher ami, dit le docteur. Lors d'une consultation précédente, je vous ai parlé du repos nécessaire, d'une certaine hygiène de vie essentielle à votre réhabilitation après votre chute du toit. Il y a eu cet accident regrettable à la boutique de monsieur Blais, j'en conviens. Mais je dois vous dire, Alain, et j'ai le regret de vous l'annoncer : vous me semblez au bout du rouleau.

Aussi durs et exigeants que nous soyons envers nous-mêmes, il y a toujours un certain relâchement de tous ces mécanismes qui nous tiennent en un seul morceau devant le médecin, ce professionnel du corps et de l'âme. Alain n'aurait jamais démontré la moindre faiblesse. Mais le poids de ce qu'il supportait depuis tant de mois, avec la conclusion inexorable aux mains du maire, s'affala sur lui. En un instant, il perdit tous ses repères. Des larmes lui montèrent aux yeux en entendant le docteur suggérer, de cette voix profonde et assurée, qu'il était au bord de la crise de nerfs.

Il se retint de tout débordement. Mais bien évidemment cela n'échappa pas au médecin, ni à Mireille. Cette dernière s'agenouilla devant lui et lui prit la main.

– Monsieur Demers, sachez que vous êtes entre bonnes mains, lui dit-elle. Le docteur Couture est là pour vous. Vous avez beaucoup de chance.

Alain ne dit rien. Le docteur prit la pose. Sous ses airs graves, derrière ce regard perçant, on pouvait sentir combien il appréciait et approuvait ces mots de l'infirmière. Il ôta ses lunettes pour les essuyer avec un mouchoir. Un geste machinal qu'il faisait à répétition, plusieurs fois au cours d'une consultation.

– Vous êtes le seul maître de votre destinée, Alain. Vous seul pouvez quelque chose dans votre vie. Il vient un temps où un homme doit savoir s'incliner devant ce qu'il ne contrôle pas. Il doit pouvoir s'en faire complice, ou tout simplement s'écarter. On appelle ça la sagesse. La folie, c'est l'entêtement qui nous pousse à avancer, malgré qu'on s'enfonce dans le désert aride, dans la forêt austère ou sur une mer déchaînée. Il faut savoir prendre sa mesure d'homme. Au temple d'Apollon, à Delphes, avant d'entendre la Pythie qui révélait l'oracle, on pouvait lire à l'entrée, gravés dans la pierre, ces mots : «Connais-toi», qui deviendront la pierre d'assise de toute une philosophie rationaliste qui marquera notre monde contemporain. Car nous ne pouvons rien devant le monde, mais nous pouvons certainement quelque chose pour nous-mêmes. Et c'est sans doute là tout le sens profond de ce «connais-toi toi-même» auquel nous invite Socrate. Le rationalisme nous pose en hommes libres, contrairement à tous ces déterminismes qui font de nous d'inexorables victimes. Le rationalisme, c'est encore la capacité de reconnaître ses erreurs, de changer de cap, d'aller de l'avant, n'est-ce pas, monsieur Demers ?

Alain acquiesça. Il suivait distraitement la conversation vers laquelle cherchait à l'amener le docteur Couture, avec toujours dans la tête sa dernière discussion avec le curé Prud'homme,

– Je ne vous prescrirai pas les antidouleurs puisque votre guérison est bien avancée et que vous semblez tolérant au mal, plus que n'importe qui... Par contre, Alain, compte tenu de votre état général, je me dois d'insister et de vous prier d'accepter cette nouvelle prescription. Ce sont des anxiolytiques. Le devoir professionnel m'oblige à vous diagnostiquer une anxio-dépression. Je dois le noter à votre dossier.

Alain saisit le bout de papier que lui tendait le docteur. L'écriture était bien sûr indéchiffrable. Il se contenta d'agiter la tête de gauche à droite.

– Ce n'est pas une faiblesse de reconnaître l'échec. Ce qui est une faiblesse, c'est justement de cesser d'avancer, de s'abandonner. En acceptant de prendre le médicament, vous posez un geste de courage, Alain, un geste rationnel.

Alain acquiesça. Il vit le docteur et l'infirmière échanger un regard satisfait, puis ils lui sourirent. Il les imita en prenant les quelques échantillons qu'on lui tendait, avala une pilule, puis salua avec nonchalance avant de les quitter tous les deux, les mains dans les poches.

*

Assis dans le pick-up vert, il regardait les fleurs restées sur le banc du passager et le pot de pilules qu'on lui avait remis avant de partir : le docteur Couture tenait pharmacie dans le sous-sol de sa maison. Alain fit rouler le pot de petites pilules bleues et le rangea dans le coffre à gants. L'anxiolytique commençait à faire effet. Il eut une curieuse sensation de détente accompagnée de cette impression qu'on venait de lui installer un cadenas sur le cerveau. La camionnette démarra en laissant échapper un gros nuage noir. Avant même qu'il atteigne la rue Principale, il s'aperçut que la transmission glissait et qu'il avait peine à avancer. Persuadé qu'il ne se rendrait pas chez lui, sa première réaction fut de vouloir laisser cet autre cadeau empoisonné de Dean sur le bord de la route, pour rentrer chez lui à pied. Mais d'un rapide coup d'œil à travers le pare-brise, il aperçut la vieille pancarte en bois à la peinture défraîchie du garage Maynard qui pendouillait au bout de vieilles chaînes rouillées.

Lorsqu'il se présenta dans la cour boueuse, il dut garder la pédale à gaz au plancher pour espérer n'avancer qu'à dix kilomètres à l'heure. À l'intérieur du garage délabré, il ne trouva que Philippe, l'assistant de monsieur Maynard. Le gros garçon joufflu, dans sa chienne de mécanicien couverte de graisse noire, était assis derrière le comptoir de cuisine en Arborite rose et noir qu'on avait recyclé pour le bureau annexé à l'atelier. Il croquait des arachides en écales, tout absorbé par un téléroman qui passait sur un vieux téléviseur posé devant lui.

— Le compresseur à air ne fonctionne pas, dit-il, sans détourner les yeux de l'écran. On attend le *gasket* de tête depuis deux semaines.

— Je viens pas gonfler mes pneus. J'ai un problème de transmission.

— Monsieur Maynard n'est pas là aujourd'hui. Mais je peux jeter un coup d'œil. Tu me donnes deux minutes ?

Alain alla pisser, tourna en rond longtemps, avant d'aller ouvrir lui-même la porte du garage pour rentrer son camion. Le moteur virait à plus de 6 000 tours en faisant un boucan effroyable. Il l'arrêta au-dessus du trou d'homme. Lorsqu'il coupa le moteur, il vit Philippe s'avancer avec une guenille dans les mains. Ce dernier ouvrit le capot et vérifia l'huile à transmission. Il descendit dans le trou rejoindre Alain qui observait avec attention le dessous du pick-up à l'aide d'une baladeuse. Le système d'échappement était neuf. Et tout semblait relativement propre. Ce qui rendit cette nouvelle encore plus mauvaise lorsque le gros garçon lui présenta la sonde d'huile couverte de grenailles de fer.

– Ça ne va pas bien, dit-il. D'après moi la transmission est finie. Avec du fer de même dans l'huile... Je vais téléphoner à monsieur Maynard pour voir ce qu'on peut faire. C'est l'heure de sa sieste, je ne sais pas s'il va répondre.

Philippe alla dans le bureau. Alain se planta devant l'établi pour observer quelques vieux calendriers *Snap-On* avec des filles en maillot de bain et des outils. Il entendit le commis parler au téléphone, puis le vit sortir, embarquer sur un motocross et démarrer à toute vitesse. Il sortit en courant à sa suite. Sur la rue Principale, il vit d'un côté le chantier avec ses pépines, ses bétonnières et ses bulldozers, et de l'autre, la rue déserte en asphalte flambant neuf, avec le gros Philippe au loin sur son petit motocross qui disparaissait de l'autre côté de la colline.

Étonné par ce comportement bizarre, ne sachant trop ce que ce départ précipité voulait dire, Alain décida d'attendre un peu, s'imaginant que le mécanicien était parti chercher son patron qui dormait. Il s'assit devant le téléviseur et regarda la fin du téléroman avec deux comédiens en plastique personnifiant des millionnaires se jurant un amour absolu pour toujours. Il était parvenu au fond du sac de pinottes lorsqu'il vit tourner sur le terrain boueux du garage deux camions de Fortier Industries. Nerveux, il se releva sur sa chaise et demeura figé sur place en voyant sortir des véhicules André le cow-boy et Paul Manseau, le fils aîné de Joseph.

Les deux hommes approchèrent d'un pas décidé jusqu'à la porte du commerce que le cow-boy poussa d'un coup d'épaule.

— Salut, fit Le Dré de sa voix caverneuse.

Alain salua les deux hommes. Paul, les cheveux mi-longs ramenés vers l'arrière avec du gel, fumait une de ses cigarettes roulées à la main. Il demeura en retrait, regardant toujours par la fenêtre de la porte. Pas une fois son regard ne croisa celui d'Alain. Le grand cow-boy s'était appuyé un coude sur le comptoir et s'était retourné d'une manière insolente en présentant son large dos à Alain. Il se saisit d'un talkie-walkie à sa ceinture et l'appuya contre sa grosse moustache :

— Il est ici.

Par la vitrine, on vit Réal Fortier descendre d'un camion.

Il marchait, seul, d'un pas très lent, en direction du garage, en s'aidant de sa canne. Chose qui retint aussitôt l'attention d'Alain : Sonia n'était pas là. Jusqu'alors, à chacune de ses apparitions publiques, le maire était toujours accompagné de sa jeune épouse.

Il entra dans le garage en cognant ses bottines contre le carrelage pour en enlever la boue. Il jeta un regard à ses deux matamores qui acquiescèrent de la tête, avant de s'éclipser en les laissant seuls. Réal entra dans l'atelier de mécanique et fit le tour du S-10.

– Tu devrais venir me voir à la cimenterie, dit-il à l'adresse d'Alain qui le suivit. Je peux te faire un bon prix pour un Chrysler. J'ai justement un vieux RAM de compagnie. Je change ma flotte aux deux ans. Il n'a presque pas roulé. C'est une bonne affaire.

– Je n'ai pas payé le pick-up. Il m'a été donné.

– J'en doute pas. C'est ton grand sans-dessein qui t'a donné ça?

Rien qu'à la manière dont Réal Fortier avait nommé Dean, et à son faciès qui s'était empreint de dégoût, Alain comprit qu'il savait.

– En général, quand on ne met pas le prix, ça ne vaut pas cher.

– Il y a des choses qui ne sont pas monnayables.

– Je ne suis pas d'accord, monsieur Demers.

– L'empathie, la raison sont des choses qui ont une grande valeur, mais qu'on ne peut acheter.

– Vous pensez ça?

– Bien sûr.

– Vous n'avez ni empathie ni raison lorsque vous avez faim, monsieur Demers. Vous devez manger. Et alors là, et seulement là, vous pouvez réfléchir, désirer, aimer.

Le maire ne dit pas un mot de plus. Mais Alain l'entendit nettement. Lui, le pourvoyeur, se devait de contrôler les ventres pour s'attirer la confiance de la population et récolter le capital de sympathie nécessaire à ses fonctions politiques et à ses affaires. Car les élections avaient bien lieu tous les quatre ans à Saint-Édouard. Mais qui aurait eu la folie de voter contre Réal? L'empathie et la raison étaient achetées *cash*, comptant, pas de taxes.

– T'as pensé à ce dont je t'ai parlé, la dernière fois ?

– Oui.

– Et ?

– Compte tenu des dépenses, des pertes, je veux 160 000 dollars pour la terre.

– J'avais dit raisonnable, ce sera 99 000 dollars, pas une cenne de plus.

– Mais non... C'est à peine le prix de la ligne électrique. Il y a eu l'achat de la terre, vous savez combien j'ai payé, puis tout le reste. Mes rénovations... Je peux pas accepter ça.

– C'est ça, ou rien. D'ailleurs, c'est déjà inscrit sur l'acte de vente.

Réal Fortier avait sorti de sa veste un document qu'il tendit à Alain.

– Tu liras ça. C'est une photocopie. Je te donne jusqu'à demain soir pour venir signer les originaux chez nous.

C'était un acte notarié. La vente de sa propriété à Réal Fortier. Rempli et signé de la main même du notaire Jacques Lacoste. Sous la menace d'un revolver, avait dit sa femme.

*

Le portrait était complet. Il n'y avait plus rien à ajouter.

Réal et ses hommes de main partis, Alain n'attendit pas le retour de Philippe, se doutant que celui-ci ne reviendrait pas. Il pensa rentrer à pied, mais décida tout de même de prendre la camionnette et de rouler avec jusqu'à ce qu'elle rende l'âme, quitte à l'abandonner au milieu du village.

La transmission perdait de son huile. Le joint d'étanchéité de la culasse fuyait. L'huile coulait directement sur le tuyau d'échappement, qui la chauffait et la faisait brûler, laissant derrière Alain, alors qu'il remontait la grande côte, un immense nuage de fumée noire et malodorante. Il traversa le village à une vitesse ridicule, à peine dix kilomètres à l'heure, avec un vacarme effroyable, le RPM au fond, tout ça sous les yeux des villageois.

Il s'arrêta à la clinique du docteur Couture, et remonta le grand escalier avec son bouquet de fleurs sauvages à la main. Ne voyant personne au petit secrétaire de l'entrée, ne se préoccupant pas des gens qu'il y avait là, il vida sans cérémonie le pot de crayon, puis y planta son bouquet de fleurs qu'il mit bien en évidence.

Alors qu'il s'apprêtait à rembarquer dans son pick-up entouré d'un nuage de fumée noire qui empestait l'huile à transmission brûlée, il entendit crier son nom.

Il se retourna et vit Mireille qui avait dévalé l'escalier, et qui courait sur le trottoir de ciment dans sa direction. Elle bondissait comme un éléphant devenu gazelle. Elle l'enlaça en le soulevant de terre, en l'enveloppant de ses chairs avec ses puissants bras qui l'écrasèrent tout contre elle. Puis elle lui dit, rayonnante de bonheur :

– Moi aussi, je t'aime !

Elle plaqua son énorme bouche sur la sienne, lui masquant la moitié du visage. La langue massive s'introduisit dans sa bouche, puis sa gorge, pour aller le fouiller jusqu'au plus profond de ses entrailles.

*

Depuis ce baiser sur le trottoir, il ne se passait pas une minute sans qu'Alain ne sentît cette grosse langue à la cannelle dans sa bouche. Il avait eu beau se gargariser avec tous les produits imaginables, du rince-bouche à la sauce de poisson, rien n'y faisait : toujours ce petit goût de gomme rouge qui revenait. Et chaque fois, ce petit goût de bonbon fort faisait monter en lui ces sensations, cette excitation incontrôlable ressentie alors qu'il frenchait à pleine gueule Mireille en lui empoignant le derrière vulgairement au vu et au su de tous les habitants de Saint-Édouard.

Il avait travaillé d'arrache-pied à la restauration de ces espèces de longs coyaux qui se déployaient depuis les fermes de toit, pour former le larmier au-dessus de la galerie. Ces derniers embouts de toiture étaient attaqués par la pourriture et piqués par les insectes. Alain s'était attardé, comme à l'époque, avec une scie et un rabot, à en faire des répliques exactes à l'aide de vieux madriers trouvés chez Dean. Un travail minutieux qui dura toute la semaine.

Debout dans l'escabeau, les bras dans les airs à travailler sur la charpente, il avait respiré quelques effluves de ses dessous de bras. Il s'était décidé à aller en ville s'acheter du déodorant, car il avait rendez-vous avec Mireille le lendemain soir.

Alors qu'il embarquait dans sa Honda retentit de nouveau ce bruit sourd et aigu qui courait depuis deux jours sur la montagne. Il n'avait osé s'en approcher, mais avait compris que le chantier de Fortier Industries s'était déplacé au courant de la semaine, et qu'il approchait de la maison. Dès le lundi matin, il avait entendu le travail des bûcherons et de leurs machines. Cela dura quelques jours, avant que résonne le bruit agressant de la foreuse.

En ville, à l'épicerie Duchesne, il se déplaça entre les rangées, ses bottes lourdes et sales traînant sur le plancher. Il acheta du café, de la farine, du beurre, ainsi que du savon et du déodorant. Martin Duchesne était à la caisse. L'épicier avait le teint pâle, la main tremblante. Il semblait épuisé. Il ne leva pas les yeux sur Alain et ne vit jamais que ce dernier le saluait de la tête.

En passant devant le presbytère, en rentrant chez lui, Alain vit Claude Prud'homme sur le terrain gazonné. Le grand curé à la tête chauve lui envoya la main. Alain s'arrêta et sortit de la voiture alors que le curé marchait dans sa direction, toujours aussi souriant, la main tendue devant.

— Mon cher Alain, comment allez-vous ?
— Très bien.
— Votre oreille prend du mieux ?
— Oui.
— Tant mieux. Je suis heureux de l'apprendre. J'ai vu que vous étiez à l'épicerie. Comment c'était chez les Duchesne ?
— Qu'est-ce que vous voulez dire ?
— Oh, vous ne savez pas ? Albert Duchesne est mourant.
— Je suis désolé de l'apprendre. Ils auront besoin de vos services, alors.
— Oh... Mais je laisserai d'abord faire le médecin. Je passe généralement ensuite, pour le salut de l'âme. Monsieur Duchesne n'était pas très croyant. Il ne fréquentait plus l'église depuis longtemps. Mais s'il me réclame, je me précipiterai à son chevet.
— Vous êtes le gardien des âmes de ce village.
— Oui, on peut le dire. D'ailleurs, à cet effet, j'ai entendu parler de vos frasques publiques avec la jeune infirmière.
— Ah bon ?

– Même si je n'approuve pas ce genre de comportement, je suis heureux de constater que vous vous impliquez enfin dans notre village.

– La chair est faible, n'est-ce pas?

– En effet, Alain. Dieu a créé l'amour, le désir, la passion, pourquoi s'en priver?

– Je vous renvoie la question.

Le curé parut mal à l'aise face à cette dernière affirmation. Et il l'esquiva peu subtilement.

– Oh, mais il y a d'autres passions, mon jeune athée. J'entends celles de l'âme, de l'esprit. Les gens d'Église ont fait vœu de chasteté et ont décidé de se consacrer tout entiers au Seigneur notre Dieu. Mais je dois l'avouer humblement, comme vous le dites, la chair est faible. Même pour nous autres, pauvres curés. Et nous faisons parfois de piètres guides...

Alain ouvrit grand les oreilles, curieux de connaître l'aboutissement de cette réflexion. Mais c'était mal connaître la mauvaise foi des gens de conviction.

– J'avoue, poursuivit Prud'homme, avoir de la difficulté à résister à un bon verre de vin, et bien évidemment à une partie de fers. D'ailleurs, à ce sujet: avez-vous pensé à mon offre? Le Festival d'automne arrive dans quelques semaines. Je tiens à ce que vous soyez mon partenaire. Sinon je devrai me contenter du docteur Couture, et là, c'est perdu d'avance.

– Vous êtes bien gentil. Mais je ne sais pas si je serai encore des vôtres dans quelques semaines.

– Que me dites-vous là? Vous nous quittez!

– Oui.

– Vous avez des problèmes d'argent? Il faut absolument voir Réal. Il en a aidé plus d'un dans votre situation. C'est un homme d'une grande générosité. Il se fera un plaisir de vous épauler.

Était-ce de la naïveté ? Alain était persuadé que non. Il y avait toujours ce sourire qui ne quittait pas la petite tête ronde qui, elle, s'agitait de gauche à droite comme si elle était montée sur un ressort. Claude Prud'homme parlait les mains l'une dans l'autre, remontées sur sa poitrine, cachant mal tout le plaisir qu'il prenait à tourner le fer dans la plaie.

*

La petite maison bleue de Mireille était décorée comme on aurait pu s'y attendre. Sitôt dans la cuisine, propre et rangée, Alain eut une pensée pour la maison de Dean. Par contre, aucun style rétro ou objet d'époque conservé dans cette cuisine plutôt décorée « au goût du jour » : du faux rustique, inspiré directement d'une émission de Canal Vie.

Alain demeura silencieux la plupart du temps, assis à table, regardant les grosses fesses aller et venir énergiquement, du garde-manger au réfrigérateur, et du frigo à la cuisinière. Mireille parlait sans cesse et sans répit. De tout et de rien. En moins d'une demi-heure, il connaissait tout de son enfance à La Tuque, de ses études à Trois-Rivières, de sa mère – elle ne parla jamais de son père – et de sa famille. D'entrée de jeu, on comprenait que c'était maladif chez Mireille, ce besoin obsessif de se confier, de parler. Elle qui vivait seule à Saint-Édouard, qui faisait fuir les villageois par ses extravagances, devait trouver le temps bien long. Elle venait de trouver l'interlocuteur idéal en cet ermite taciturne devant qui elle pouvait se laisser aller à ces logorrhées.

Si elle lui posait des questions sur sa vie, Alain n'avait qu'à hausser les épaules, émettre un borborygme quelconque, et Mireille repartait de plus belle dans son verbiage compulsif. Il apprit que le curé et le docteur étaient de très bons amis, et qu'ils se voyaient tous les dimanches pour une partie de cartes, en compagnie, parfois, du maire Fortier. Il apprit que le docteur Couture avait commencé sa pratique dans un bataillon de l'armée canadienne stationné en Allemagne après la Seconde Guerre mondiale. Le curé Prud'homme était un pervers selon elle.

– Je n'ai qu'à regarder ses yeux, on dirait un serpent.

Et elle le fuyait autant que possible.

La discussion passa ensuite à Albert Duchesne qui était malade, puis à son fils Martin qui avait repris l'épicerie, qui l'avait modernisée en s'associant à une bannière commerciale, et à sa femme qui fréquentait le Cercle des fermières. Elle-même s'y était inscrite. Oh, non pas qu'elle aimât particulièrement cela, mais c'était une occasion de faire des rencontres. Ce n'était pas très facile ici pour elle qui avait grandi à La Tuque et qui n'avait jamais mis les pieds dans ce patelin. Même au Cercle des fermières, elle avait de la difficulté à se faire des amies. Mais elle y restait parce qu'elle apprenait des choses intéressantes sur la couture, le tricot, l'entretien, le bricolage et bien sûr la cuisine. D'ailleurs, c'est lors d'une de ces rencontres qu'elle avait appris ce petit plat tout simple qu'ils allaient manger : des pâtes Alfredo *cardinale*, parce que, disait-elle, à la recette originale, on ajoutait une tombée de petites tomates fraîches.

Ce n'était pas très réussi. La crème et le fromage n'étaient pas très goûteux. De plus, c'était trop épais, avec les grosses linguines agglutinées au fond de l'assiette. Mais lui qui ne cuisinait plus était touché par cette attention. Il ne but qu'un verre de rouge, qui lui monta à la tête. Mireille n'était pas en reste. Le repas à peine terminé, comme si cela n'avait été qu'une formalité, une mise en scène nécessaire pour légitimer tout ce qui allait suivre, elle se leva de sa chaise, puis s'avança lentement vers lui, en accentuant encore plus son déhanchement aussi abondant que surréaliste. Son visage fardé, trop maquillé, était affublé d'un large sourire. Le regard concupiscent, elle irradiait l'indécence de toute sa masse voluptueuse.

Ils firent l'amour à plusieurs reprises sur le plancher du salon. Mireille, la femme hippopotame, utilisait Alain, cinq pieds six pouces et 145 livres, comme un véritable objet. Lui se laissait faire complètement, s'abandonnant à toutes ses exigences, en jouissant très fort et à de nombreuses reprises. Au fil de leurs ébats, il devint évident qu'il était complètement obsédé par ses grosses fesses. Chaque fois que l'immense postérieur passait au-dessus de sa tête, lors des multiples changements de positions de l'insatiable Mireille, il ouvrait tout grand les bras et cherchait à s'y accrocher comme un enfant désespéré à un ballon. Cela n'avait pas échappé à l'infirmière qui, sans pudeur aucune, décida de le contenter et de lui faire vivre l'expérience totale, celle qu'il attendait depuis leur première rencontre.

Nu, couché sur le dos sur le plancher froid du salon, il caressait sa barbe à deux mains en regardant Mireille s'installer au-dessus de lui. Elle ouvrit tout grand ses fesses à deux mains en roucoulant comme un énorme pigeon. Avec l'anxiété de l'astronaute se préparant au décollage et à son voyage vers le cosmos, il observa cette masse énorme descendre lentement sur son visage et l'avaler complètement.

Il dégustait tant bien que mal ce cul titanesque.

Peu à peu, cette fébrilité qu'il avait d'abord ressentie se transforma en une grande anxiété. Et ce, au fur et à mesure qu'il se sentait quitter le plancher du salon et qu'il comprenait que les fesses de Mireille, par de petits spasmes subtils du sphincter anal, étaient en train de l'avaler.

Il était incapable de résister, ni même de bouger, et comprit qu'il avait été pris au piège. Cette contrainte absolue et anxiogène fit émerger en lui un souvenir bien connu, mille fois ressenti. Sauf que, cette fois, c'était la grenouille qui avait attrapé la sangsue. Et patiemment, l'énorme batracien de la petite maison bleue était en train de le vider complètement de sa substance, jusqu'à ce qu'il ne soit plus qu'une enveloppe informe, sèche et vide, sur le plancher du salon.

Peut-être avait-il manqué d'air? Peut-être que, emporté par l'excitation, il avait oublié de respirer? Toujours est-il que dans la nuit qui l'enveloppait, il vit apparaître une intense lumière. Une silhouette noire s'y découpa, puis avança d'un pas lent jusqu'à lui. Il reconnut Joseph Manseau coiffé de son grand chapeau de feutre et s'appuyant sur sa canne.

– Salut, p'tit gars. Comment ça va?
– Oh... Bonsoir, monsieur Manseau. Quelle surprise de vous retrouver ici!
– En effet... Dis donc, l'ami, qu'est-ce qui se passe avec ma montagne?

*

Mireille ronflait comme un char d'assaut en rase campagne. Ils avaient terminé la soirée dans son lit à l'étage, sous une grosse couette de plumes. Malgré tout ce confort excessif et insistant, il n'arrivait pas à fermer l'œil. Autour de lui, les toutous et les poupées disposés sur le lit, les commodes et les chaises semblaient tous l'observer. Il mit de longues minutes à s'arracher de l'emprise de Mireille qui le tenait bien enlacé, écrasé tout contre elle. Il était en sueur. Après s'être glissé sur le plancher, il ramassa ses vêtements en se déplaçant à quatre pattes. Puis il s'éclipsa par la porte arrière pour s'enfuir par les champs, jusqu'au sentier derrière l'épicerie Duchesne, celui qu'avait tant de fois emprunté Joseph Manseau pour descendre au village.

Le soleil se levait. Alain courait sur le sentier couvert d'épines de pin. La matinée était très froide et on pouvait sentir l'arrivée prochaine des premiers gels de la saison. Peut-être à cause de cette lumière des premières heures, il remarqua les feuilles sur la montagne qui avaient commencé à jaunir en différents endroits.

Il avait eu une longue conversation avec Joseph Manseau. Il ne se rappelait pas ce dont ils avaient discuté. Mais ça lui avait paru une éternité. Ce dont il se souvenait, c'était ces petits yeux obscurs, opaques, au pourtour rouge, aux cernes noirs et pochés, d'abord réprobateurs, et qui ensuite s'étaient fait désolés, puis accablés par une tristesse infinie.

Il entra dans la maison et saisit ce paquet apporté par madame Lacoste. Il l'ouvrit en déchirant sans égard le papier brun. C'était une toile de Monique, sa sœur, représentant un voilier d'oies sauvages dans le ciel. La peinture était floue, diaphane, comme si l'observateur regardait le vol d'oiseaux à travers un brouillard de fumée. Il se précipita dans sa voiture et roula jusqu'à L'Islet-sur-Mer.

Accompagnant la toile, il y avait ce petit mot de madame Lacoste :

«Parce que ces toiles n'ont cessé de me faire penser à vous, Alain, j'ai décidé de vous offrir ma préférée. À bientôt, peut-être.»

*

À L'Islet, il trouva rapidement la maison pour personnes âgées sur la 132. Le Manoir de la mer ressemblait à un vieux motel qu'on aurait recyclé en maison de soins pour les aînés. L'état général du bâtiment laissait à désirer, mais les pensionnaires avaient une vue sublime sur le fleuve, ce qui compensait amplement tous les désagréments de cette résidence impersonnelle. L'infirmière en poste lui posa plusieurs questions sur les raisons qui l'amenaient à visiter madame Monique Bernier. C'est lorsqu'il affirma que la sœur de madame Bernier, Jacqueline Lacoste, partie aux États-Unis, lui avait demandé de visiter sa sœur de temps à autre qu'il se fit le plus crédible. Et on lui indiqua la chambre 18, accessible par le corridor de service.

– Mais madame doit être sortie à cette heure. En général, elle est dans la balançoire pour l'avant-midi, jusqu'au dîner.

Il y avait un bout de terrain devant l'ancien motel, qui donnait sur une digue. La marée était basse et son odeur était partout. Quelques vieillards étaient assis dans des chaises, le long du trottoir devant les cabines. Deux vieilles dames discutaient, et un homme, en retrait, avec une casquette de capitaine de bateau sur la tête, semblait endormi.

La peintre Monique ressemblait beaucoup à sa sœur. Si ce n'est qu'elle avait les cheveux coupés court. Et qu'elle était un peu plus mince que sa cadette, avec des épaules plus basses.

La peau de son visage souffrait de dépigmentation. Alain pensait trouver une femme extravagante, épanouie, un peu à l'image de Jacqueline, mais fut surpris de rencontrer une dame plutôt froide, taciturne, et qui s'habillait avec la sobriété d'une religieuse.

Elle écouta Alain se présenter, l'invita à s'asseoir dans la grande balançoire de jardin, avant d'ajouter qu'elle savait qui il était.

– Jacqueline m'a parlé de toi. Elle m'a dit que tu voudrais peut-être me voir. Peut-être est-ce qu'il est trop tard ?
– Trop tard ?
– Jacques et Jacqueline ont fui le pays parce qu'ils avaient peur de Fortier. Et tu partiras aussi.
– Je vous avoue qu'après une rencontre inusitée, hier soir, je ne le sais plus.
– Inusitée ?
– Un vieil ami rencontré au détour d'un sentier obscur.
– Tu as des appuis ?
– Des appuis ?
– Il te faudra de gros appuis si tu veux t'opposer à Réal. Sinon, il ne fera qu'une bouchée de toi.

Madame Bernier parlait, les deux mains posées sur ses jambes, le regard vers le large. La balançoire allait et venait sur la pointe de L'Isle-aux-Grues qui s'étirait en séparant les eaux agitées du fleuve. Les montagnes de Charlevoix formaient une muraille majestueuse en arrière-plan. Un vent ferme soufflait depuis l'est, contre le courant de marée qui descendait, soulevant des vagues aux crêtes blanches.

Alain savait qu'il n'avait aucun allié. Il n'y avait qu'à penser au curé Prud'homme qui s'était moqué de lui comme un grand bouffon noir et cynique, ou alors à ce discours débile du docteur Couture qui voulait le mettre à la porte de Saint-Édouard avec le rationalisme et la maïeutique socratique en guise de coup de pied au cul. S'il devait mener une guerre contre le maire de Saint-Édouard, il devrait le faire seul. Sa seule alliée pour la défense de ses intérêts serait la justice.

— Joseph t'a fait un cadeau empoisonné. Quelle idée avait ce rêveur et cet irresponsable en te confiant un fardeau pareil! Il espérait que ce qui lui restait de sa terre échappe aux requins, n'est-ce pas? Mais ils en ont escroqué plus d'un là-bas. J'imagine qu'ils se jouent de toi, t'envoyant de l'un à l'autre, comme une bande de coyotes se lançant une carcasse de lièvre. Ah... Excuse-moi de dire les choses ainsi. Je suis une vieille malcommode très amère.

— Aucun problème, madame, dit-il en pensant que c'était exactement comme ça qu'il se sentait. Je ne comprends pas qu'on puisse tolérer une chose pareille.

— Certains ont voulu se révolter, s'opposer à Fortier. Mais ils ont tous perdu. Les autres ferment les yeux, ou alors ils se convainquent que c'est une bonne chose. Ils laissent le maire à ses affaires en se disant comme de braves larbins que ce qui est bon pour le puissant l'est pour tous. Que si le monstre est heureux il ne sortira pas de son antre pour venir les dévorer. Et quand bien même ils voudraient se révolter, ils en seraient incapables. Drogués qu'ils sont, persuadés d'être tous malades, du corps ou de l'âme. Ils sont infectés par le venin que crache ce serpent de Couture et avalent ses pilules comme de véritables possédés.

Le visage de Monique Bernier grimaçait d'aversion. Visiblement, elle éprouvait beaucoup de ressentiment envers son ancien patelin. Alain lui demanda pourquoi elle l'avait quitté.

– Oui, j'ai quitté Saint-Édouard. J'en étais bien malheureuse à l'époque. Pauvre Joseph. Je suis demeurée chez lui plus d'une année pour accompagner mon amie Louise qui était très malade. Joseph était un agriculteur malheureux. La ferme avait grandement périclité sous sa gouverne, depuis la mort de son père. Il parlait souvent de vendre et c'est Louise, sa femme, bourreau de travail infatigable, qui refusait de baisser les bras. Mais son véritable malheur a débuté avec l'arrivée de Réal et de sa commune vers le début des années quatre-vingt. Ce hippie de Montréal avait acheté la terre de l'autre côté du rang, une propriété qui appartenait autrefois à un cousin de Joseph. Celui-ci était mort et ses enfants se disputaient la succession. Ils avaient fini par vendre au premier venu cette terre qui du reste n'intéressait personne. Cela avait grandement marqué Joseph.

Au début, les relations avec la commune étaient cordiales. Même que ses membres étaient devenus des clients pour le lait et les œufs, et il ne se passait plus une journée sans que des jeunes hommes et des jeunes filles passent à la ferme Manseau. Ils étaient pour la plupart gentils. Mais ils étaient nébuleux, confus, et voleurs. Peu à peu, Joseph s'aperçut que ces gens avaient une influence négative sur ses propres enfants. Il décida de leur interdire l'accès à la ferme et fit une plainte au conseil municipal. Il fit même envoyer la police pour une histoire de lait pas payé et d'outils volés. À l'époque, Réal croulait sous les dettes. La commune était un lieu de débauche fréquenté par tous les bons à rien du comté, et les rentrées d'argent étaient rares. Il peinait à rembourser son hypothèque, à payer ses taxes municipales, etc. Il vit la présence de la police sur sa commune Entre ciel et terre comme la plus grande des offenses et il le prit personnellement. Il commença à tenir Joseph responsable de ses malheurs. Un jour, il vint lui faire une scène en se présentant en compagnie des membres de sa communauté. Il était vêtu d'une toge blanche et avançait à l'aide d'un grand bâton. Ce que je vous raconte là, monsieur Demers, je l'ai vu de mes yeux, parce que j'accompagnais Louise qui passait ses journées à se bercer sur la galerie tout le temps que dura sa maladie. Nous eûmes la peur de notre vie en le voyant. Nous demeurâmes toutes les deux figées sur nos sièges, nous tenant l'une à l'autre. Réal Fortier leva son bâton au-dessus de sa tête et se mit à prononcer des mots que nous ne comprenions pas. C'était une prière, une malédiction qu'il faisait tomber sur nous tous. Le lendemain, toutes les poules du poulailler furent retrouvées égorgées. Cette fois, Joseph eut très peur. Il n'appela pas la police.

Les motards du Devil's Crew avaient pris l'habitude de se rendre à la commune pour leurs affaires et pour profiter des jeunes filles. Curieusement, Réal commença à prendre le dessus sur ses dettes. Mais les histoires de drogues et de prostitution au sein des membres de la commune empoisonnèrent l'atmosphère. Des filles s'enfuirent lorsqu'elles comprirent qu'on cherchait à en faire des danseuses et des prostituées. Le gourou était devenu violent et avait battu quelques membres qui refusaient de se soumettre. Peu à peu, c'est toute la commune qui l'abandonna et il se retrouva seul au milieu de sa terre de sable.

Mais Réal Fortier est un animal coriace. Résolu, il commença à exploiter une petite carrière de sable qui se transforma vite en véritable mine d'or. En quelques années, il avait déjà une flotte de camions qui parcourait tout l'est du Québec avec son sable fin des *eskers*. De son côté, la terre de Joseph était en jachère de façon permanente. La cabane à sucre ne fonctionnait plus depuis plusieurs années et lui-même croulait sous les dettes.

La famille Manseau avait déjà exploité une mine d'ardoise, au début du siècle dernier, vers les années 1920, alors que ce minerai était en demande. Mais il était vite passé de mode et l'exploitation fut abandonnée. C'est en retrouvant des papiers de la comptabilité de cette époque, dans les archives familiales, que Joseph eut l'idée d'aller marcher à cet endroit, au pied du mont Manseau, recouvert par la forêt depuis. Peut-être était-il sous l'influence de cette malédiction prononcée par Réal, il y avait de cela quelques années? Toujours est-il qu'il alla chez son voisin, dont les affaires étaient fructueuses, pour lui proposer de s'associer dans l'exploitation de l'ardoise. Réal accepta aussitôt.

La compagnie des Ardoises Jo-Ré fut créée vers la fin des années quatre-vingt. Mais elle ferma peu de temps après, à la suite d'une chute radicale du chiffre d'affaires. Ils venaient tout juste d'acquérir de la machinerie de grande valeur. Réal était celui qui avait investi le capital nécessaire au démarrage de cette entreprise. Au bas de son contrat d'association avec Joseph, il avait fait inscrire qu'en cas de faillite il récupérerait la terre des Manseau. Un jour, on présenta la comptabilité à Joseph – une comptabilité créative, il va sans dire – et on dut mettre la compagnie en banqueroute, faute de pouvoir honorer les dettes. Joseph allait tout perdre.

Tous ces malheurs affectaient grandement la santé de Louise et son état se détériorait rapidement. C'est moi qui ai téléphoné à Jacqueline. Avec le notaire Lacoste, nous avons produit un document antidaté qui cédait à Louise les lots sur la montagne et le 6e Rang. Ainsi, une partie des terres était sauvée. À l'époque, Réal ne s'en formalisa pas, même s'il savait qu'il s'était fait flouer. Il faut dire qu'il n'avait pas le temps de s'en faire. Fortier Industries venait tout juste d'inaugurer la toute nouvelle division «Ardoises» de ses activités. Et de la façon la plus insolente qui soit, quelques semaines après la faillite de Jo-Ré, l'exploitation de la mine reprit de plus belle avec le boom que connut cette industrie dans les années quatre-vingt-dix.

Étranger sur sa propre terre, Joseph eut le déshonneur de voir ses deux fils s'en aller travailler pour Fortier.

Louise s'éteignit dans le plus grand malheur un jour du mois de mai. Je m'en suis voulu de les avoir abandonnés. Mais vous comprenez, mon amie était décédée, et j'avais passé plus d'un an à ses côtés. Mon mari m'attendait à L'Islet, et je suis retournée près de lui.

Un jour, Réal vint collecter trois mois de loyer pour l'occupation des lieux. Voyant que Joseph n'avait pas d'argent, il lui proposa du travail. Ce dernier refusa et s'enfuit sur sa montagne pour ne jamais plus en redescendre.

*

Alain avait roulé avec ces histoires de madame Bernier dans la tête. Il traversa Saint-Édouard et s'arrêta devant le signaleur qui tenait son fanion bien haut. Le jeune Jason était toujours le même, avec ses airs arrogants, ses lunettes fumées miroir, ses manches roulées sur ses bras couverts de tatouages tribaux et sa peau rougie par le soleil. Une excavatrice de chez Fortier Industries passa à côté de la Honda d'Alain : les chenilles immenses qui se déployaient en roulant sur le chemin de gravier, il aurait pu les toucher en étirant le bras par la fenêtre.

Il traversa le chantier, lentement. L'activité était intense. Une asphalteuse approchait. Il reconnut tout d'abord René, dans sa bétonnière, attendant sur une rue adjacente. Celui-ci le salua de la tête. Il vit ensuite Le Dré avec son éternel chapeau de cow-boy, debout à côté de son pick-up, discutant avec deux hommes. Puis d'autres visages croisés çà et là dans l'entourage de Réal.

Il quitta ensuite le village pour rejoindre la 286 sur laquelle il tourna. Il passa devant l'entrée du royaume de Réal Fortier pour s'engager, plus loin, sur le chemin des vieux pommiers, jusqu'à la maison des enfants Manseau.

Marianne se berçait sur la galerie. Alain monta les marches lentement, pour ne pas la brusquer, et s'assit sur une chaise à côté d'elle. Il la salua de la tête, mais elle ne répondit pas, continuant à marmonner, perdue, toute seule dans son univers. Quelques minutes après, la porte s'ouvrit et le visage barbu du benjamin, André, apparut. C'était la première fois qu'Alain le voyait d'aussi près et il remarqua aussitôt ce nez proéminent. André Manseau avait tout de son père, Joseph, alors que son frère Paul, qui sortit à sa suite, était plus élancé, avec un visage plus aquilin. Il devait avoir plutôt les traits et les allures de sa mère, Louise, qu'Alain imagina sur son balcon en compagnie de Monique Bernier.

André demeura en retrait, près du cadre de la porte, tandis que Paul s'avança vers Alain en laissant traîner ses bottes sur le balcon. Ses cheveux longs et gras retombaient sur son visage en lui cachant complètement un œil. Sa chemise entrouverte laissait voir une petite bedaine très ronde sur son corps filiforme. Il s'appuya contre un vieux poteau de galerie qui supportait l'avant-toit. Il sortit sa blague à tabac et se roula une cigarette en silence. Des camions de bois descendaient la côte en direction de la frontière.

Après avoir allumé sa cigarette, il prit quelques bouffées, puis dit d'un ton désintéressé :

— Tu vas vendre à Réal ?

— Non, répondit Alain.

L'aîné des Manseau parut saisi par cette réponse. Il demeura figé contre son poteau, avec sa cigarette qui tremblait entre ses doigts. André s'était redressé contre le cadre de la porte et regardait dans leur direction. Marianne s'était mise à parler plus fort. Son mouvement de balancier s'était accentué. Et tout cela monta en un long crescendo, alors que, les paupières à demi fermées, les yeux révulsés, elle prononça nettement :

— Il est où, mon bébé ? Il est où, mon bébé ?

*

— Un fusil ? Oui, j'ai quelque chose pour toi. Quelle sorte ? De chasse ? D'assaut ?

Alain haussa les épaules, incapable de répondre à cette question. Dean lui présenta quelques modèles sortis d'un casier dans son garage. Il mentionna qu'il en avait plusieurs, dans différentes caches sur le terrain, mais que ceux-ci étaient ses préférés, du moins ceux qu'il se donnait la peine d'entretenir régulièrement. Puisqu'ils étaient bons amis, il se faisait un honneur de lui offrir ce qu'il y avait de mieux. Alain choisit un fusil d'assaut.

— M21 *sniper rifle* semi-automatique... Excellent choix, mon Al. Nighthawk va être content.

Dean eut un grand sourire.

— Les Patriots vont t'adorer, Al.

– Pourquoi?

– Le *gun, man*. Le *gun*! C'est une religion, là-bas. En ce moment, c'est comme si tu faisais ta première communion. Tant que tu n'es pas armé, tu ne peux pas être un patriote. Tu comprends? La semaine prochaine, c'est ton initiation dans le Maine. C'est une grosse affaire. Je vais t'expliquer comment ça marche.

Ils s'en allèrent tirer dans le champ derrière le garage. Chaque coup du semi-automatique résonnait à l'intérieur d'Alain comme autant de points fermes et définitifs qu'il mettait sur sa dernière décision. Chaque balle qui trouait avec autorité les vieilles boîtes de conserve rouillées déposées sur une clôture de pruche chassait l'incertitude. Et il n'y avait plus dans l'air que l'odeur enivrante de la poudre.

*

Réal Fortier le reçut dans la salle de réunion adjacente à la cuisine. Il était assis à un bout de la grande table, lisant les journaux, dégustant une crème de champignon trop chaude sur laquelle il soufflait à chaque lampée. Sa moustache était tachée de crème. Alain remarqua cette main tremblante qui menait la cuillère du bol à la bouche de Réal. Le maire de Saint-Édouard ne leva pas les yeux de son journal, jusqu'à ce qu'Alain fût devant lui depuis un moment.

– T'as amené le papier signé? dit-il en levant les yeux.
– Non, je ne l'ai pas.
– Qu'est-ce que tu es venu faire ici?
– Vous dire que je ne signerai pas. Je garde la terre.

Réal éloigna son bol d'une main et le fit glisser sur la table jusqu'à un tas de paperasse. Il essuya sa moustache de l'autre, avant de se pousser vers l'arrière avec ses pieds. Il croisa une jambe sur l'autre, puis fit de même avec ses mains sur sa cuisse. Il jaugeait Alain de la tête aux pieds avec son gros œil, sa moustache s'agitant sous son nez. Fortier paraissait intrigué plutôt que choqué. On sentait aussi, à cette lumière qui s'était mise à briller dans ses yeux, qu'il prenait plaisir à se voir défié. Lui pour qui la soumission des autres à sa volonté était devenue une chose acquise anticipait malicieusement toute la satisfaction qu'il aurait à écraser un adversaire.

La maison tremblait à chaque passage des poids lourds qui allaient et venaient sur le chemin de la cimenterie.

– Tu me déçois, mon grand, dit-il. Je t'ai fait une offre raisonnable, au mieux de ce qu'il m'était possible. Maintenant, tu ne me laisses pas le choix. Et ce que je vais faire, je vais devoir le faire à regret.

Alain sentit la peur lui tordre le ventre. André le cow-boy et un type à la peau foncée avec une tresse étaient entrés dans la salle à manger. Il s'imagina un instant mené dans un pick-up puis dans un pit de sable, assassiné froidement et enterré au bulldozer sans aucune chance d'être retrouvé.

Réal leva un doigt en sa direction, en s'adressant d'une manière autoritaire à ses deux fiers-à-bras.

– Vous allez escorter monsieur Demers hors de ma maison. Je ne veux plus le revoir, vous m'entendez ? !

Les deux hommes vinrent chercher Alain qui se laissa mener sans résistance jusqu'à l'extérieur. Réal s'était levé de son siège et les suivait avec sa canne qui résonnait sur les carreaux du plancher. Il parlait d'une voix forte, en agitant un bras devant lui, discourant comme devant une assemblée, comme s'il récitait un oracle, une damnation, une prophétie.

– J'ai voulu être juste avec toi, Alain. Je voulais m'assurer que tu ne sois pas perdant dans cette histoire qui ne te concerne pas. Mais puisque tu ne me donnes pas le choix, on va faire ça dans les règles. Nous allons mettre ça entre les mains du conseil municipal. Nous laisserons les choses suivre leur cours légal. C'est l'assemblée des citoyens qui te jugera !

Ces derniers mots, le maire les avait accompagnés de son sourire grimaçant et d'un clin d'œil complice rempli de mesquinerie.

*

Tandis qu'Alain continuait à tirer sur des boîtes de conserve, Dean lui parlait de cette initiation qui l'attendait chez les Patriots du Maine. On lui banderait les yeux et on le ferait marcher dans le bois de nuit. Puis autour d'un grand feu, il devrait réciter une prière – ces gars-là étaient très religieux – avant d'être baigné dans la source au pied du grand cèdre à la frontière.

– Ça te dirait de t'occuper de tout ça ?
– Qu'est-ce que tu veux dire ?
– Je vais m'en aller. J'aimerais que tu t'occupes de mes installations pendant que je ne suis pas là. Tu as vu les plans, tu sais comment faire pour organiser le terrain. C'est surtout de l'entretien qu'il faut faire : les armes, les trappes, les vivres, etc.
– Je comprends pas.

– Alain, Sonia et moi, on n'en peut plus. Il faut qu'on soit ensemble tout le temps. Notre amour est trop fort. Elle veut quitter Réal, mais elle a peur. Je l'ai invitée à rester ici, avec moi, mais elle ne veut pas. Elle a voulu s'en retourner à Edmundston au *New-B*, mais je l'ai convaincue d'aller dans le Maine. On va s'installer à Bangor le temps que durera le divorce.

Quelques jours plus tard, Alain trouvait dans sa boîte aux lettres une enveloppe à son nom. C'était un avis d'expulsion signé par le maire Fortier, «au service des citoyens de Saint-Édouard-des-Appalaches». Sa terre était réclamée en vertu de la loi sur les mines. Un montant compensatoire allait être décidé lors d'une séance extraordinaire du conseil municipal, le lundi suivant.

*

Alain fut réveillé par une grosse langue qui lui parcourait le visage. Il pensa tout d'abord à Mireille, mais réalisa qu'il avait devant lui, dans sa chambre à coucher, la grosse Sammy-Jo qui s'en donnait à cœur joie.

Après être revenu de sa surprise, l'estomac à l'envers, il courut à sa nouvelle toilette pour vomir. Tandis qu'il se mettait le nez dans l'eau glacée fraîchement tirée, admirant le blanc impeccable de la céramique, des souvenirs de la veille lui revinrent en tête.

– Il faut que tu t'en occupes. Je peux pas l'amener avec moi aux États-Unis.
– T'es malade, Dean. J'en veux pas de ta chienne. Elle est folle. Elle va me dévorer.

– Mais non... Elle a l'air difficile, mais elle est super douce. Très sensible. C'est parce qu'elle a peur qu'elle jappe comme ça, Al. C'est tout. Approche-toi doucement, et prends le temps de lui parler, tu vas voir. Elle va t'aimer tout de suite. T'es comme ça, toi. Tout le monde t'aime.

C'était le premier dimanche de septembre. Sa rencontre avec le conseil municipal de Saint-Édouard avait lieu le lendemain. Anxieux, il était descendu chez son voisin pour discuter. Il avait trouvé Dean attablé sur son patio avec les lanternes colorées toutes allumées. Il dévorait un immense bifteck d'aloyau en dégustant, chose étonnante, une bouteille de vin rouge. Lorsqu'il vit Alain s'approcher, il se leva en ouvrant grand les bras, avec son sourire débile et ses grandes dents, la bouche à moitié ouverte.

– Salut, Al! Je suis content de te voir. Tu veux du steak? Allez, allez, assieds-toi. Il y en a rien qu'en masse.

Alain refusa. Mais Dean l'avait empoigné par les épaules et assis de force sur une chaise. Il lui découpa le filet sur son morceau de viande et lui servit une assiette avec une patate au four calcinée et un verre de vin. Alain goûta la viande très saignante.

– Qu'est-ce qu'on fête? dit-il en mâchant.
– Aujourd'hui, mon frère, je fête une nouvelle extraordinaire, la plus belle chose qui pouvait m'arriver. Mon chum, dit-il en se penchant en avant, les deux mains sur la table, tu devineras jamais. Sonia est enceinte. Je vais être papa.

Et il éclata de rire. Puis il poussa son assiette et s'alluma une cigarette. Alain se grattait la barbe en l'observant.

– C'est...

– Quoi ?

– Étonnant.

– Tu parles ! J'ai aucune idée comment j'ai pu faire ça.

– Qu'est-ce que tu veux dire ?

– Al, avec moi, les filles, c'est dans le cul, et rien d'autre.

Même s'il n'y avait nul besoin d'explication, Dean avait fait un rond bien serré avec son pouce et son index pour être sûr de bien se faire comprendre.

– Quand une fille couche avec Dean Morissette, elle sait que c'est par là qu'elle va tout prendre. C'est comme ça. Tu comprends ?

– Oui, Dean.

– On peut mettre les filles enceintes par là ?

– Non, Dean. On peut pas.

– Voilà. Donc, j'ai dû m'échapper et passer à côté. Pourtant c'est pas mon genre.

Et ils avaient continué à boire toute la nuit pour fêter cette nouvelle surprenante de la reproduction de Dean et de Sonia.

Dans ses derniers souvenirs de cette soirée, Alain se revoyait, couché sur le patio, jouant avec Sammy-Jo. Puis marchant en compagnie du chien, jusque chez lui, aux petites heures.

*

L'hôtel de ville était à côté de l'école primaire, derrière l'église. Tout laissait penser que ces deux bâtiments avaient été construits à la même époque puisqu'ils étaient faits d'une même brique jaune. Tous deux avaient été rénovés récemment, gracieuseté d'un don de Fortier Industries. Sur la devanture, il y avait une sculpture colorée, faite de tiges de métal incrustées dans la brique, sortant en éventail pour former des sortes de fleurs, ou des instruments de musique, à la discrétion de l'observateur.

Alain grimpa les marches de béton, poussa la porte et se retrouva dans le hall d'entrée. À l'accueil, il y avait une table avec quelques brochures : tourisme, offre de service, etc. Quelques affiches, sur les murs, informaient des activités à venir, dont la Fête de l'automne qu'on annonçait pour dans quelques jours. Sinon, on trouvait une machine à Pepsi, un portemanteau et, à l'opposé, des photos des notables depuis la fondation de Saint-Édouard. Droit devant, derrière deux grandes portes de bois plaqué, il y avait la salle du conseil municipal, seule pièce de cette bâtisse, qui servait aussi de salle polyvalente pour les activités communautaires. Alain n'avait aucune idée de ce qui l'attendait. Mais il s'était juré de se faire entendre devant tout le village, de manifester son indignation, et de menacer d'avoir recours aux tribunaux s'il le fallait pour faire valoir ses droits.

Nerveux, il alla à la salle de bain pour se laver les mains et le visage. Il était dix-neuf heures quinze lorsqu'il poussa les deux portes battantes. La salle du conseil était remplie de chaises vides. Il n'y avait personne, excepté, assis à des tables disposées en demi-cercles à l'avant, le maire Fortier et ses conseillers : le curé Prud'homme, le docteur Couture, l'épicier Martin Duchesne et une dame qu'Alain ne connaissait pas. Celle-ci avait une robe bleue de lainage, des cheveux teints cuivrés, et sur le bout de son nez une paire de lunettes serties de fausses pierres qui scintillaient sous la lumière des néons.

— Ah, voici monsieur Demers ! dit Réal Fortier qui parla dans un micro posé devant lui et dont la voix, diffusée dans la pièce vide par deux haut-parleurs suspendus par des chaînes au plafond, résonna agressivement. Vous arrivez juste à temps, nous allions aborder le cas qui vous concerne. N'est-ce pas, madame Moreau ?

La dame sourit et acquiesça.

– Donc, pour résumer, poursuivit le maire, après la découverte d'un important gisement de gaz sur le terrain de monsieur Alain Demers, ici présent, la Municipalité de Saint-Édouard-des-Appalaches se voit dans l'obligation, et ce, dans l'intérêt de sa communauté, d'exproprier son occupant pour exploitation future. Le tout comme stipulé dans le dernier arrêt voté à l'unanimité le 7 septembre dernier.

Alain se tenait à l'arrière de la salle, derrière un micro sur pied, mis à la disposition de la population. Le maire parlait dans le sien. Il y eut de nombreux retours de sons stridents qui forcèrent tout le monde à se boucher les oreilles, sauf Réal qui continuait à parler.

– À noter que la réunion de ce soir concerne le montant que la Municipalité paiera pour l'acquisition du terrain. Les citoyens sont invités à se prononcer s'il y a lieu.

Pendant que Réal parlait, le curé Prud'homme regardait devant lui, avec sa tête ronde juchée bien haut sur son cou. Ses mains étaient croisées devant lui et il écoutait avec sérieux, le maire, impassible, fixant Alain de ses yeux clairs. Le vieux docteur Couture regardait des papiers déposés devant lui. Derrière ses lunettes, on avait l'impression que ses yeux étaient fermés et qu'il dormait. L'épicier Duchesne écoutait Réal le coude droit sur la table, le menton dans la main. Il était vêtu de ce tablier vert qu'il portait en tout temps dans son commerce. Madame Moreau, secrétaire de ce conseil, prenait des notes.

– Donc, la Municipalité a étudié le dossier de l'achat des lots 1030, 1023 et 1024, dit Réal qui parlait en prenant soin d'appuyer chaque mot comme un fer qu'on tournerait dans une plaie. La décision rendue par le comité exécutif est la suivante : puisque nous n'avons trouvé aucun avis de taxes payées par monsieur Manseau au cours des vingt dernières années, il nous a été impossible de statuer sur une évaluation définitive pour les lots ci-nommés plus haut. Ainsi, l'exécutif a statué que le montant de la dernière transaction, comme stipulé à l'acte notarié et corroboré par le compte de taxe de bienvenue réglé au mois de juin dernier, aurait cours. Ainsi la Municipalité consent à dédommager monsieur Demers au montant de 22 500 dollars. Voilà. La parole est aux citoyens. Quelqu'un veut s'avancer au micro pour s'exprimer ? Quelqu'un ?

Alain était toujours au micro à l'arrière. Il contemplait d'un regard livide la grande salle et toutes ces chaises vides. Il se revoyait dans la tour du maire Fortier, négociant le montant de la taxe. Il était reparti avec la désagréable impression de s'être fait avoir avec cette histoire de bouilloire à sirop. Il n'avait pas compris alors à quel point. Il le réalisait pleinement cette fois, harassé par le maire qui le fixait d'un regard rieur, triomphant. Et Réal Fortier, avec un enthousiasme démesuré, continuait à parler en agitant les bras comme un prêcheur dans une église :

– Ah, Monsieur Demers ! Autre chose, tant qu'à y être. La ville de Saint-Édouard aimerait vous rappeler vos arriérés de taxes des vingt dernières années. Malheureusement, elles n'ont pas été réglées lors de l'acte de vente. Pauvre de vous ! Vous êtes tombé sur un très mauvais notaire ! Il faudra porter plainte à la chambre des notaires du Québec !

L'image de la carcasse du lièvre que se lanceraient des coyotes joueurs, telle qu'évoquée par madame Bernier, prenait tout son sens.

Le maire et ses colistiers passèrent au vote. Ils entérinèrent la motion à l'unanimité puis se serrèrent la main pour se féliciter. Alain avait quitté la salle et était déjà loin.

*

Il trouva la lettre de son expropriation dans sa boîte aux lettres au bord du chemin, le vendredi, quatre jours après la dernière réunion du conseil. Elle était accompagnée d'un chèque émis par Jacques Lacoste notaire au montant de 22 500 dollars, et aussi d'un compte de taxes rétroactif sur vingt ans s'élevant à 8 562,13 dollars. Il les déchira tous les deux et les jeta sur le sol. Il rentra à la maison en remontant la côte nonchalamment, les mains dans les poches. Malgré le soleil qui brillait en cette journée froide de septembre, la cheminée était noire, sombre comme si elle était passée dans l'ombre définitivement.

Il alla s'asseoir sur le divan et fuma des cigarettes toute la matinée dans la plus grande apathie – il avait recommencé à fumer. Ses outils traînaient partout dans la maison, sur ce chantier qui ne bougeait plus depuis des semaines. Il se sentait incapable de toucher au moindre tournevis et ne levait plus la main que sur cette arme semi-automatique qui l'accompagnait partout lorsqu'il se déplaçait sur son terrain. Il attendait, comme chaque jour depuis leur dernière rencontre, d'aller rejoindre, pour quelques heures en fin de journée, Mireille chez elle, et de se perdre complètement dans ses grosses fesses qui l'accueillaient généreusement, unique refuge contre tout ce qui l'accablait.

Il y eut le bruit d'un véhicule. Alain ne leva même pas la tête pour voir qui arrivait. Il se contenta de braquer son arme vers l'avant et resta écrasé sur le divan. Il entendit des pas sur le chemin, puis dans l'escalier. La porte s'ouvrit tout grand en claquant et en faisant tomber par terre le chapeau de feutre et le bâton du vieux Manseau. Dean apparut habillé en commando avec un béret vert sur la tête.

Il semblait hors de lui.

– Le tabarnac!

Morissette continua à jurer en tournant en rond et en frappant à plusieurs reprises de son poing dans sa main gantée de cuir. Alain dut attendre qu'il se calme pour enfin comprendre de quoi il s'agissait.

– Réal a appris que Sonia est enceinte. C'est le doc Couture, le vieux sacrament, qui lui a dit. Depuis, il l'a enfermée et elle ne peut plus sortir. Al, c'est la femme de ma vie. C'est mon bébé! Ça ne se passera pas de même. Il va savoir à qui il a affaire. Il a beau avoir la police de son bord, les motards, pis tout, il va comprendre ce qu'il en coûte de s'en prendre à Dean Morissette. Je vais le faire sauter!

– C'est pour ça que t'es habillé de même? Tu t'en vas là-bas?

– Non, j'attends mon heure, mon homme. Mais ça sera pas long. Là, j'essaie d'identifier où elle est. Je pense qu'elle est dans son bureau. Ce soir, je vais essayer de communiquer avec elle par signaux lumineux. Faut que j'y aille, je t'en reparle.

Et il disparut aussi vite qu'il était venu.

Alain qui n'avait plus de cigarettes décida d'aller s'en procurer. Ça et quelques bouteilles de vin. Avant de sortir, il ramassa sur le crochet, derrière la porte, le chapeau de feutre noir qu'il déposa sur sa tête. Puis il se saisit du bâton et se rendit au village par le chemin de l'ermite.

*

La Fête de l'automne battait son plein depuis la veille. Il y avait une grande banderole déployée de part et d'autre de la rue Principale. De derrière l'église provenaient de la musique et les cris des fêtards. Un grand chapiteau avait été monté dans le stationnement à côté de la patinoire, et de gros ballons à l'hélium flottaient dans les airs.

Alain arpenta les allées de l'épicerie en faisant traîner lourdement ses bottes, et en cognant le grand bâton sur le plancher. Il alla chercher le vin, puis se planta devant le comptoir de la caisse. Il espérait trouver Martin Duchesne à la caisse, pour l'affronter du regard, mais se retrouva plutôt devant la jeune adolescente timide. Elle gardait les yeux sur sa caisse en entrant les items.

Avec des gestes nerveux, elle déposa les bouteilles de vin dans un sac. Il allait sortir lorsqu'elle s'adressa à lui.

— Le père Duchesne vous réclame.
— ...
— Ça fait plusieurs jours qu'il veut vous parler. Martin ne voulait pas. Mais là, il est au tournoi de fers. C'est moi qui m'occupe du vieux et je n'en peux plus de l'entendre gémir votre nom.

*

Monsieur Albert Duchesne était couché dans une petite chambre au premier étage. On y accédait par le salon, en contournant ce fauteuil berçant dans lequel il avait passé la majeure partie de ses dernières années. Les rideaux étaient fermés et il faisait très sombre. On entendait le bruit d'une machine à oxygène. Il faisait chaud dans cette petite pièce au plafond très bas, comme il était de coutume dans ces maisons d'époque. On voyait les pieds de monsieur Duchesne qui dépassaient des couvertures au bout du lit. Ce qui étonnait sur ce corps malade et décharné par la maladie, c'était l'énorme ventre ballonné par la tumeur qui avait atteint des proportions obscènes.

Alain alla à la fenêtre et ouvrit légèrement le rideau pour faire entrer un filet de lumière. Monsieur Duchesne, qui l'aperçut d'un œil, se mit à s'agiter. Alain s'approcha et s'assit sur une chaise près de la tête du lit. Le vieux mit du temps avant de pouvoir parler. Ses lèvres s'agitaient un peu à la manière de celles de Marianne Manseau, mais sans qu'un mot n'en sorte. Des larmes coulaient de ses yeux jaunes et voilés, sur ses joues aux rides profondes. Puis, d'un effort qui paraissait le faire souffrir grandement, il étira un bras pour prendre la main d'Alain.

– Toi, ici, dit-il. Je n'y croyais plus. Je suis content de te voir.

Et les larmes coulèrent de plus belle.

– Je vais mourir. Et je veux quitter ce monde l'esprit en paix. Tu seras mon confesseur.

Alain acquiesça. Le visage torturé de monsieur Duchesne devint radieux. Il semblait ragaillardi et se releva sur son oreiller, en s'appuyant sur ses coudes.

– J'ai su que tu avais dit non à Réal. Je pense que plusieurs personnes dans la communauté t'appuient secrètement. Mais j'ai appris ce qu'ils t'ont fait par la suite. J'ai essayé de dissuader Martin de participer à cette escroquerie. Mais il ne peut pas s'opposer à Réal. Fortier possède cinquante et un pour cent des parts de l'épicerie. Il pourrait nous arracher notre seul gagne-pain, tu comprends? Regarde, dit-il en souriant sincèrement et en mettant ses mains sur son énorme bedaine gonflée et dure, je vais mourir tout comme Joseph. C'est lui qui vient me chercher, ce vieux salaud. Ah, je l'ai bien mérité...

Et il rit doucement, en grimaçant.

– Je dois te raconter cette histoire qui me pèse, qui m'écrase, et qui me lie intimement à Joseph. Toute ma vie, j'ai été un lâche et je n'ai pas su m'opposer quand il l'aurait fallu. Je me suis terré comme une larve, dans le plus grand silence. Mais si à mon plus grand malheur je devais quitter ce monde sans me confesser, je sais que mon âme irait directement en enfer.

Alain s'assit près du malade et ajusta son oreiller. Après avoir mouillé ses lèvres dans un verre d'eau déposé sur la table de chevet, Albert Duchesne s'appuya la tête et fixa de ses yeux globuleux le vieux plafond à caissons.

– Fortier est un homme sans scrupule, un fanatique. Des gens ont vu leur vie ruinée à cause de lui, et d'autres sont tout bonnement disparus. Lui et ses acolytes sont en train de te détruire comme ils l'ont fait avec Joseph. Il a fallu que ce bougre voie en toi un frère d'âme pour te céder ce qui lui restait de plus précieux, la montagne et la cabane que lui avait léguées son père alors qu'il n'était qu'un jeune garçon. Fortier, ce hippie de Montréal, lui a tout volé. Sa femme, qu'il aimait, est décédée. Mais Joseph tenait bon, quand même. Je vais te conter cette histoire que moi seul connais et qui me pèse tellement. Que Joseph me pardonne...

Monsieur Duchesne prit une pause. Son front jaune perlait de sueur froide. Il flattait son ventre malade de ses mains à la peau moite et jaune, son corps tout empoisonné par le sang que son foie n'arrivait plus à nettoyer.

– Joseph, au bord de la ruine après la saisie de sa ferme par Réal, vit ses fils travailler pour un salaire de misère à la mine d'ardoise. En mal d'argent, à la suite d'une suggestion du curé Prud'homme, il envoya sa fille travailler comme boniche au presbytère. Claude Prud'homme était un jeune prêtre plutôt charismatique, dans la jeune trentaine. Il plaisait beaucoup par sa jeunesse, sa modernité et sa vivacité. Les femmes l'aimaient beaucoup et on vit un regain d'intérêt pour la religion, en même de temps que prospérait Fortier Industries et que les gens retrouvaient un peu de dignité par le travail. Cela faisait déjà quelques années qu'il était dans la région et il avait organisé de nombreuses activités, dont son fameux tournoi de fers qui attirait des champions depuis toutes les régions de la province. Marianne travailla pour lui pendant un moment. J'étais proche de l'église et je l'ai servi fidèlement comme marguillier jusqu'à ces événements que je vais te raconter. Une de mes tâches était l'entretien paysager. Je tondais la pelouse et m'occupais des fleurs. J'ai quitté mes fonctions et je me suis définitivement détaché de l'église après cette horrible histoire. À l'époque, Marianne était une fille simple, serviable et d'une grande douceur, comme sa mère. Elle était tombée éperdument amoureuse de Claude Prud'homme. Celui-ci, peu à peu, au contact de cette jeune fille qui était sa servante, sa ménagère, se laissa séduire. Leur relation dura plus d'une année. Elle avait à peine dix-sept ans... Elle connut une interruption de grossesse cette année-là, pratiquée dans la plus grande discrétion par le docteur Couture. Il lui diagnostiqua alors une tumeur cancéreuse et peu de temps après on lui retirait l'utérus à l'Hôpital de Lévis. C'est ma femme qui m'en a parlé... Marianne, fille d'agriculteur, fut rapidement sur pied. Elle retourna au presbytère et sa relation avec le curé se poursuivit pendant encore une année. Un beau jour, exaspérée sans doute par cette vie illicite, elle lui demanda de renoncer à ses vœux et exigea qu'ils se marient. Le lendemain, le village apprenait que la jeune Manseau avait été hospitalisée, après être tombée d'un escabeau alors qu'elle nettoyait un lustre. On avait pour seule preuve le témoignage de Claude Prud'homme. Elle demeura dans un profond coma pendant plusieurs semaines. Au bout de quelques mois, on la retourna chez elle. C'est alors que Joseph, désœuvré, fut achevé. En comprenant ce qui était arrivé à sa fille, il perdit la tête et s'enfuit sur sa montagne.

Ainsi il y avait eu la perte du patrimoine familial. Puis sa fille qu'il avait lui-même livrée aux chacals. Alain la revoyait se berçant sur la galerie : ses yeux blancs, absents, ses murmures exprimant des tourments sans fin. Et Joseph, les yeux illuminés, martelant la cheminée de pierre, en l'appelant Marianne avec amour, et faisant un feu dont la fumée allait caresser tendrement la montagne.

– Ce que je te raconte, Alain, n'est écrit nulle part. Mais tout le monde s'en doute, d'une manière ou d'une autre. Moi, je l'ai compris un jour d'été où je m'adonnais à ma tâche au presbytère. J'étais à quatre pattes dans les plates-bandes et j'arrachais de la mauvaise herbe. Les fenêtres au-dessus de ma tête étaient ouvertes et personne ne savait que j'étais là. J'ai entendu Marianne et le curé discuter. Puis, j'ai entendu la jeune fille hurler et Prud'homme qui essayait de la calmer.

Il y a eu des bruits de lutte. «Je t'aime, disait-elle. Je veux que tu quittes ton sacerdoce et que nous nous mariions». Il y a eu encore des cris de colère et de rage. Claude Prud'homme semblait hors de lui. Il refusait d'une manière qui laissait entendre que ce n'était pas la première fois qu'ils avaient cette discussion. Puis j'ai entendu Marianne hurler d'une douleur effroyable, un cri qui m'a glacé le sang, lorsque le curé lui a dit : « À quoi bon ce mariage, puisque nous ne pourrons jamais avoir d'enfant ? »

*

Alain, le chapeau de feutre calé sur la tête, avançait d'un pas lourd en s'aidant de son bâton. Il remontait la côte qui menait à la place de la Fête de l'automne. Des gens qui redescendaient s'écartèrent de son chemin en affichant leur désarroi et leur frayeur. Il marcha ainsi, comme une ombre imperturbable, jusqu'au terrain de fers.

La demi-finale avait lieu. Claude Prud'homme jouait en compagnie du docteur Couture contre une équipe de Lotbinière. La partie était très serrée et les adversaires étaient nez à nez. Le curé de Saint-Édouard, habitué d'écraser ses adversaires, se mordait la lèvre inférieure à chaque lancer de son coéquipier qui, moins agile, faisait reculer le pointage. Chaque fois, le curé devait rétablir le compte de ses fers savamment envoyés.

Parmi la foule, qui encourageait son favori, il y avait le maire Fortier en compagnie de ses hommes de main qui applaudissaient bruyamment chaque lancer du curé. Près du kiosque de vente de bières, les deux frères Manseau, en retrait, observaient la partie, le visage tout rouge d'avoir trop consommé de bière. Lorsque Alain se présenta au milieu du terrain, on entendit des cris. La terreur s'empara de plusieurs, alors qu'ils avaient l'impression de voir devant eux le fantôme de Joseph Manseau, de retour de chez les morts, revenu les tourmenter.

Alain leva les bras haut dans les airs. Puis, il pointa Claude Prud'homme avec son bâton qu'il tenait à deux mains. Tout le monde retenait son souffle.

– Salaud ! hurla Alain. Que cherchais-tu dans les tiroirs de Joseph, alors que tu prétendais venir lui offrir la prière pour les morts ? Tu savais à quel point il te détestait ! Tu voulais faire disparaître les moindres traces de ton méfait, démon !

Le curé était blême. Le docteur Couture avait laissé tomber ses fers et s'éloignait d'un pas rapide et titubant vers sa clinique. Des hommes de Réal voulurent s'interposer, mais le maire les en empêcha. Et Alain continua à parler, le visage grimaçant, tel un possédé.

– Tu as fait arracher de son ventre cet enfant qu'elle portait de toi ! Et quand elle t'a dit qu'elle t'aimait, tu as voulu la tuer !

Claude Prud'homme l'écoutait sans bouger, les bras le long de son corps filiforme. De livide il était devenu tout rouge. Puis sans qu'on s'y attende, il effectua une de ses motions dont lui seul avait le secret, et lança avec une puissance effroyable un fer qui heurta Alain en pleine poitrine. Il y eut un bruit sourd. Puis Alain tomba au sol, plié en deux. Le curé enleva son manteau et roula les manches de son col roulé sur ses avant-bras. Il se lança sur Alain en hurlant.

Rendu fou furieux, il tabassait Alain de ses poings qui s'abattaient depuis ses longs bras comme de puissants marteaux emportés par une rage incroyable. Les hommes de Réal Fortier s'étaient approchés et l'encourageaient.

— Vas-y, mon Claude! Donne-lui la claque!
— *Come on*, Claude! *Come on!*
— Envoye, Claude! Magane! Magane!

Et Claude maganait. Ses poings déferlaient sur le visage d'Alain qui se couvrit de sang. Lorsqu'on jugea que celui-ci en avait assez, on maîtrisa Claude Prud'homme qui hurlait toujours en se débattant.

Puis il s'éloigna vers son presbytère en s'adressant à la foule rendue hystérique.

— Je l'aimais. Je l'aimais!

Le maire Fortier riait tellement qu'il fallut deux hommes pour le retenir afin qu'il ne tombe pas par terre.

Alain releva une tête méconnaissable, pathétique, avec ses deux yeux enflés, un visage tuméfié, sanguinolent et des dents en moins dans la bouche. Il tâtait ses côtes endolories. Alors que tout le monde s'éloignait, toujours à quatre pattes dans le sable taché de son sang, il vit devant lui les frères Manseau. Ils affichaient tous les deux une mine patibulaire, des regards morbides. Leurs yeux allaient et venaient, frénétiquement, d'Alain au presbytère... d'Alain au presbytère.

Le lendemain matin, on retrouva Claude Prud'homme mort dans son salon, la tête éclatée par un coup de .12 en pleine nuit.

Paul Manseau s'était déjà livré à la police.

*

Alain était assis droit sur une chaise. Mireille le soignait en pleurant à chaudes larmes.

— Ils sont fous. Ils sont tous fous !

Le docteur l'avait renvoyée en la traitant de putain, parce qu'elle entretenait une relation avec un client de la clinique. De retour à sa petite maison bleue, elle avait trouvé Martin Duchesne, son propriétaire, qui l'avait mise à la porte en l'insultant et en la menaçant. Elle s'était réfugiée chez Alain avec ses deux valises roses.

Tout près d'elle, Sammy-Jo, la rottweiler, veillait au grain. La grosse chienne semblait s'être liée d'affection pour Mireille, qui l'avait tout de suite adoptée. Il semblait que ces deux-là étaient faites pour se comprendre.

— Des affaires de filles, avait dit Mireille.

Alain lui offrit le chien. Elle accepta en affirmant qu'avec une compagne pareille, plus personne ne pourrait lui faire du mal. Elle avait dit cela en pointant Alain du doigt.

Ce soir-là, l'infirmière désœuvrée prit la décision de retourner chez sa mère à La Tuque. Le lendemain, ils quittèrent pour Québec avec Sammy-Jo qui bavait sur la banquette arrière et qui empestait le véhicule avec son haleine. Alain et Mireille firent l'amour une dernière fois dans un motel du boulevard Hamel. Après qu'on eut chargé la chienne dans une cage, dans la soute à bagages, Alain regarda les grosses fesses surréalistes, qui passaient à peine par la porte de l'autobus, disparaître à jamais. Il se demanda si, de toute sa vie à venir, il connaîtrait de nouveau une extase pareille.

Il alla traîner dans le centre-ville de Québec, arpentant la rue Saint-Joseph de long en large. Avec ses vêtements sales, sa gueule pas possible, son oreille à moitié arrachée et son visage tuméfié, il sentait que tous ceux qu'il croisait le considéraient comme le plus pathétique des clochards. Des gens qui le connaissaient bien ne le reconnurent pas.

*

Mireille n'avait pas cru si bien dire. Une véritable psychose collective s'était emparée de tout Saint-Édouard. À la suite des derniers événements – les déclarations spectaculaires d'Alain, la mort violente du curé Claude Prud'homme aux mains de l'aîné des Manseau –, les caméras de télé allaient et venaient dans tout le village, cognant aux portes en cherchant des commentaires, des témoignages, de l'émotion pour l'audimat.

Réal Fortier, qui sentait le sol lui glisser sous les pieds, fut aussi emporté par cette hystérie. Il organisa une grande corvée pour tous les travailleurs de Fortier Industries et ses satellites partout en région. À son avis, il fallait mettre à exécution, et au plus vite, la dernière résolution votée au conseil municipal. Le risque d'attirer les regards de puissants investisseurs était grand, et le danger que son projet gazier lui échappe, tout autant. Aussi, tout ce que le chantier de la rue Principale comptait de bulldozers, d'excavatrices et de camions, tout ce que les terres à bois des environs comptaient de défricheuses et de bûcherons convergea telle une immense armée vers le 6e Rang.

Ils remontèrent jusqu'à la petite maison qu'ils jetèrent par terre, et coupèrent autant d'arbres qu'ils le purent, emportés par un élan soudain et incontrôlable, comme s'ils cherchaient désespérément, par la destruction effrénée de la terre Manseau, à exorciser un grand mal.

Ils quittèrent les lieux en fin de journée en laissant sur place la machinerie, se promettant de revenir le lendemain raser ce qui restait de la montagne.

*

Alain, qui rentrait de la ville, croisa toutes ces camionnettes qui dévalaient le rang.

Il trouva ses affaires personnelles, empilées pêle-mêle, à côté de la boîte aux lettres, au bord du ruisseau. Sur le chemin de gravier gisait le gros thuya qu'on avait abattu puis transformé en grosses rondelles numérotées.

Sous la pression des machines, c'était plusieurs hectares de forêt qui avaient été défrichés, laissant tout un pan de la montagne complètement nu. Les bulldozers avaient nivelé le terrain en remontant la terre, le sable et les cailloux, depuis la route, en emportant la maison et la grange qui avaient été enfouies. On voyait, ici et là, des planches et des madriers sortant de terre. Seule était demeurée debout la grande cheminée qui, par on ne sait quel mystère, n'avait pas été abattue, et trônait au milieu de cette terre désolée comme une chose imperturbable, prise à même le roc.

Alain marcha jusqu'à elle.

En levant la tête, il la vit qui s'étirait vers le ciel, sur lequel se déployait en filigrane un immense voilier d'oies sauvages.

Il s'étendit sur le dos et passa sa tête dans l'âtre en l'appuyant sur une bûche calcinée. Il sentit un courant d'air froid qui tombait par le conduit. Le petit bout de ciel qu'il voyait par l'orifice, plus haut, se voila. Deux mains émergèrent de l'ombre et descendirent jusqu'à lui. Des mains aux doigts longs et aux ongles effilés. Elles étaient noires, couvertes de suie. Elles le touchèrent délicatement, flattèrent ses cheveux puis son visage.

*

Il tâtait de son pied de grosses planches embouvetées qui émergeaient de la terre. Il reconnut celles qui faisaient le plancher de la cuisine, graisseuses et noires, patinées par les années. Elles avaient été exposées à la poussière, à la fumée et aux passages des pieds. Il s'accroupit en se demandant si ce n'était pas celles sur lesquelles avait glissé une chaise pendant de longues années, alors que le bonhomme Manseau passait ses soirées à bricoler ses petites sculptures de bois. On en trouvait maintenant partout sur le terrain labouré, comme de petits fétiches, de petits bonshommes sortant de la terre et observant Alain. Ils les entendaient presque lui demander à l'unisson, en une multitude de voix :

– Et maintenant, mon garçon... qu'est-ce que tu vas faire ? Qu'est-ce que tu vas faire ?

Son téléphone sonna au creux de sa poche. À son grand étonnement.

Incrédule, il regarda l'appareil qui sonnait de ce son caractéristique de R2-D2, téléchargé depuis un site de sonneries pour portable. L'indicateur de fréquence signalait une mauvaise réception, avec une barre timide. Avec ces hectares de terres défrichées autour de lui, il avait la connexion.

– Allo, Alain ?
– Salut, maman.
– Comment ça va, mon grand ?
– Ça va bien. Un peu fatigué, mais ça va bien.
– Tu travailles fort ?
– Oui.
– Alain, tu ne m'as pas appelée de l'été. Je me suis inquiétée.
– Désolé, je n'ai pas arrêté. J'allais le faire.
– Ça va bien tes affaires ?
– Oui. Ça va super bien. Je suis vraiment content. J'ai presque terminé les rénovations sur ma maison. Il me reste l'intérieur. Je ferai ça cet hiver. L'automne est à peine arrivé et je suis déjà prêt pour mes sucres au printemps !
– Tu as une érablière ? !
– Oui. Pas grand-chose. Plus ou moins 3 000 entailles. Mais j'ai trouvé quelqu'un pour acheter ma production. C'est un début. L'an prochain je pense me rendre à 10 000 entailles. Là ça va commencer à être payant.
– Une vraie cabane à sucre ?
– Oui, oui. La vue est superbe ici. Je vais ouvrir une cabane à l'ancienne, mais un peu *trendy*. Style haute gastronomie de l'érable. Je suis sûr que ça va marcher fort. Mais bon, tout ça, c'est dans quelques années.
– J'en reviens pas. Félicitations, mon garçon ! Je suis très heureuse pour toi.
– Merci, maman.
– J'aimerais te voir.

— Passe faire un tour. Ils annoncent une superbe journée, demain. Les feuilles des arbres sont de toutes les couleurs. C'est magnifique. On pourrait aller marcher en forêt.

— Ah oui?!

— Mais oui! Et emmène Guy!

— T'es sérieux là?

— Oui, maman. J'ai très hâte de lui montrer ma terre.

— Oh, Alain... Si tu savais comme ça va lui faire plaisir! Ça fait tellement longtemps qu'il attend ça. J'en ai les larmes aux yeux.

— Ben voyons. Pleure pas, maman. J'ai très hâte de vous voir. Moi aussi, je t'aime. À demain. Bisous.

*

La nuit tombait.

Sur la route, on entendit le bruit d'un moteur.

En levant les yeux, Alain vit s'approcher dans la pénombre un jeep militaire avec un gros fusil mitrailleur juché sur une tourelle à l'arrière.

Dean était au volant dans des habits de commando, avec un casque de combat sur la tête et des lunettes de vision nocturne sur le visage.

Il s'arrêta devant Alain et ouvrit la portière du passager.

— C'est à soir que ça se passe, Al. Tu viens?

*

Cela faisait deux heures qu'ils attendaient, couchés derrière une butte de sable parmi de longues herbes séchées. Ils observaient en silence la maison de Réal Fortier dont les fenêtres illuminées se découpaient dans la nuit. Ils avaient roulé en remontant le 6ᵉ Rang sur le chemin ouvert par les forestiers qui les mena jusqu'à la 286. Une fois le jeep camouflé dans la forêt, Alain empoigna le M60 et le descendit de son perchoir. Dean avait en mains deux gros sacs qui paraissaient très lourds. Depuis plusieurs jours, il étudiait le terrain, et son intervention était planifiée au quart de tour. Ils s'en allèrent directement à la butte où ils installèrent leur quartier général pour la nuit.

Dean scrutait la maison à l'aide de ses lunettes de vision nocturne, à plat ventre derrière une touffe d'herbe. Il faisait froid et ils commençaient à grelotter tous les deux.

— Allez, mon amour, disait-il avec impatience en consultant régulièrement sa montre. C'est le temps.

Puis, au bout d'une longue attente, une lumière clignota à plusieurs reprises depuis la tour. Dean prit une arme sur une épaule et un rouleau de corde avec un grappin sur l'autre. Il tenait un sac à deux mains et le pressait contre sa poitrine. Il parlait, couché sur le dos, son regard portant vers le ciel étoilé.

— Donc, on récapitule. Je vais me glisser jusqu'au gros réservoir de propane à côté de la maison. J'y installe ma charge d'explosifs. Je lance ensuite mon grappin, j'aide Sonia à descendre, et on vient te rejoindre. Ensuite on détale tous les trois vers le jeep et on file à la frontière. Compris ?
— Oui.
— OK. Ça, c'est si tout va bien. Sinon, à mon signal, tu composes le numéro que je t'ai donné sur le téléphone Iridium. Le satellite va faire le relais et puis « kaboom ! » feu d'artifice pour Réal. Ça marche ? Prends les lunettes et va-t'en au M60.

Et Dean détala au pas de course en disparaissant dans la nuit. Alain demeura un instant immobile, figé par le froid et par cette situation inouïe dans laquelle il se trouvait. Puis, ragaillardi par l'urgence de la situation, il se glissa sur une dizaine de mètres jusqu'au fusil mitrailleur qui reposait sur son trépied dans le sable.

En enfilant les lunettes de vision nocturne, il repéra Dean accroupi contre la maison. Il ne bougeait pas. Sur le balcon, tout à côté de lui, deux hommes fumaient des cigarettes, menaçant de l'apercevoir à tout moment. Alain empoigna nerveusement l'arme à deux mains. Lorsque, à son grand soulagement, les deux fumeurs retournèrent à l'intérieur, il vit Dean ramper sur le sol jusqu'au réservoir de gaz propane. Une fois sa tâche accomplie, le rockabilly se déploya de toute sa grandeur et envoya son grappin à la fenêtre de la tour. Mais contrairement à ce qui avait été prévu, il entreprit d'escalader la maison.

Il dut s'y reprendre à plusieurs reprises, avec ses grandes jambes qu'Alain voyait s'agiter dans les lunettes nocturnes qui renvoyaient toute cette scène dans des teintes d'un vert lumineux, dans une image surexposée au moindre éclairage, caractéristique de cette technologie militaire. Finalement, Dean atteignit la tour. Il demeura longtemps sur le bord de la fenêtre, comme suspendu dans le vide. Une silhouette s'agitait nerveusement devant la fenêtre, incapable d'ouvrir. Puis il y eut un grand bruit de verre brisé. Dean disparut à l'intérieur. Aussitôt, plusieurs pièces de la maison s'éclairèrent. Alain, qui serrait sa mitraillette de plus belle, commençait à sentir monter la panique.

On entendit des cris. Puis il y eut des coups de feu. La porte arrière, qui donnait sur la cuisine, s'ouvrit et claqua avec fracas. Sonia apparut sur la galerie, sauta en bas, et se mit à courir en direction d'Alain.

Dean suivait et criait :

— *Shoote*, Al ! *Shoote !*

Trois hommes les poursuivaient en tirant des coups de feu. Alain envoya une salve de M60. Les balles traçantes tirèrent de longs traits orangés dans la nuit et allèrent éclater bruyamment contre la maison. Leurs poursuivants se jetèrent au sol tandis que Dean et Sonia passaient à côté d'Alain pour plonger derrière la butte.

Dean hurla à pleins poumons.

— Téléphone, Al ! Téléphone !

Alain sortit le téléphone Iridium de sa poche et composa nerveusement.

Après que le dernier numéro eut été enfoncé sur le clavier, il y eut une courte attente. Puis on vit un éclair lumineux déchirer la nuit, accompagné d'une puissante déflagration dont le souffle se fit sentir jusqu'à eux. Le réservoir de gaz propane avait explosé en emportant une partie de la maison. Une immense boule de feu se propagea sur tout le bâtiment.

Ils abandonnèrent leur équipement et fuirent tous les trois au pas de course jusqu'au jeep.

*

Alain conduisait à toute vitesse sur la 286, en direction de la frontière. Dean avait insisté pour qu'il prenne le volant. Il comprit rapidement pourquoi lorsque Sonia se mit à se lamenter sur la banquette arrière du fait qu'il avait été touché et qu'il perdait du sang.

— C'est pas grave, dit l'autre d'une voix brisée. Fonce, Al! Tu tourneras chez les Manseau.

Alain vira sur le chemin des pommiers et roula en trombe sur la route de gravier, passant à côté de la maison, à travers le champ, jusqu'à la carrière d'ardoise. Ils abandonnèrent le véhicule à l'orée de la forêt.

Alain allait devant, en cherchant à les guider de son mieux en direction du sud. Dean suivait péniblement, aidé par Sonia. Il avait en main un talkie-walkie dans le lequel il répétait sans cesse.

— *Nighthawk. Nighthawk. This is Dean Canada. Dean Canada. Nighthawk, this is Dean Canada. Answer me, Nighthawk.*

Ils traversèrent la rivière en soutenant Dean sur leurs épaules. Le grand rockabilly, la tête penchée en avant, visiblement en proie à de grandes souffrances, s'accrochait désespérément à son talkie-walkie et ne cessait d'appeler les gars de la Maine's United Patriots, mais en vain.

— Qu'est-ce qu'ils font? Mais qu'est-ce qu'ils font?! Ils devaient nous attendre. Tout était planifié.

Dean, qui perdait de grandes quantités de sang, était en état de choc. En éclairant son visage avec une lampe de poche, Alain et Sonia purent voir son visage blafard et sa peau moite. Il toussa et du sang sortit de sa bouche.

— Oh, mon Dieu! s'exclama Sonia qui mit ses deux mains sur son visage.

Alain détacha la veste de Dean pour voir l'affreuse plaie qu'avait faite l'arme de chasse qui l'avait touché. La balle lui avait transpercé la poitrine de bord en bord.

Ils prirent une pause, sur un sol de mousse humide, qui dura près d'une heure. Il y eut de longs silences entrecoupés par le bruit de la respiration pénible et sifflante de Dean, et par ses quelques moments de lucidité, qui lui faisaient prendre son talkie-walkie pour relancer son appel de désespoir. Mais il n'y avait qu'une longue friture qui se faisait entendre sur la ligne.

Il y eut un bruit sourd. C'était comme un roulement de tambour. Très vite, ils reconnurent les battements de l'hélice d'un hélicoptère. L'appareil se dirigeait dans leur direction, scrutant la forêt à l'aide d'un puissant projecteur.

Dean, qui revint à lui, se releva en les intimant d'aller à la source, près du grand arbre. C'est là que les Patriots les attendaient. Il en était persuadé. Ils coururent tant bien que mal, traînant Dean qui ne se supportait plus sur ses jambes. Au loin, on entendait l'hélicoptère et les jappements des chiens qui étaient maintenant sur leurs traces.

Ils émergèrent dans une clairière. Dans la nuit, se découpant tel un immense totem, il y avait un cèdre gigantesque. Il exposait ses racines puissamment accrochées à la pierre, au travers desquelles giclait une source qui formait un ruisseau coulant vers la rivière.

Dean s'effondra sur le sol.

Alain s'agenouilla près de lui et le prit dans ses bras. Les aboiements des chiens se faisaient de plus en plus pressants. On entendait des voix d'hommes qui parcouraient la forêt en effectuant une large battue.

– Al, mon chum, je m'en sortirai pas.

– Mais non, Dean. Ça va aller, tu vas voir.

Le rockabilly était au bord de rendre son dernier souffle, et avait l'air d'un petit garçon désemparé qui faisait un mauvais rêve et qui s'abandonnait dans les bras de sa mère.

– Tu vas emmener Sonia dans le Maine. Vous avez une chambre qui vous attend à Bangor.

– OK.

– Je veux que tu prennes soin de mon enfant, Al. Promets-moi que tu vas t'occuper de lui.

– Je te le promets, Dean.

– Je suis le seul homme qui ait trouvé le chemin secret qui mène du sphincter d'une femme à son utérus. C'est-ti pas beau, ça ?

– Oui, Dean. C'est formidable.

Il respirait de plus en plus difficilement. Il râlait, étouffé par les sécrétions et le sang qu'il crachait péniblement.

– Je suis un ange, moi. Tu le savais, ça, Al ?

– Oui, je le savais. Je n'en ai jamais douté. De l'enfer ou du paradis, ça, je me le suis toujours demandé.

Dean sourit en grimaçant.

– Contrairement à Satan, moi, je me suis échappé de l'enfer pour faire le bien.

– L'antagoniste des antagonistes...

– Voilà. Tu le savais, ça aussi, que je faisais le bien.

– Oui, je le savais. Je le savais très bien, mon chum.

– Mon chum..., fit Dean qui eut un réel sourire de bonheur.

Il fouilla dans sa poche. Les chiens allaient fondre sur eux d'une minute à l'autre. La battue des forces de l'ordre était tout près. Dean semblait vouloir fouiller dans les poches de son blouson.

– J'ai besoin du téléphone Iridium, Al. Il faut que je fasse un dernier appel avant de partir.

Alain lui tendit l'appareil et il composa péniblement un numéro sur le clavier. Puis il prit son air le plus parfaitement imbécile, celui qu'Alain connaissait maintenant si bien, avec ses yeux à moitié fermés, sa bouche entrouverte et ses dents et son grand nez déployés vers l'avant, ce qui le faisait ressembler à un âne.

Son oreille était appuyée contre le téléphone, comme s'il attendait que quelqu'un réponde à l'autre bout de la ligne. Puis il dit :

– Oui, allo ? C'est Dean Morissette.

Et la terre trembla.

Un bruit monstrueux se fit entendre. Au loin, on vit une colonne de feu monter vers le ciel et se déployer tel un champignon atomique. Un souffle d'une chaleur intense, à la limite du supportable, passa sur eux. Puis, à des kilomètres à la ronde, sur les montagnes et les forêts environnantes, se mirent à tomber, telle une pluie de météorites, des morceaux de métal et de pièces d'automobiles en fusion embrasant les arbres tout autour. Une portière enflammée tomba à quelques mètres d'eux. Puis un pare-chocs éclata contre une épinette qui prit feu.

Dean souriait béatement, les yeux grand ouvert devant le spectacle. Il était mort.

On ne retrouverait plus rien de sa maison, ni de ses bâtiments ou de sa cour à scrap. Excepté un immense cratère de plus de cent mètres de diamètre et de trente mètres de profondeur.

*

Des hommes, tenant des chiens enragés au bout de leurs laisses, firent leur apparition dans la clairière.

Alain abandonna Dean et rampa sur le dos jusqu'à se retrouver dans le ruisseau, qu'il remonta jusqu'à la source, pour s'arrêter en s'empêtrant dans les racines de l'arbre. Sonia pleurait sur le corps inanimé de Dean.

Le policier Charles Marois et le cow-boy André dit Le Dré avançaient vers Alain, leur fusil au poing, prêts à l'abattre. Alain s'enfonça dans l'eau glacée, sentant son corps s'engourdir, attendant l'inévitable mort qui se profilait devant lui dans les yeux furieux des deux matamores, dans ce décor apocalyptique de forêt enflammée.

Sonia se rua sur eux et les supplia.

— Charles, André, ne faites pas ça ! Je vous en prie !

Voyant les deux hommes hésiter, elle ajouta encore, d'un cri provenant du fond du cœur :

— C'est lui le père de mon bébé.

*

Réal Fortier était sorti sain et sauf de l'incendie de sa maison. Mais il mourut d'un arrêt cardiaque, le lendemain matin, emporté par la trop grande émotion que suscita cette incroyable histoire qui allait marquer définitivement les esprits. Le maire de Saint-Édouard n'avait pas préparé sa succession et c'est Sonia, son épouse, qui hérita de l'entièreté de ses avoirs. Elle procéda à la liquidation de Fortier Industries en scindant la compagnie en de multiples entités qu'elle vendit à fort prix à des compétiteurs avides. Elle remit la terre aux enfants Manseau, comme le lui avait demandé Alain. Mais elle ne put sauver la montagne. Un groupe d'investisseurs, fait d'un consortium sino-russo-américain et d'ex-cadres de grandes sociétés d'État québécoises, s'étaient approprié les droits d'exploitation du gaz. Saint-Édouard devint une ville prospère, un phare économique dans la région. Ses citoyens sont heureux parce que l'économie va bien, même si la nappe phréatique est empoisonnée, que l'air est irrespirable et qu'il n'y plus aucun poisson dans les rivières. La dernière ferme laitière a été abandonnée. On parle de construire un centre commercial dans un avenir rapproché et un hôtel de villégiature avec un centre des congrès.

Alain Demers fut condamné à trente-sept ans de prison, sous soixante chefs d'accusation, avec impossibilité de recouvrer sa liberté avant d'avoir purgé dix-huit ans fermes. Il a tenté de plaider la folie, mais il n'était ni médecin ni avocat.

Il n'entendit plus jamais parler de Mireille. Mais sa fantasmagorie était définitivement marquée par les femmes énormes. Il fréquente assidûment, sous le pseudo Al_for_XL, depuis les postes Internet mis à la disposition des prisonniers, des forums de discussion où des filles rondes apprennent à s'apprécier. Il y est très populaire.

Il avait d'abord douté de sa paternité, lui qui se croyait infertile, mais il dut se rendre à l'évidence en voyant les premières photos depuis sa cellule : le petit garçon lui ressemble vraiment. Sonia est retournée dans son Madawaska natal où elle s'est installée avec un motard répondant au nom de Steve, un bougre sympathique qui s'occupe bien du garçon baptisé Kevin-Kyle Demers.

Sonia écrit sporadiquement à Alain. Elle lui envoie de temps à autre des photos de son fils où on le voit faisant du motocross avec Steve ou tirant du fusil en compagnie de sa mère. Chose qui étonne son entourage, Sonia la première : il est très bon à l'école. Dernièrement, il a eu quatre-vingt-dix-huit pour cent en rédaction.

Alain le sait aussi, car il garde précieusement, sous son oreiller, toutes les lettres que lui écrit son garçon.

DU MÊME AUTEUR

- *Aréna*, série jeunesse, 3 tomes, les Éditions des Intouchables, 2009-2010.

- *Les Fistons*, nouvelle, les Éditions J'ai VU, 2008.

- *Le Chagrin des étoiles*, roman jeunesse, les Éditions de la Bagnole, 2008.

- *Darhan*, série jeunesse, 10 tomes, les Éditions des Intouchables, 2006-2010.

- *Miguel Torres*, roman, les Éditions des Glanures, 1998.